DIOGENES TASCHENBUCH 20903

D0587064

SKD
€ 2,50
W 33

HONORÉ DE BALZAC

EUGENIE GRANDET

ROMAN
DEUTSCH VON MIRA KOFFKA

MIT EINEM NACHWORT
VON
WOLFGANG KOEPPEN

DIOGENES

TITEL DER FRANZÖSISCHEN ORIGINALAUSGABE:
›EUGÉNIE GRANDET‹
DAS NACHWORT WURDE DEM 1981 IM
SUHRKAMP VERLAG, FRANKFURT A. M.,
ERSCHIENENEN BAND VON WOLFGANG KOEPPEN
›DIE ELENDEN SKRIBENTEN‹ ENTNOMMEN UND ERSCHEINT
HIER MIT FREUNDLICHER GENEHMIGUNG DES SUHRKAMP VERLAGS
UMSCHLAGILLUSTRATION VON HONORÉ DAUMIER

VERÖFFENTLICHT ALS DIOGENES TASCHENBUCH, 1977
MIT FREUNDLICHER GENEHMIGUNG DER
ROWOHLT VERLAG GMBH, REINBEK BEI HAMBURG
ALLE RECHTE AN DIESER AUSGABE WERDEN
VERTRETEN VOM DIOGENES VERLAG, ZÜRICH
30/98/8/4
ISBN 3 257 20903 7

EUGENIE GRANDET

MAN FINDET IN MANCHEN STÄDTEN DER Provinz Häuser, deren Anblick eine Melancholie einflößt, wie sie die düstersten Klöster hervorrufen, die dürftigsten Steppen oder die trostlosesten Ruinen. Vielleicht hat man in diesen Häusern zu gleicher Zeit das Schweigen des Klosters, die Dürftigkeit der Steppen und das Totengebein der Ruinen; das Leben und Treiben verläuft in ihnen so ruhig, daß ein Fremder sie für unbewohnt halten könnte, wenn er nicht plötzlich dem fahlen und kalten Blick einer unbeweglichen Gestalt begegnete, deren halb mönchisches Gesicht über die Fensterbrüstung hinausragt beim Klange eines unbekannten Schrittes. Diese Grundzüge von Melancholie prägen sich im Charakter eines Gebäudes aus, das in Saumur am Ende der bergigen Straße liegt, die durch die obere Stadt zum Schloß führt. Diese Straße, jetzt wenig belebt, heiß im Sommer, kalt im Winter, und an einigen Stellen dunkel, ist bemerkenswert wegen des hellen Klanges ihres Pflasterstreifens aus Kieselsteinen, der stets sauber und trocken ist, wegen der Enge ihres gewundenen Laufes, wegen der Friedlichkeit ihrer Häuser, die zur alten Stadt gehören und von den Wällen überragt werden. Häuser, drei Jahrhunderte alt, sind da noch gut erhalten, obwohl aus Holz gebaut, und ihr verschiedenartiges Aussehen trägt zu der Originalität bei, durch die dieser Teil von Saumur die Aufmerksamkeit des Altertumskenners und Künstlers erregt. Man wird schwerlich an diesen Häusern vorübergehen, ohne die riesigen Bohlen zu bewundern, deren Enden zu bizarren Köpfen geschnitzt sind, und die bei den meisten das Erdgeschoß mit einem schwarzen Basrelief krönen. Hier heben sich querstehende Balken, mit Schiefern gedeckt, als blaue Linien von den morschen Wänden eines Hauses ab, das durch ein im Lauf der Jahre zusammengefallenes Giebeldach abgeschlossen ist, dessen verfaulte Schindeln durch die wechselnde Wirkung von Regen und Sonne gelockert wurden. Dort zeigen sich abgenutzte, geschwärzte Fensterbänke, deren feine Schnitzereien kaum sichtbar sind, und die zu schwach scheinen für die braune Tonscherbe, in der die Nelken und Rosen einer armen Arbeiterin sprießen. An einer andern Stelle sehen wir mit riesigen Nägeln beschlagene Tore, auf die der Geist unserer Vorfahren heimatliche Hieroglyphen geschrieben hat, deren Sinn niemals wieder auffindbar sein wird. Hier hat ein Protestant seinen Glauben bekundet, dort ein Liguist Heinrich IV. verflucht. Irgendein Bürger hat dort die Abzeichen seines Amtsadels eingegraben, den Ruhm seines vergessenen Schöffentums. Die ganze Geschichte Frankreichs findet sich hier. Neben dem schwanken Haus aus Fachwerk, das der Hobel des Handwerkers schuf, erhebt sich das Herrenhaus eines Edelmanns, und auf dem Rundbogen seines steinernen Tors sind noch die Spuren seines Wappens sichtbar, das zertrümmert wurde durch die verschiedenen Revolutionen, die seit 1789 das Land durchwühlten. In dieser Straße sind die Erdgeschosse, die dem Handel dienen, weder Kramläden noch Geschäfte, die Freunde des Mittelalters würden da die Werkstätten unserer Väter in ihrer ganzen naiven Einfachheit wiederfinden. Diese niedrigen Räume, die weder Schaufenster noch Auslagen noch Glasscheiben haben, sind tief, dunkel und schmucklos außen wie innen. Ihre Tür ist in zwei grob beschlagenen gleichen Teilen geöffnet, von denen der obere nach innen geht und der untere, der mit einer Klingel an einer Feder versehen ist, beständig auf- und zuklappt. Luft und Licht dringen in diese Art feuchter Höhle entweder durch die obere Türöffnung oder durch den Raum, der sich zwischen der gewölbten Zimmerdecke und der kleinen Mauer in der Höhe einer Fensterbank befindet, in welche sich starke Läden einfügen, die morgens weggenommen, abends wieder eingesetzt und mit eisernen Bolzen befestigt werden. Diese Mauer dient dazu, die Waren des Kaufmanns auf ihr auszulegen. Da gibt's kein marktschreierisches Anlokken. Je nach der Art der Handlung bestehen die Vorräte in zwei oder drei Kübeln voll Salz oder Kabeljau, in einigen Ballen Leinwand für Kleider, in Seilerwaren, in Messinggeräten, die an den Balken der Zimmerdecke aufgehängt sind, in Faßreifen längs den Wänden, oder in einigen Stücken Tuch auf Regalen. Du trittst ein. Ein propres Mädel, blühend in Jugendfrische, mit weißem Brusttuch, roten Armen, verläßt ihr Strickzeug, ruft ihren Vater oder ihre Mutter, die kommt und verkauft dir phlegmatisch, liebenswürdig, unfreundlich, ganz nach ihrer Art, was du wünschst, Ware für zwei Sous oder für zwanzigtausend Franken. Du kannst einen Händler mit Böttcherholz vor seiner Tür sitzen sehen, wie er sich daumendrehend mit einem Nachbar unterhält und augenscheinlich nichts besitzt, als gewöhnliche Bretter für Flaschenständer und zwei oder drei Bündel Weinlatten; aber sein gefüllter Holzplatz am Hafen versorgt sämtliche Küfer von Anjou; er weiß auf ein Brett genau, wieviel Fässer er herausholt, wenn die Ernte gut ist; ein Sonnenstrahl macht ihn reich, ein Regenfall ruiniert ihn; an einem einzigen Vormittag sind die Ohmfässer elf Franken wert oder fallen auf sechs. In diesem Lande beherrschen, wie in der Touraine, die Wechselfälle der Atmosphäre das kommerzielle Leben. Winzer, Weinbergbesitzer, Holzhändler, Küfer, Gastwirte, Flußschiffer, alle lauern sie auf Sonnenschein; sie zittern, wenn sie sich abends schlafen legen, daß sie am nächsten Morgen bemerken, es hat gefroren; sie fürchten Regen, Wind, Trockenheit und wollen Nässe, Hitze, Wolken, ganz nach Wunsch. Es besteht ein ständiger Kampf zwischen dem Himmel und den irdischen Interessen. Das Barometer macht abwechselnd die Mienen traurig, hell, strahlend. Von einem zum andern Ende dieser Straße, der alten Grand' Rue von Saumur gehen die Worte: „Dies Wetter ist Goldes wert" wie eine Losung von Tür zu Tür. Und jeder antwortet dem Nachbarn: „Es regnet Goldstücke!", denn er weiß, wieviel ein Sonnenstrahl, ein günstiger Regen ihm einbringt. Am Samstag kannst du von mittags an in der schönen Jahreszeit nicht für einen Sou Ware bei diesen braven Handelsleuten erstehen. Jeder hat seinen Weinberg, seine kleine Meierei, und geht zwei Tage aufs Land. Nachdem da alles berechnet ist: der Einkauf, Verkauf, Profit, stellt sich heraus, daß unsre Kaufleute noch zehn Stunden von zwölfen mit fröhlichen Unterhaltungen zubringen können, mit Geschwätz, Geklatsch, beständigem Sich-auskundschaften. Da kauft eine Hausfrau kein Rebhuhn, ohne daß die Nachbarn den Ehemann fragen, obs auch schön zart war. Ein junges Mädchen steckt nicht den Kopf zum Fenster heraus, ohne daß sie von all den müßigen Gruppen beobachtet wird. Da liegt also Sinnen und Trachten vor aller Welt offen, ebenso wie auch diese unzugänglichen schwarzen und schweigsamen Häuser keinerlei Geheimnisse bergen. Das Leben spielt sich fast immer unter freiem Himmel ab: jede Familie sitzt vor ihrer Tür, frühstückt da, ißt da Mittag, zankt sich da. Kein Mensch geht über die Straße, der nicht genau beobachtet wird. So wurde früher der Fremde, der in einer Provinzstadt ankam, von Tür zu Tür durchgehechelt. Daher die guten Anekdoten, daher der Beiname der ,,Spottvögel'' für die Bewohner von Angers, die Besonderes in diesen städtischen Spöttereien leisteten.

Die altertümlichen, stattlichen Gebäude der alten Stadt liegen im obern Teil dieser Straße, wo ehemals die Adligen des Landes wohnten. Das melancholische Haus, in dem die Ereignisse dieser Geschichte sich abgespielt haben, war solch ein Bauwerk, solch ein verehrungswürdiger Rest eines Zeitalters, in dem die Dinge und Menschen noch den Stempel der Schlichtheit trugen, den die französischen Sitten von Tag zu Tag mehr verlieren. Wenn du den Windungen dieses pittoresken Weges gefolgt bist, dessen geringste Einzelheiten Erinnerungen aufwecken, und dessen Gesamteindruck schließlich in eine gewisse monotone Träumerei versenkt, so bemerkst du eine ziemlich düster aussehende zurückspringende Hausfront, in deren Mitte die Tür von H e r r n G r a n d e t s H a u s versteckt liegt. Welches Schwergewicht diese Worte für die kleine Stadt haben, ist unmöglich zu verstehen, ohne daß wir die Biographie des Herrn Grandet geben. Herr Grandet genoß in Saumur einen Ruf, dessen Ursachen und Wirkungen nicht voll würdigen kann, wer wenig oder gar nicht in der Provinz gelebt hat. Herr Grandet, der noch vor einigen Leuten Meister Grandet genannt wurde — aber die Zahl dieser Alten nahm merklich ab — war um 1789 ein sehr wohlhabender Böttchermeister, der lesen, schreiben und rechnen konnte. Als die französische Republik die Kirchengüter im Kreis von Saumur verkaufen ließ, hatte der Böttcher, der damals vierzig Jahr alt war, sich gerade mit der Tochter eines reichen Holzhändlers verheiratet. Bewaffnet mit seinem flüssigen Vermögen und der Mitgift, bewaffnet mit zweitausend Louisdor ging Grandet zum Kreisamt und, unterstützt von zweihundert Doppellouis, die sein Schwiegervater dem wilden Republikaner anbot, der den Verkauf der staatlichen Domänen überwachte, erstand er für ein Butterbrot auf legale, wenn auch nicht gerade auf legitime Weise die schönsten Weinberge der ganzen Gegend, eine alte Abtei und einige Vorwerke. Da die Einwohner von Saumur wenig revolutionär waren, kam Grandet in den Ruf eines kühnen Mannes, eines Republikaners, eines Patrioten, eines Kopfes, der auf die neuen Ideen aus war, während der Küfer ganz einfach auf die Weinberge aus war. Er wurde zum Mitglied der Verwaltung des Bezirks von Saumur ernannt und sein beschwichtigender Einfluß machte sich politisch und kommerziell bemerkbar. Politisch protegierte er die Adligen und verhinderte mit aller Macht den Verkauf der Güter der Emigranten. Als Handelsmann belieferte er die republikanische Armee mit ein oder zwei Tausend Stückfässern Weißwein und ließ sich mit vorzüglichem Wiesenland bezahlen, das zu einem Frauenkloster gehörte, welches man noch als letzten Raub aufgespart hatte. Unter dem Konsulat wurde Grandet Bürgermeister, verstand sich gut aufs regieren, noch besser aufs Traubenlesen. Unter dem Kaiserreich wurde er wieder schlechthin Herr Grandet. Napoleon liebte die Republikaner nicht, er ersetzte Herrn Grandet, der im Ruf stand, die rote Mütze getragen zu haben, durch einen großen Gutsbesitezr, einen Herrn von, einem künftigen Baron des Kaiserreiches. Herr Grandet verließ die Ehren der städtischen Ämter ohne das geringste Bedauern. Er hatte im Interesse der Stadt ausgezeichnete Fahrstraßen bauen lassen, die zu seinen Besitzungen führten. Auf seinem Haus und seinen Gütern, die sehr vorteilhaft katastriert waren, lagen nur mäßige Steuern. Seit der Einteilung seiner verschiedenen Weingärten waren seine Reben, dank beständiger sorgfältiger Pflege, die Krone des Landes geworden, ein technischer Ausdruck, mit dem man die Lagen zu bezeichnen pflegt, die die Weine erster Qualität hervorbringen. Er hätte das Kreuz der Ehrenlegion beanspruchen können. Dies Ereignis fand statt im Jahr 1806. Herr Grandet zählte damals siebenundfünfzig Jahre und seine Frau ungefähr sechsunddreißig. Ihre Tochter, die einzige Frucht ihrer ehelichen Zärtlichkeiten, stand im Alter von zehn Jahren. Herr Grandet, den die Vorsehung ohne Zweifel darüber trösten wollte, daß er im Amt in Ungnade gefallen, beerbte im Lauf dieses Jahres nacheinander Frau von Gaudinière, geborene de la Bertellière, die Mutter von Frau Grandet, dann den alten Herrn de la Bertellière, den Vater der Verstorbenen, und dann noch Frau Gentillet, die Großmutter mütterlicherseits: drei Erbschaften, über deren Größe niemand Bescheid wußte. Diese drei Alten waren von solchem Geiz besessen gewesen, daß sie seit langem ihr Geld aufhäuften, um es heimlich betrachten zu können. Der alte Herr de la Bertellière nannte eine Kapitalsanlage eine Verschwendung und vermeinte größere Zinsen aus dem Anblick des Geldes zu ziehen, als aus den Erträgnissen des Wuchers. Die Stadt Saumur beurteilte das Vermögen nur nach den Einkünften aus den sichtbaren Gütern. Daraufhin erhielt Herr Grandet einen neuen Adelstitel, den unsre Gleichmachesucht niemals austilgen wird, er wurde der Höchstbesteuerte des Kreises. Er bebaute hundert Ar Weinland, die ihm in reichen Jahren sieben- bis achthundert Ohmfässer Wein einbrachten. Er besaß dreizehn Vorwerke, eine alte Abtei, bei der er aus Geiz die Kreuzgänge, Spitzbogen und Fenster zugemauert hatte, was sie konservierte, und hundertsiebenundzwanzig Ar Wiesenland, auf dem ihm dreitausend im Jahr 1793 gepflanzte Pappeln wuchsen und gediehen. Schließlich gehörte ihm das Haus, in dem er wohnte. So stellte sich sein sichtbares Vermögen dar. Was sein Kapital betraf, so konnten dessen Umfang nur zwei Personen ungefähr schätzen; die eine war Herr Cruchot, der Notar, der Herrn Grandets Geldanlagen auf Wucherzinsen zu machen hatte, die andre war Herr des Grassins, der reichste Bankier von Saumur, an dessen Geschäften sich der Winzer nach seinem Gutdünken heimlich beteiligte. Zwar besaßen der alte Cruchot und Herr des Grassins diese strenge Diskretion, auf die sich in der Provinz Vertrauen und Vermögen gründet, aber sie bezeugten öffentlich Herrn Grandet eine so große Hochachtung, daß, wer es beobachtete, den Umfang des Kapitals des alten Bürgermeisters am Grad der ehrerbietigen Rücksicht messen konnte, mit der er behandelt wurde. Es gab niemanden in Saumur, der nicht überzeugt war, daß Herr Grandet einen geheimen Schatz, ein Versteck voll von Goldstücken besaß und sich nächtlicherweile dem unaussprechlichen Vergnügen hingab, das der Anblick einer großen Masse Goldes gewährt. Die Geizhälse hatten hierfür beinahe eine Gewißheit, wenn sie in die Augen des Mannes sahen, auf die das gelbe Metall abgefärbt zu haben schien. Der Blick eines Menschen, der gewöhnt ist, ungeheure Zinsen aus seinem Kapital zu ziehen, nimmt notwendigerweise wie der des Wollüstlings, des Spielers und des Höflings gewisse undefinierbare Eigentümlichkeiten an, verstohlene, lüsterne, geheimnisvolle Bewegungen, die seinen Wesensverwandten nicht entgehen. Diese Geheimsprache stiftet eine Art Freimaurerbund der Leidenschaften. Herr Grandet flößte also die ehrerbietige Hochachtung ein, auf die ein Mann Anspruch hat, der nie jemandem etwas schuldig war, der als alter Böttcher, alter Winzer mit der Genauigkeit eines Astronomen im voraus berechnen konnte, warum er für seine Ernte tausend Ohmfässer anzufertigen hatte oder nur fünfhundert; dem nicht eine einzige Spekulation fehlschlug, der immer Fässer zu verkaufen hatte, wenn das Faß mehr wert war als die Ware, die herein sollte, der seine Weinernte in seine Keller lagern und den Moment abwarten konnte, wo er sein Ohmfaß für zweihundert Franken losschlug, während die kleinen Weingärtner ihres für fünf Louis hergeben mußten. Seine berühmte Ernte von 1811, die weise eingebracht, langsam verkauft wurde, hatte ihm mehr als zweihundertvierzigtausend Franken eingetragen. In Geldgeschäften hielt Herr Grandet es mit dem Tiger und der Boa constrictor: er verstand es, sich hinzukauern, zu ducken, seine Beute lange ins Auge zu fassen, drauflos zu springen; dann öffnete er den Rachen seiner Börse, verschlang in ihr eine Ladung Taler und legte sich ruhig nieder, wie die Schlange, die verdaut, ungerührt, kalt, methodisch. Niemand sah ihn vorübergehen, ohne ein gemischtes Gefühl von Ehrfurcht und Schrecken zu verspüren. War nicht jeder in Saumur von seinen stählernen Klauen höflich zerfleischt worden? Dem da hatte der Notar Cruchot das zum Kauf einer Domäne nötige Geld verschafft, aber zu elf Prozent; diesem hatte Herr des Grassins Wechsel eskomptiert, aber erschreckliche Zinsen vorweggenommen.

Es verging kaum ein Tag, ohne daß auf dem Markt oder abends bei den Unterhaltungen in der Stadt der Name des Herrn Grandet fiel. Für manche

Leute war das Vermögen des alten Winzers Gegenstand patriotischen Stolzes. Mehr als ein Kaufmann, mehr als ein Gastwirt sagte daher zu den Fremden mit einer gewissen Befriedigung: „Wir haben hier zwei oder drei Millionäre, aber Herr Grandet, der weiß selbst nicht, wie groß sein Vermögen ist."

Im Jahre 1816 taxierten die geschicktesten Rechner von Saumur den Landbesitz des Alten auf ungefähr vier Millionen, aber da er durchschnittlich, von 1793 an bis 1817, hunderttausend Franken jährliche Einkünfte aus seinen Gütern gehabt haben mußte, besaß er wahrscheinlich eine Summe in Geld, die fast ebenso groß war, wie der Wert seiner Liegenschaften. Wenn man daher nach einer Partie Boston oder einer Unterhaltung über die Weinernte auf Herrn Grandet zu sprechen kam, so sagten die Superklugen: „Der alte Grandet?... der alte Grandet muß fünf bis sechs Millionen haben."

„Da sind Sie gescheiter als ich, ich habe nie die Gesamtsumme gewußt", antwortete Herr Cruchot oder Herr des Grassins, wenn sie so etwas hörten. Wenn ein Pariser von Rothschild oder von Herrn Lafitte sprach, so fragten ihn die Leute von Saumur, ob die ebenso reich wie Herr Grandet seien. Und wenn der Pariser lächelnd eine spöttische Bejahung fallen ließ, sahen sie sich an und schüttelten mit einer ungläubigen Bewegung den Kopf. Ein so großes Vermögen deckte mit einem goldenen Mantel alle Taten dieses Mannes zu. Wenn anfänglich einige Besonderheiten seines Lebens Anlaß zur Lächerlichkeit und zum Gespött gegeben hatten, so wurden Lächerlichkeit und Gespött bald verbraucht. In seinen geringsten Handlungen genoß Herr Grandet unfehlbare Autorität. Seine Worte, seine Kleidung, seine Gesten, sein Augenzwinkern wurden zur Richtschnur in diesem Ort, wo jeder, wenn er ihn studiert hatte, wie der Naturforscher die Wirkungen des Instinkts bei den Tieren studiert, die tiefe und stumme Weisheit seiner geringsten Bewegungen erkennen konnte.

Der Winter wird hart, sagte man, der alte Grandet hat seine gefütterten Handschuh angezogen: man muß an die Lese denken. — Der alte Grandet braucht viele Dauben, dies Jahr wird ein Weinjahr.

Herr Grandet kaufte niemals Fleisch oder Brot. Seine Pächter brachten ihm wöchentlich einen genügenden Vorrat von Kapaunen, Hühnern, Eiern, Butter und eine Weizenabgabe. Er besaß eine Mühle, deren Pächter neben der Pachtzahlung noch ein gewisses Quantum Korn abholen und ihm die Kleie und das Mehl wiederbringen mußte. Die lange Nanon, seine einzige Dienstmagd, buk selbst, obwohl sie nicht mehr jung war, jeden Samstag das Brot für die Familie. Herr Grandet war mit seinen Pächtern, die Gärtner waren, übereingekommen, daß sie ihn mit Gemüsen versorgten. Von Obst erntete er solche Mengen, daß er einen großen Teil auf dem Wochenmarkt verkaufen ließ. Sein Holz zum Heizen wurde von seinen lebenden Zäunen geschnitten und von halb verdorrten Hecken, die er vom Rand seiner Felder wegnahm; seine Pächter karrten es ihm kleingehackt in die Stadt, schichteten es aus Gefälligkeit in seinem Holzstall auf und empfingen seine

Danksagung. Seine einzigen Ausgaben, die man kannte, waren das geweihte Brot, die Kleidung seiner Frau und seiner Tochter und die Kosten ihrer Stühle in der Kirche; Beleuchtung, Lohn der langen Nanon, Verzinnung seiner Pfannen; Steuern, die Reparaturen seiner Gebäude und die Unkosten seiner Betriebe. Er besaß seit kurzem sechshundert Aar Wald, den er durch den Aufseher eines Nachbarn gegen das Versprechen einer Entschädigung bewachen ließ. Erst seit dieser Erwerbung aß er Wildbret. Das Benehmen des Mannes war sehr einfach. Er sprach wenig. Gewöhnlich drückte er seine Ideen durch kurze Sätze in Form von Sprichwörtern aus, mit leiser Stimme. Seit der Revolution, der Epoche, wo er die Blicke auf sich lenkte, stotterte der Alte in ermüdender Weise, sobald er lange über einen Gegenstand zu sprechen oder eine Diskussion in Gang zu halten hatte. Dies Gebrabbel, seine unzusammenhängende Ausdrucksweise, der Wortschwall, in dem er seine Gedanken ertränkte, sein augenscheinlicher Mangel an Logik, was alles man schlechter Erziehung zuschrieb, war erkünstelt und wird hinreichend durch einige Begebenheiten in dieser Geschichte erklärt werden. Im übrigen gebrauchte er für gewöhnlich vier Sätze exakt wie algebraische Formeln, um alle Schwierigkeit im Leben und Beruf anzupacken und aufzulösen: ich weiß nicht, ich kann nicht, ich will nicht, das wird sich finden. Er sagte niemals j a oder n e i n und gab nichts schriftlich. Wenn man mit ihm sprach, hörte er unbewegt zu, hielt das Kinn mit der rechten Hand, indem er den rechten Ellbogen auf den Rücken der linken Hand stützte, und bildeto sich über die ganze Sache seine Ansichten, von denen er sich nicht abbringen ließ. Er überlegte lange das kleinste Geschäft. Wenn in einer geschickt geführten Unterhaltung sein Gegenpart ihm seine geheimen Wünsche, ohne es selbst zu merken, enthüllt hatte, antwortete ihm Grandet: ich kann nichts beschließen, ohne meine Frau befragt zu haben.

Seine Frau, die er zu vollkommener Sklaverei unterjocht hatte, war bei Geschäften seine allerbequemste Deckung. Er ging niemals zu irgend jemanden hin, wünschte weder einzuladen noch eingeladen zu werden; er machte niemals Lärm und schien mit allem zu sparen, selbst mit den Bewegungen. Er störte nichts bei andern, infolge seines ständigen Respekts vor dem Eigentumsrecht. Doch setzten sich trotz seiner sanften Stimme und seiner behutsamen Haltung die Worte und Gepflogenheiten des Böttchers durch, besonders wenn er zu Haus war, wo er sich weniger als sonstwo Zwang antat. Grandet war fünf Fuß groß, untersetzt, vierschrötig, hatte Waden von zwölf Zoll Umfang, kräftige Knie und breite Schultern; sein Gesicht war rund, braun wie Lohe und blatternnarbig; sein Kinn war gerade, seine Lippen waren ohne jeden Schwung, seine Zähne weiß; seine Augen hatten den starren, lähmenden Blick, den der Volksmund dem Basilisken zuschreibt; seine Stirn war von Querfalten durchfurcht und nicht ohne bedeutsame Höcker; seine gelblichen und graumelierten Haare waren golden und silbern, wie einige junge Leute sagten, ohne den Ernst in einem über Herrn Grandet gemachten Scherz zu verstehen. Seine Nase wurde unten dick und

war mit einem Adergeschwür behaftet, von dem
der Volksmund nicht ohne Witz sagte, es sei mit
Bosheit gefüllt. Dies Gesicht kündete eine gefährliche Schlauheit, eine kalte Rechtschaffenheit, den
Egoismus dieses Mannes, der gewohnt war, seine
Gefühle auf den Geiz und auf das einzige Wesen zu
beschränken, das für ihn wirklich etwas bedeutete,
seine Tochter Eugenie, seine einzige Erbin. Haltung, Benehmen, Gang, alles an ihm zeugte überdies von diesem Glauben an sich selbst, der aus
einem gewohnheitsmäßigen Erfolg in allen Unternehmungen erwächst. So besaß Herr Grandet, obwohl er ein umgängliches und sanftes Wesen zur
Schau trug, einen ehernen Charakter. Immer war
er auf die gleiche Weise gekleidet, er ließ sich
heute so sehen, wie er seit 1791 ging. Seine festen
Schuhe waren mit ledernen Riemen zugeschnürt;
er trug zu jeder Jahreszeit dicke wollene Strümpfe,
eine Kniehose von grobem kastanienbraunen Tuch
mit silbernen Schnallen, eine gelb und flohbraun
gestreifte zweireihig geknöpfte Samtweste, einen
weiten kastanienbraunen Rock mit langen Schößen,
eine schwarze Krawatte und einen Quäkerhut. Seine
Handschuhe, die so derb waren wie die der Gen-
darmen, hielten jahrelang, und damit sie sauber
blieben legte er sie mit einer regelmäßigen Bewegung an dieselbe Stelle auf den Rand seines
Hutes. Weiter wußte Saumur von diesem Manne
nichts.
Nur sechs Mitbürger genossen das Recht, in diesem Haus zu verkehren. Von dreien unter ihnen
war der namhafteste der Neffe des Herrn Cruchot. Seit seiner Ernennung zum Gerichtspräsidenten der ersten Instanz von Saumur hatte dieser

junge Mann an seinen Namen Cruchot ein de Bonfons angehängt, und er arbeitete darauf hin, den Ton auf Bonfons zu verlegen. Er unterzeichnete schon C. de Bonfons. Wer einen Prozeß führte und so schlecht beraten war, ihn „Herr Cruchot" anzureden, merkte bald im Gerichtssaal seine Dummheit. Der Richter protegierte die, die ihn „Herr Präsident" nannten, aber sein liebenswürdigstes Lächeln schenkte er den Schmeichlern, die „Herr de Bonfons" zu ihm sagten. Der Herr Präsident stand im dreiunddreißigsten Jahr, besaß das Gut Bonfons (Boni Fontis) das siebentausend Franken Rente abwarf, und konnte auf die Erbschaft seines Onkels, des Notars, und seines Onkels, des Abbé Cruchot, rechnen, des Stiftsherrn von Saint Martin de Tours, die alle beide für ziemlich reich galten. Diese drei Cruchots, die durch eine große Vetternschaft verstärkt und mit zwanzig Häusern der Stadt verbunden waren, bildeten eine Partei, wie ehemals in Florenz die Medicis, und wie die Medicis hatten die Cruchots ihre Pazzi. Frau des Grassins, Mutter eines Sohnes von dreiundzwanzig Jahren, kam geflissentlich zu einem Spielchen zu Frau Grandet, weil sie hoffte, ihren teuern Adolph mit Fräulein Eugenie zu verheiraten. Herr des Grassins, der Bankier, begünstigte tatkräftig die Manöver seiner Frau, indem er insgeheim dem alten Geizhals ständig Dienste leistete und immer im rechten Augenblick auf dem Kampfplatz erschien. Diese drei Grassins' hatten ebenfalls ihre Anhänger, ihre Vettern, ihre treuen Verbündeten. Von seiten der Cruchots machte der Abbé, der Talleyrand der Familie, wohl unterstützt durch seinen Bruder, den Notar, das Terrain der Bankiersgattin lebhaft streitig und versuchte, die reiche Erbschaft seinem Neffen, dem Präsidenten, zu sichern. Dieser heimliche Kampf zwischen den Cruchots und den Grassins', dessen Preis die Hand von Eugenie Grandet war, beschäftigte leidenschaftlich die verschiedenen Gesellschaften von Saumur. Wird Fräulein Grandet den Herrn Präsidenten oder Herrn Adolph des Grassins heiraten? Zu diesem Problem meinten manche Leute, daß Herr Grandet seine Tochter weder dem einen noch dem andern geben würde. Der alte Böttcher würde, aufgeblasen von Ehrgeiz, sagten sie, irgendeinen Pair von Frankreich zum Schwiegersohn suchen, der für dreihunderttausend Franken Rente alle vergangenen, gegenwärtigen und zukünftigen Fässer der Grandets in Kauf nehmen würde. Andre entgegneten, daß Herr und Frau des Grassins adlig wären, ungeheuer reich, daß Adolph ein sehr schmucker Kavalier sei, und daß, wenn man auch nicht den Papst zum Vetter bekäme, eine so anständige Partie doch solche Leute ohne Herkunft befriedigen müßte, da doch ganz Saumur den Mann mit dem Bandmesser in der Hand gesehen hat, der überdies die rote Mütze getragen. Ganz Gescheite gaben zu bedenken, daß Herr Cruchot de Bonfons zu jeder Zeit ins Haus kam, während sein Rivale nur Sonntags empfangen wurde. Die einen blieben dabei, daß Frau des Grassins, die mehr als die Cruchots mit den Frauen des Hauses Grandet befreundet war, ihnen gewisse Ideen einimpfen könnte, die ihr früher oder später zum Erfolg verhelfen würden. Die andern setzten dem entgegen, daß der Abbé Cruchot sich wie niemand auf der Welt einzuschmei-

cheln verstünde, und daß Weib gegen Mönch das
Spiel gleich sei. „Totes Rennen", sagte ein Schön-
geist von Saumur.

Die Alten im Ort, die mehr wußten, behaupte-
ten, daß die Grandets viel zu schlau seien, um ihr
Vermögen aus ihrer Familie heraus zu lassen, und
daß Fräulein Eugenie Grandet von Saumur mit
dem Sohn des Herrn Grandet von Paris, dem reichen Weingroßhändler, verheiratet werden würde.
Darauf entgegneten die Cruchotisten und die
Grassinisten:

„Erstens haben sich die beiden Brüder in dreißig
Jahren nicht zweimal gesehen.

Zweitens will Herr Grandet von Paris mit seinem
Sohn hoch hinaus. Er ist Bürgermeister eines
Kreises, Abgeordneter, Hauptmann der National-
garde und Richter am Handelsgericht; er verleug-
net die Grandets von Saumur und hat den Ehrgeiz, sich mit einer herzoglichen Familie von Napoleons Gnaden zu verbinden."

Was sagte man nicht über eine Erbin, von der
man auf zwanzig Meilen in der Runde sprach
und sogar in den öffentlichen Postkutschen von
Angers bis Blois! Anfang des Jahres 1811 gewan-
nen die Cruchotisten einen denkwürdigen Vor-
sprung vor den Grassinisten. Der Landsitz Froidfond, der sehenswert war durch seinen Park, sein
wundervolles Schloß, seine Farmen, seine Flüsse,
Teiche und Wälder, und der einen Wert von drei
Millionen darstellte, wurde von dem jungen Marquis von Froidfond, der sein Vermögen zu reali-
sieren gezwungen war, zum Verkauf geboten. Der
Notar Cruchot, der Präsident Cruchot, der Abbé
Cruchot samt ihrer hilfsbereiten Anhängerschaft

24

wußten den Verkauf in einzelnen Parzellen zu verhindern. Der Notar schloß mit dem jungen Mann einen sehr vorteilhaften Kaufvertrag ab, nachdem er ihm weißgemacht hatte, er werde zahllose Prozesse gegen die Käufer anstrengen müssen, ehe er wirklich zu seinem Geld für die Parzellen käme, und daß es besser wäre, alles an Herrn Grandet zu verkaufen, der ein solventer Mann sei und außerdem geneigt, das Gut in barem Gelde zu bezahlen. So wurde der schöne Herrensitz von Froidfond dem Schlund des Herrn Grandet zugetrieben. Herr Grandet bezahlte es zur großen Überraschung von Saumur bar mit Skonto nach Erledigung der Formalitäten. Dieser Handel machte Aufsehen von Nantes bis Orleans. Herr Grandet besuchte sein Schloß, als bei einer Gelegenheit ein Wagen dorthin zurückkehrte. Nachdem er den Blick des Herrn auf sein Besitztum geworfen hatte, kehrte er nach Saumur zurück, in dem sichern Bewußtsein, sein Geld glänzend angelegt zu haben, und von dem großartigen Gedanken gepackt, den Herrensitz von Froidfond dadurch zu erweitern, daß er alle seine Güter mit ihm vereinigte. Darauf beschloß er, um seinen fast geleerten Schatz wieder aufzufüllen, seine Holzungen und Wälder total abzuhauen und die Pappeln auf seinen Wiesen nutzbar zu machen.

Jetzt ist es leicht, das ganze Schwergewicht der Worte: „Herrn Grandets Haus" zu verstehen. Dies fahle, kalte, schweigsame Haus, das hoch über der Stadt lag und durch die Ruinen der Wälle geschützt war. Die beiden Pfeiler und die Wölbung, die den Eingang bildeten, waren wie das Haus selbst, aus Tuffstein, einem weißen, den

Ufern der Loire eigentümlichen Stein, der so weich ist, daß seine Haltbarkeit im Durchschnitt kaum zweihundert Jahre übersteigt. Durch die ungleichen und zahlreichen phantastisch aussehenden Löcher im Stein, die durch die Unbilden der Witterung entstanden waren, wirkten Bogen und Pfeiler so, wie wenn sie aus den Steinen mit kleinen gewundenen Verzierungen gemacht wären, wie sie die französische Architektur verwendet, und erinnerten etwas an den Vorhof eines Gefängnisses. Über dem Torbogen lief ein langes Basrelief aus hartem behauenen Stein, das die vier Jahreszeiten darstellte; die Figuren waren schon zerfressen und ganz schwarz. Dieses Basrelief war überdacht von einer hervorspringenden Platte, auf der sich verschiedene Zufallsvegetationen, wie gelbes Mauerkraut, Wicken, Winden, Wegerich breitmachten und ein kleiner Kirschbaum, der schon ziemlich hoch war. Die Haustür aus massiver Eiche, braun, ausgetrocknet, überall gerissen, schien schwach, war aber fest zusammengehalten durch die Anordnung ihrer Bolzen, die symmetrische Figuren bildeten. Ein viereckiges Gitter, klein, aber mit sehr starken, von Rost roten Stäben, nahm die Mitte der nicht sehr großen Tür ein und diente sozusagen als Lager für einen Hammer, der an einem Ring befestigt war und auf den fratzenhaften Kopf eines alten Nagels schlug. Dieser Hammer von länglicher Form, in der Art, die unsere Vorfahren einen Jäckel nannten, ähnelte einem großen Ausrufungszeichen; ein Altertumskenner würde, wenn er ihn genau untersuchte, noch einige Züge des außerordentlich derbkomischen Gesichts darauf herausfinden, das er ehemals darstellte, das aber durch den langen Gebrauch unkenntlich geworden war. Durch das kleine Gitter, durch das man in den Zeiten der Bürgerkriege die Freunde erkennen sollte, konnten Neugierige im Hintergrund einer dunkeln und grünlichen Wölbung einige schadhafte Stufen erkennen, auf denen man zu einem Garten emporstieg, den malerisch dicke, feuchte Mauern umgrenzten, aus denen es überall sickerte, und die voll von Büscheln schwacher Stauden standen. Das waren die Mauern des Bollwerks, über dem sich die Gärten einiger benachbarter Häuser erhoben. Im Erdgeschoß des Hauses war der ansehnlichste Raum ein Saal, dessen Eingang sich unter der Wölbung des Torwegs befand. Wenig Menschen kennen die Bedeutung des Saales in den kleinen Städten von Anjou, der Touraine und Berri. Der Saal ist alles zusammen: Vorzimmer, Salon, Arbeitszimmer, Boudoir, Eßzimmer; er ist der Schauplatz des häuslichen Lebens, der gemeinschaftliche Raum; dorthin kommt der Haarkünstler des Stadtviertels zweimal im Jahr, Herrn Grandet die Haare zu schneiden; dort treten die Pächter ein, der Pfarrer, der Unterpräfekt, der Müllerknecht. Dieser Raum, mit beiden Fenstern nach der Straße zu, war getäfelt; graue Paneele mit altertümlichem Schnitzwerk bekleideten ihn von oben bis unten; die Decke bestand aus hervorstehenden Balken, die gleichfalls grau gemalt waren, und deren Zwischenräume mit einem rötlichen Weiß ausgefüllt wurden, das vergilbt war. Die Platte des Kamins aus weißem, schlecht behauenen Stein schmückte eine alte Wanduhr aus Kupfer, die mit Schildpattarabesken ausgelegt war und ein grünliches Glas hatte, dessen Seiten, um seine Dicke zu zeigen, schräg geschnitten waren, und die einen Lichtstreifen von einem gotischen, mit Stahl ausgelegten, Pfeilerspiegel reflektierten. Die beiden Armleuchter aus vergoldetem Kupfer, die jede Ecke des Kamins zierten, dienten zwei Zwecken: während sie Rosen nach oben hoben, die Lichtereinsätze abgaben, und deren Hauptzweig sich um das mit altem Kupfer herausgeputzte Fußgestell aus bläulichem Marmor schlang, bildete dieses Fußgestell einen Leuchter für die Dämmerstunde. Die Sessel von altertümlicher Form waren mit Stickereien geschmückt, die Lafontainesche Fabeln darstellten, aber man mußte es wissen, um die Sujets zu erkennen, so undeutlich waren die verblichenen Farben und die viel ausgeflickten Figuren zu sehen. In den vier Ecken des Saales befanden sich Eckschränke in der Art von Büfetts, die in verschmutzte Wandbretter ausliefen. Ein alter Spieltisch mit eingelegter Arbeit, dessen Platte ein Schachbrettmuster trug, war zwischen die beiden Fenster gerückt. Über diesem Tisch befand sich ein ovales Barometer in schwarzem Rahmen, das mit vergoldeten Holzgewinden verziert war, auf denen die Fliegen sich so frech getummelt hatten, daß die Vergoldung fragwürdig geworden war. An der Wand gegenüber dem Kamin sollten zwei Pastellbilder den Großvater von Frau Grandet, den alten Herrn de la Bertellière als Leutnant des Leibregiments und die verstorbene Frau Gentillet als Schäferin darstellen. Die beiden Fenster waren mit Vorhängen aus rotem Tuch von Tours drapiert, die von seidenen Schnüren mit Kirchenquasten zurückgehalten wurden. Diese luxuriöse Ausschmückung, die wenig mit den Lebensgewohnheiten Grandets harmonierte, war im Kauf des Hauses einbegriffen gewesen, ebenso wie der Pfeilerspiegel, die Wanduhr, die gestickten Sessel und die Eisschränke aus Rosenholz. Vor dem Fenster zunächst der Tür befand sich ein Korbstuhl, dessen Füße auf Holzstücke gestellt waren, damit Frau Grandet so hoch saß, daß sie die Vorübergehenden sehen konnte. Ein Arbeitstisch aus abgeriebenem Kirschbaumholz füllte die Fensternische aus, und dicht daneben stand der kleine Sessel von Eugenie Grandet. Seit fünfzehn Jahren waren alle Tage von Mutter und Tochter friedlich bei beständiger Arbeit an diesem Platz verlaufen vom Monat April an bis zum Monat November. Am ersten des letztgenannten Monats konnten sie ihre Winterplätze am Kamin einnehmen. Erst an diesem Tage erlaubte Grandet, daß man Feuer im Saal anmachte, und am 31. März ließ er es ausgehen, ohne Rücksicht auf die ersten Fröste im Frühjahr und Herbst. Ein Fußwärmer, der mit Kohlenglut vom Küchenfeuer gespeist wurde, die hierfür die lange Nanon mit großem Geschick aufhob, half Frau und Fräulein Grandet über die kältesten Morgen und Abende im April und Oktober hinweg. Mutter und Tochter hielten die ganze Wäsche für das Haus instand und wandten so gewissenhaft ihre Zeit für diese wahre Zwangsarbeit auf, daß, wenn Eugenie ihrer Mutter einen Kragen sticken wollte, sie sich die Stunden vom Schlaf absparen mußte und dabei ihren Vater überlisten, um Licht zu haben. Denn seit langem maß der Geizhals seiner Tochter und der langen Nanon die Kerzen zu, ebenso wie er morgens früh das Brot und die für den Tagesverbrauch nötigen Lebensmittel herausgab.

Die lange Nanon war vielleicht die einzige menschliche Seele, die sich in den Despotismus ihres Herrn zu schicken wußte. Die ganze Stadt neidete sie Herrn und Frau Grandet. Die lange Nanon, so genannt wegen ihrer Größe von fünf Fuß acht Zoll, war seit fünfunddreißig Jahren bei Grandet. Obwohl sie nur sechzig Franken Lohn bekam, galt sie für eins der reichsten Dienstmädchen in Saumur. Diese sechzig Franken, die seit fünfunddreißig Jahren von ihr aufgespart wurden, hatten es ihr ermöglicht, kürzlich viertausend Franken in Leibrente beim Notar Cruchot anzulegen. Das Ergebnis dieser langen dauernden Sparsamkeit der langen Nanon erschien gigantisch: jedes Dienstmädchen, das sah, daß die arme Sechzigjährige Brot für ihre alten Tage hatte, war neidisch auf sie, ohne die harte Knechtschaft zu bedenken, durch die es erworben war. Mit zweiundzwanzig Jahren hatte das arme Mädchen nirgends eine Stelle finden können, so abstoßend wirkte ihr Gesicht, und wahrhaftig war dies Urteil höchst ungerecht: ihr Gesicht wäre sehr bewundert worden — auf den Schultern eines Gardegrenadiers. Aber alles, wo es hingehört, sagt man. Als sie ein abgebranntes Gut verlassen mußte, wo sie die Kühe gehütet hatte, kam sie nach Saumur, um dort einen Dienst zu suchen, beseelt von einem robusten Eifer, der vor keiner Arbeit zurückschreckte. Herr Grandet dachte damals ans Heiraten und wollte schon seinen Haushalt einrichten. Er sah dies Mädchen, das von jeder Tür zurückgewiesen wurde. Als Kenner körperlicher Kraft in seiner Eigenschaft als Böttcher erkannte er den Nutzen, den man von einem weiblichen Geschöpf ziehen konnte, das herkulisch gebaut war, auf seinen Füßen stand wie eine sechzigjährige Eiche in ihren Wurzeln, starke Hüften, einen breiten Rücken, Hände eines Fuhrknechts besaß, und dessen Ehrlichkeit so unanfechtbar, wie seine Tugend unberührt war. Weder die Warzen, die dies martialische Gesicht zierten, noch der ziegelfarbene Teint, noch die nervigen Arme, noch die Lumpen der langen Nanon flößten dem Böttcher Abscheu ein, obwohl er sich noch in dem Alter befand, in dem das Herz empfindsam ist. So versah er das arme Mädchen mit Kleidung, Schuhzeug, Nahrung, gab ihr Lohn und beschäftigte sie, ohne sie allzu grob zu behandeln. Als die lange Nanon sich so wohl aufgenommen sah, weinte sie heimlich vor Freude und war dem Böttcher aufrichtig ergeben, der sie im übrigen ausnutzte. Nanon machte alles: sie kochte, sie wusch, sie ging die Wäsche in der Loire spülen und trug sie auf ihren Schultern zurück; sie stand bei Tagesanbruch auf und legte sich spät nieder; sie kochte das Essen für alle Winzer während der Ernte und überwachte die Marktfrauen; sie schützte wie ein treuer Hund das Gut ihres Herrn und, da sie von einem blinden Vertrauen zu ihm beseelt war, gehorchte sie ohne zu murren, seinen abgeschmacktesten Launen. In dem berühmten Jahr 1811, in dem die Weinernte unerhörte Anstrengungen kostete, entschloß sich Grandet, seine alte Uhr der Nanon, die nunmehr zwanzig Jahre in seinen Diensten stand, zu schenken; das war die einzige Gabe, die sie jemals von ihm empfing. Denn wenn er ihr auch seine alten Schuhe überließ (sie paßten ihr), so kann man unmöglich den vierteljährlichen Gewinn an Grandets Schuhen als ein Geschenk ansehen, so abgetragen waren sie. Der Zwang der Not machte dieses arme Mädchen so geizig, daß Grandet sie schließlich liebte, wie man einen Hund liebt, und Nanon hätte sich ein Stachelhalsband umlegen lassen, dessen Stacheln sie nicht mehr verletzt hätten. Wenn Grandet das Brot etwas zu knapp bemaß, beklagte sie sich nicht; in guter Laune genoß sie mit den andern den gesundheitlichen Vorteil, den die strenge Lebensweise für das Haus hatte, in dem niemals jemand krank war.

So gehörte Nanon zur Familie: sie lachte, wenn Grandet lachte, war mit ihm traurig, fror, schwitzte, arbeitete so wie er. Wie viele gute Entschädigungen lagen in dieser Gleichstellung. Niemals hatte der Herr der Magd die Pfirsiche oder die Pflaumen oder die Birnen mißgönnt, die unter den Bäumen lagen. „Laß es dir schmecken, Nanon", sagte er in den Jahren, in denen die Zweige unter der Last der Früchte brachen und die Pächter die Schweine mit dem Obst füttern mußten. Für ein Mädchen vom Lande, das in seiner Jugend nichts als schlechte Behandlung eingeheimst hatte, für eine aus Mitleid aufgenommene Bettlerin war das zweideutige Lachen des Vater Grandet ein wahrer Sonnenstrahl. Außerdem faßte das einfache Herz und das enge Hirn der Nanon nur ein Gefühl und einen Gedanken. Immer noch sah sie sich, wie sie vor fünfunddreißig Jahren zum Holzplatz von Herrn Grandet gekommen war, barfüßig und in Lumpen, und hörte immer noch den Böttcher zu ihr sagen: „Was willst du, mein

Kind?", und ihre Dankbarkeit war immer noch frisch. Manchmal, wenn Grandet daran dachte, daß diese arme Person niemals das kleinste schmeichelhafte Wort gehört hatte, daß sie nichts von all den süßen Empfindungen wußte, die Frauen einflößen, und daß sie eines Tages noch keuscher vor Gott hintreten konnte, als selber die heilige Jungfrau Maria, dann sagte Grandet, von Mitleid ergriffen, wenn er sie ansah:

„Die arme Nanon!"

Auf diesen Ausruf folgte immer ein unbeschreiblicher Blick, den die alte Magd ihm zuwarf. Dieses Wort, das von Zeit zu Zeit gesprochen wurde, bildete seit langem eine ununterbrochene Kette der Freundschaft, und jeder neue Ausruf fügte ein neues Glied hinzu. Dieses Mitleid, das im Herzen von Grandet entstand, und das sich das alte Mädchen gern gefallen ließ, hatte irgend etwas Schreckliches. Dieses entsetzliche Mitleid des Geizhalses, das tausend vergnügte Erinnerungen im Herzen des alten Böttchers wieder aufweckte, war für Nanon ihr Anteil am Glück. Wer würde da nicht auch sagen: „Arme Nanon." Gott wird seine Engel am Ton ihrer Stimme erkennen und an ihren geheimnisvollen Klagen. Es gab in Saumur eine große Menge Häuser, wo die Dienstboten besser gehalten wurden, wo aber die Herrschaft trotzdem gar nicht zufriedengestellt wurde. Daher hieß es auch oft: „Was machen die Grandets nur mit ihrer langen Nanon, daß sie ihnen so anhänglich ist? Sie würde durchs Feuer für sie gehen." Ihre Küche, deren vergitterte Fenster auf den Hof gingen, war immer sauber, blank, kalt, die richtige Küche eines Geizhalses, in der nichts umkommen durfte. Wenn Nanon mit ihrem Abwasch fertig war, die Reste vom Essen weggeschlossen und ihr Feuer gelöscht hatte, verließ sie die Küche, die vom Saal durch einen Korridor getrennt war, und spann ihren Hanf an der Seite ihrer Herrschaft. Ein einziges Talglicht genügte der Familie für den Abend. Die Magd schlief am Ende des Korridors in einer engen Kammer, die durch ein blindes Fenster erhellt wurde. Ihre feste Gesundheit ließ sie ohne Schaden diese Art Loch bewohnen, von wo aus sie das geringste Geräusch in der tiefen Stille hören konnte, die Tag und Nacht in diesem Haus herrschte. Sie durfte wie ein Polizeihund nur auf einem Ohr schlafen und mußte noch beim Ausruhen wachen.

Die Beschreibung der andern Teile der Wohnung wird sich in Verbindung mit den Ereignissen dieser Geschichte finden; im übrigen läßt schon die Beschreibung des Saales, in dem doch der ganze Luxus des Haushalts glänzte, im voraus die Nacktheit der oberen Etagen ahnen.

Im Jahr 1819 machte, als der Abend einbrach, die lange Nanon mitten im Monat November zum erstenmal Feuer an. Der Herbst war überaus schön gewesen. Dieser Tag war ein Festtag und den Cruchotisten wie den Grassinisten wohlbekannt. Daher trafen die sechs Widersacher ihre Vorbereitungen, um sich schwer gerüstet im Saal zu begegnen und sich dort an Freundschaftsbezeugungen zu überbieten. Am Morgen hatte ganz Saumur Frau und Fräulein Grandet in Begleitung von Nanon in die Pfarrkirche gehen sehen, um die Messe zu hören, und jedem fiel es ein, daß dieser Tag der Geburtstag von Fräulein Eugenie

34

war. Als nach ihrer Berechnung das Abendessen vorüber sein konnte, beeilten sich daher der Notar Cruchot, der Abbé Cruchot und Herr von Bonfons vor den Grassins einzutreffen, um Fräulein Grandet zu gratulieren. Alle drei trugen riesige Sträuße, die in ihren kleinen Gewächshäusern geschnitten waren. Die Stiele der Blumen, die der Präsident überreichen wollte, wurden geschickt von einem weißseidenen Band umhüllt, das mit goldenen Fransen verziert war.

Herr Grandet hatte Eugenie schon morgens im Bett überrascht, wie er es an jedem denkwürdigen Geburts- und Namenstag von ihr zu tun pflegte, und ihr feierlich sein väterliches Geschenk überreicht, das seit dreizehn Jahren in einer seltenen Goldmünze bestand. Frau Grandet schenkte ihrer Tochter gewöhnlich je nachdem ein Winter- oder Sommerkleid. Diese beiden Kleider und die Goldstücke, die sie am Geburts- und Namenstag von ihrem Vater empfing, bildeten für sie ein kleines Einkommen von ungefähr hundert Talern, dessen Anwachsen Grandet ihr zu zeigen liebte. Hieß das nicht, Geld von einer Kasse in die andre tun, und sozusagen von Kindesbeinen an bei seiner Erbin die Habsucht großziehen? Manchmal verlangte er Rechenschaft von ihr über ihren Schatz, der früher noch durch die la Bertellières vergrößert wurde, und sagte dabei zu ihr:

„Das wird dein Heiratsdutzend werden."

Das Dutzend ist ein alter Brauch, der noch in einigen Ländern Mittelfrankreichs im Schwange ist und heilig bewahrt wird. Wenn sich in Berri oder Anjou ein junges Mädchen verheiratet, muß ihr die eigne oder des Gatten Familie eine Börse geben, in der sich, je nach Vermögen, ein Dutzend oder zwölf Dutzend oder zwölfhundert Gold- oder Silbermünzen befinden. Das ärmste Hirtenmädchen wird sich nicht ohne ihr Dutzend verheiraten, und wenn es aus bloßen Sous bestünde. Man spricht noch in Issoudun von irgendeinem Dutzend, das einer reichen Erbin mitgegeben wurde, und das hundertvierundvierzig portugiesische Goldstücke enthielt. Papst Clemens VII., der Onkel von Katharina von Medici, schenkte ihr, als er sie mit Heinrich II. verheiratete, ein Dutzend antiker Goldmedaillen von größtem Wert.

Beim Essen hatte der Vater, höchst vergnügt darüber, seine Eugenie so hübsch in einem neuen Kleid zu sehen, ausgerufen:

„Weil heut der Geburtstag von Eugenie ist, wollen wir Feuer machen. Das ist ein gutes Vorzeichen."

„Unser Fräulein wird sich in diesem Jahr verheiraten, das ist mal sicher", sagte die lange Nanon, als sie die Reste einer Gans abtrug, des Fasans der Böttcher.

„Ich wüßte keine Partie für sie in Saumur", antwortete Frau Grandet, wobei sie ihren Mann mit furchtsamer Miene ansah, die, bedenkt man ihr Alter, die völlige eheliche Unterjochung verriet, unter der die arme Frau seufzte.

Grandet sah seine Tochter an und rief heiter aus:

„Sie wird heute dreiundzwanzig Jahre alt, das Kind; man muß sich bald mit ihr beschäftigen."

Eugenie und ihre Mutter warfen sich heimlich einen Blick des Einverständnisses zu.

Frau Grandet war eine dürftige, magere Frau, quittengelb, linkisch und langsam; eine von den

36

Frauen, die dazu gemacht scheinen, tyrannisiert zu werden. Alles an ihr war derb: Knochen, Nase, Stirn, Gesicht, und sie erinnerte auf den ersten Blick an solche schrumpfigen Früchte, die weder Saft noch Süße haben. Ihre Zähne waren schwarz und spärlich, ihr Mund war runzelig, ihr Kinn nach oben gekrümmt. Sie war eine ausgezeichnete Frau, eine echte la Bertellière. Der Abbé Cruchot hatte ihr öfters zu verstehen gegeben, daß sie gar nicht so übel ausgesehen hätte, und sie glaubte es. Eine engelhafte Milde, die Resignation eines von Kindern gequälten Insekts, eine seltene Frömmigkeit, eine unerschütterliche Gemütsruhe, ein gutes Herz erwarben ihr allgemein Mitleid und Achtung. Ihr Gatte gab ihr nie mehr als sechs Franken auf einmal für ihre winzigen Ausgaben. Bei der Lächerlichkeit ihrer äußeren Erscheinung war diese Frau innerlich so, daß sie, die Herrn Grandet durch ihre Mitgift und ihre Erbschaften mehr als dreihunderttausend Franken eingebracht hatte, ihre Abhängigkeit und Knechtschaft als eine so tiefe Demütigung empfand — gegen die ihr sanfter Charakter doch sich aufzulehnen verbot —, daß sie nie einen Pfennig verlangte, noch eine Bemerkung über die Urkunden machte, die ihr der Notar Cruchot zum Unterzeichnen vorlegte. Dieser törichte heimliche Stolz, diese Vornehmheit der Gesinnung, die beständig von Grandet verkannt und verletzt wurde, beherrschten das Benehmen dieser Frau. Frau Grandet zog tagaus, tagein ein Kleid aus grünlicher Halbseide an und brachte es fertig, daß es fast ein Jahr hielt; sie trug ein großes Fichu aus weißem Baumwollstoff, einen genähten Strohhut und hatte fast immer eine schwarze Taffetschürze um. Da sie wenig ausging, verbrauchte sie wenig Schuhe. Kurzum, sie beanspruchte nie etwas für sich selbst. Weil Grandet doch manchmal Gewissensbisse fühlte, wenn er sich erinnerte, wie lange es schon her war, daß er seiner Frau sechs Franken gegeben hatte, machte er immer beim Verkauf seiner Jahresernte ein Taschengeld für seine Frau aus. Diese vier oder fünf Louisdor von dem holländischen oder belgischen Käufer der Grandetschen Weinernte bildeten das Hauptjahreseinkommen von Frau Grandet. Aber wenn sie ihre fünf Louis erhalten hatte, sagte ihr Mann oft zu ihr, wie wenn sie gemeinsame Kasse hätten: „Kannst du mir vielleicht ein paar Pfennige leihen?", und die arme Frau, glücklich, etwas für den Mann tun zu können, den ihr Beichtvater ihr als ihren Herrn und Meister hinstellte, gab ihm im Laufe des Winters einige Taler von ihrem Taschengeld zurück. Wenn Grandet das Fünf-Frankenstück aus der Tasche nahm, das er monatlich für die bescheidenen Ausgaben, das Nähzeug und die Kleidung seiner Tochter ausgesetzt hatte, unterließ er es niemals, nachdem er seinen Geldbeutel zugemacht hatte, zu seiner Frau zu sagen:

„Und du, Mutter, brauchst du etwas?"

„Mein Lieber," antwortete Frau Grandet in einer Aufwallung von mütterlichem Stolz, „das hat Zeit."

Verschwendete Vornehmheit! Grandet hielt sich für sehr freigebig zu seiner Frau. Haben die Philosophen, die eine Nanon, eine Frau Grandet, eine Eugenie antreffen, da nicht recht, die Ironie für den Hauptcharakterzug der Vorsehung zu halten?

Nach dem Essen, wo zum erstenmal von der Verheiratung von Eugenie die Rede gewesen war, sollte Nanon eine Flasche Johannisbeerlikör aus Herrn Grandets Zimmer holen und wäre beim Herunterkommen beinahe gefallen.

„Dumme Trine," sagte ihr Herr zu ihr, „fällst du wie die erste beste?"

„Das liegt an Ihrer Treppenstufe, Herr, die nicht mehr hält."

„Sie hat recht," sagte Frau Grandet, „du hättest sie längst ausbessern lassen sollen. Gestern hätte sich Eugenie fast den Fuß verstaucht."

„Na," sagte Herr Grandet zu Nanon, als er sah, daß sie ganz blaß geworden war, „weil es Eugeniens Geburtstag ist und du fast gefallen wärst, trinke ein Gläschen Likör, um dich zu erholen."

„Weiß Gott, ich hab's auch verdient", sagte Nanon. „Mancher hätte an meiner Statt die Flasche zerbrochen; aber ich hätte mir lieber den Arm gebrochen, nur um sie in die Höhe zu halten."

„Die arme Nanon", sagte Grandet, während er ihr den Likör eingoß.

„Hast du dir weh getan?" sagte Eugenie und sah sie teilnahmsvoll an.

„Nein, weil ich mich noch gehalten habe, denn ich habe mich auf die Seite geworfen."

„Also weil es Eugeniens Geburtstag ist," sagte Grandet, „will ich euch eure Stufe ausbessern. Ihr versteht es eben nicht, ihr alle, den Fuß in die Ecke zu setzen, auf die Stelle, wo sie noch fest ist."

Grandet nahm die Kerze, ließ Frau, Tochter und Magd ohne andres Licht, als das vom Kamin, der helle Flammen ausstrahlte, und ging ins Waschhaus, um Bretter, Nägel und Handwerkszeug zu holen.

„Soll ich Ihnen helfen?" rief Nanon, als sie ihn im Treppenhaus hämmern hörte.

„Nein, nein, so was verstehe ich", antwortete der ehemalige Böttcher.

Im Augenblick, als Grandet eigenhändig seine wurmstichige Treppe ausbesserte und dazu in Erinnerung an seine jungen Jahre aus vollem Halse pfiff, klopften die drei Cruchots an die Haustür.

„Sind Sie es, Herr Cruchot?" fragte Nanon und blickte durch das kleine Gitter.

„Ja", antwortete der Präsident.

Nanon öffnete die Haustür, und der Feuerschein vom Kamin, der sich an der Deckenwölbung widerspiegelte, machte es den drei Cruchots möglich, den Eingang zum Saal zu finden.

„Ah, Sie sind Gratulanten", sagte Nanon zu ihnen, als sie die Blumen roch.

„Entschuldigen Sie, meine Herren," rief Grandet, als er die Stimme seiner Freunde hörte, „ich komme gleich. Ich bin nicht stolz, ich bessere eigenhändig eine Stufe meiner Treppe aus."

„Recht, recht so, Herr Grandet. Jeder ist Bürgermeister in seinem Hause", entgegnete der Präsident anzüglich und lachte ganz allein über diese Anspielung, die niemand verstand.

Frau und Fräulein Grandet erhoben sich. Der Präsident machte sich die Dunkelheit zunutze und sagte zu Eugenie: „Erlauben Sie, Fräulein, daß ich Ihnen heute zu Ihrem Geburtstag eine Reihe glücklicher Jahre und den beständigen Genuß Ihrer Gesundheit wünsche?"

Er überreichte einen großen Strauß von in Saumur seltenen Blumen, dann faßte er die Erbin an den Armen und küßte sie auf beide Seiten des

Halses mit einem Behagen, das Eugenie rot machte. Der Präsident, der einem großen verrosteten Nagel glich, dachte, er mache ihr auf diese Weise den Hof.

„Tun Sie sich keinen Zwang an", sagte Grandet und trat ein. „Wie Sie sich aber ins Zeug legen an Festtagen, Herr Präsident."

„Aber mit Fräulein Eugenie", sagte der Abbé Cruchot, mit seinem Bukett bewaffnet, „würden für meinen Neffen alle Tage Festtage sein."

Der Abbé küßte Eugenie die Hand. Der Notar Cruchot küßte das junge Mädchen ganz einfach auf beide Wangen und sagte: „Wie das schmeckt, was? Das möchte man alle Jahre zwölf Monate!"

Indem er das Licht wieder vor die Wanduhr stellte, sagte Grandet, der nie von einem Scherz herunterkam und ihn bis zum Überdruß wiederholte, wenn er ihm witzig schien:

„Da es Eugeniens Geburtstag ist, wollen wir die Leuchter anzünden."

Er nahm sorgfältig die Zweige von den Armleuchtern ab, setzte auf jedes Fußgestell die Lichtmanschette, nahm aus Nanons Händen eine neue, mit einem Stück Papier umwickelte Kerze, steckte sie in das Loch, drückte sie fest, zündete sie an und setzte sich neben seine Frau; abwechselnd schaute er seine Freunde, seine Tochter und die beiden Kerzen an.

Der Abbé Cruchot, der ein kleiner, rundlicher, fetter Mann mit einer roten flachen Perücke und dem Gesicht einer alten fröhlichen Frau war, streckte seine wohlbeschuhten Füße aus, die in festen Schuhen mit silbernen Schnallen steckten, und sagte:

„Die Grassins sind nicht gekommen?"

„Noch nicht", sagte Grandet.

„Aber sie werden kommen?" fragte der alte Notar und verzog sein Gesicht, das von Pockennarben wie ein Schaumlöffel durchlöchert war.

„Ich glaube es", antwortete Frau Grandet.

„Ist Ihre Weinernte beendigt?" fragte der Präsident de Bonfons Grandet.

„Ganz und gar!" antwortete ihm der alte Winzer und stand auf, um im Saal auf und ab zu gehen, wobei er die Brust mit einer Bewegung hob, die so voll Stolz war, wie seine Worte: ganz und gar! Darauf sah er durch die Tür des Ganges, der zur Küche führte, die lange Nanon, die bei ihrem Feuer saß mit einem Licht vor sich und sich dort zu spinnen anschickte, um sich nicht unter das Fest zu mischen.

„Nanon," sagte er, indem er den Gang hinunterschritt, „willst du wohl das Feuer und Licht auslöschen und zu uns kommen. Himmel, Herrgott! der Saal ist groß genug für uns alle."

„Aber, Herr, Sie erwarten vornehmen Besuch."

„Bist du ihrer nicht würdig? Sie stammen von Adams Rippe, ganz wie du."

Grandet ging zum Präsidenten zurück und sagte zu ihm:

„Haben Sie Ihre Ernte verkauft?"

„Nein, behüte, ich behalte sie. Wenn der Wein jetzt gut ist, wird er in zwei Jahren noch besser sein. Die Weinbergbesitzer haben sich, wie Sie ja wissen, geschworen, an den verabredeten Preisen festzuhalten, und in diesem Jahr sollen die Belgier nicht die Oberhand über uns gewinnen. Wenn sie weggehen, schön, so können sie wiederkommen.

„Ja, aber halten wir auch gut zusammen", sagte Grandet in einem Ton, der den Präsidenten zittern machte.

„Sollte er verkaufen wollen?" dachte Cruchot.

In diesem Augenblick kündigte ein Schlag des Hammers die Familie des Grassins an, und ihre Ankunft unterbrach eine Unterhaltung, die zwischen Frau Grandet und dem Abbé begonnen hatte.

Frau des Grassins war eine dieser kleinen lebhaften, molligen, weiß und rosa Frauen, die dank der klösterlichen Lebenshaltung der Provinz und einem tugendhaften Leben noch mit vierzig Jahren jung erscheinen. Sie sind wie die letzten Rosen des Nachsommers, deren Anblick Freude machte, aber deren Blüte eine gewisse Kälte besitzt, und deren Duft erlischt. Sie zog sich ziemlich gut an, ließ ihre Kleider aus Paris kommen, war in der Stadt Saumur tonangebend und veranstaltete Abendgesellschaften. Ihr Gatte, ehemaliger Quartiermeister in der kaiserlichen Garde, der bei Austerlitz schwer verwundet und pensioniert worden war, benahm sich noch, trotz seinem Respekt vor Grandet, mit der zur Schau getragenen Freimütigkeit des Soldaten.

„Guten Tag, Grandet", sagte er zum Winzer, indem er ihm die Hand reichte und eine Art von Überlegenheit annahm, mit der er die Cruchots jedesmal erdrückte. — „Mein Fräulein," sagte er zu Eugenie, nachdem er Frau Grandet begrüßt hatte, „Sie sind immer schön und gut, ich wüßte wahrhaftig nicht, was man Ihnen wünschen könnte."

Darauf überreichte er eine kleine Schachtel, die sein Diener trug, und die eine Blume von der

Kapkolonie enthielt, die erst kürzlich nach Europa verpflanzt und sehr selten war.

Frau des Grassins umarmte Eugenie sehr liebevoll, drückte ihr die Hand und sagte: „Adolph hat es übernommen, Ihnen mein kleines Angebinde zu geben."

Ein großer blonder junger Mann, von bleichem schwächlichen Aussehen und ziemlich guten Formen, der dem Anschein nach schüchtern war, aber soeben in Paris, wo er Jura studierte, acht- oder zehntausend Franken mehr ausgegeben hatte, als sein Wechsel betrug, schritt auf Eugenie zu, küßte sie auf beide Wangen und überreichte ihr ein Arbeitskästchen, dessen sämtliche Utensilien aus vergoldetem Silber waren; in Wirklichkeit geringe Ware, obwohl das Namensschild, auf das ein gotisches E. G. ziemlich gut eingraviert war, den Eindruck einer sehr gewählten Arbeit erwecken sollte. Als sie es öffnete, hatte Eugenie eine unverhoffte und reine Freude, die junge Mädchen erröten, zittern, vor Freude beben läßt. Sie warf ihrem Vater einen Blick zu, wie um zu fragen, ob ihr die Annahme erlaubt sei, und Herr Grandet sagte: „Nimm nur, mein Kind", mit einem Ton, der einen Schauspieler berühmt gemacht hätte. Die drei Cruchots standen bestürzt, als sie den frohen und aufgeregten Blick sahen, den Adolph des Grassins von der Erbin empfing, der solche Reichtümer unerhört schienen.

Herr des Grassins bot Grandet eine Prise Tabak an, nahm selbst eine, klopfte den Staub vom Band der Ehrenlegion, das im Knopfloch seines blauen Rocks befestigt war, und sah darauf die Cruchots mit einer Miene an, die zu sagen schien: „Pariert mir diesen Stoß." Frau Grassins richtete ihre Blicke auf die weitbauchigen blauen Gefäße, in denen die Sträuße der Cruchots standen und suchte deren Geschenke mit der gespielten Treuherzigkeit einer mokanten Frau. In dieser heiklen Lage ließ der Abbé Cruchot die Gesellschaft im Kreis um das Feuer sitzen und spazierte mit Grandet im Hintergrund des Saales auf und ab. Als die beiden Alten in der von den Grassins am weitesten entfernten Fensternische waren, flüsterte der Priester dem Geizhals zu:

„Diese Leute werfen das Geld zum Fenster hinaus."

„Was schadet das, wenn es in meinen Keller fällt?" antwortete der alte Winzer.

„Wenn Sie Ihrer Tochter goldene Scheren geben wollten, hätten Sie dazu wohl die Mittel", sagte der Abbé.

„Ich gebe ihr Besseres als Scheren", antwortete ihm Grandet.

Mein Neffe ist ein Dummkopf, dachte der Abbé, während er den Präsidenten ansah, dessen struppige Haare noch den unschönen Eindruck seines braunen Gesichts verstärkten. Hätte er sich nicht einen kleinen Unsinn ausdenken können, der Wert gehabt hätte?

„Wollen wir ans Spiel gehen, Frau Grandet", sagte Frau des Grassins.

„Da wir alle versammelt sind, reicht es für zwei Tische —"

„Da heut Eugeniens Geburtstag ist, spielt euer Lotto gemeinsam," sagte Vater Grandet, „die beiden Kinder sollen mitspielen." Der alte Böttcher, der niemals irgendein Spiel spielte, zeigte auf seine Tochter und Adolph.

„Los, Nanon, stell die Tische auf."

„Wir wollen Ihnen helfen, Fräulein Nanon", sagte Frau des Grassins lustig, nur zu froh über die Freude, die sie Eugenie gemacht hatte.

„Ich habe mich noch nie im Leben so gefreut", sagte die Erbin zu ihr. „Ich habe nirgends je etwas so Hübsches gesehen."

„Adolph hat es aus Paris mitgebracht, und er hat es ausgesucht", flüsterte ihr Frau des Grassins ins Ohr.

Mach, mach nur so weiter, verdammte Intrigantin, dachte der Präsident; wenn du jemals einen Prozeß hast, du oder dein Gatte, so wird eure Sache schwerlich gut ausgehen.

Der Notar saß in seiner Ecke, sah den Abbé gleichmütig an und dachte bei sich: Die Grassins mögen tun was sie wollen, mein Vermögen, das meines Bruders und meines Neffen beläuft sich zusammen auf elfhunderttausend Franken. Die Grassins besitzen höchstens die Hälfte, und sie haben eine Tochter; sie können schenken was sie wollen. Erbin samt Geschenken, alles wird eines Tags uns gehören.

Um halb neun Uhr abends waren zwei Spieltische aufgestellt. Der hübschen Frau des Grassins war es geglückt, ihren Sohn an Eugeniens Seite zu bringen. Die Spieler in dieser bedeutungsvollen wenn auch scheinbar alltäglichen Szene, hatten sich mit bunten numerierten Pappstückchen und Spielmarken aus blauem Glas versehen und schienen den Scherzen des alten Notars zuzuhören, der keine Nummer zog, ohne eine Bemerkung zu machen; aber alle dachten an die Millionen von Herrn Grandet. Der alte Böttcher betrachtete selbstgefällig die rosa Federn, das neue Kleid von Frau des Grassins, den Soldatenschädel des Bankiers, den von Adolph, den Präsidenten, den Abbé, den Notar und sagte zu sich selbst: Sie sind hier meiner Taler wegen. Sie langweilen sich hier meiner Tochter wegen. He, meine Tochter kriegen weder die einen noch die andern, und diese Leute dienen mir alle nur als Fischangeln. Diese Familienheiterkeit in dem altmodischen grauen Salon, der durch die beiden Kerzen mangelhaft erhellt war; dies Gelächter, das vom Geräusch des Spinnrads der langen Nanon begleitet und nur auf den Lippen von Eugenie oder ihrer Mutter aufrichtig war; diese an so große Interessen geknüpften Kleinigkeiten; dieses junge Mädchen — den Vögeln ähnlich, die Opfer des hohen Preises werden, dessen man sie für wert hält, und von dem sie nichts wissen — das sich umstellt, erdrückt von Freundschaftsbeweisen sah, durch die es umgarnt wurde: alles das trug dazu bei, diese Szene mit einer traurigen Komik zu erfüllen. Ist das übrigens nicht eine Szene aus alten Zeiten und von alten Orten, hier nur auf ihre einfachste Form zurückgeführt? Das Gesicht Grandets, der die falsche Anhänglichkeit der beiden Familien ausnutzte und riesige Vorteile aus ihr zog, beherrschte dieses Drama und warf Schlaglichter darauf. Ist das nicht der einzige moderne Gott, an den man glaubt, das Geld in seiner ganzen Macht, in einem einzigen Gesicht ausgeprägt? Die zarten Gefühle des Lebens nahmen hier nur den zweiten Rang ein; sie beseelten drei reine Herzen, das von Nanon, von Eugenie und ihrer Mutter. Aber wieviel Unwissenheit noch in ihrer

Unbefangenheit! Eugenie und ihre Mutter wußten nichts von Grandets Reichtum, sie schätzten
die Dinge des Lebens nach dem Abglanz ihrer
schwachen Vorstellungen davon und konnten das
Geld weder achten noch verachten, da sie daran
gewöhnt waren, es zu missen. Ihre, ohne ihr Wissen in Fesseln gelegten, aber lebhaften Gefühle
mit dem Geheimnis in ihrem Dasein, machten aus
ihnen eine gar seltsame Ausnahme in diesem Kreis
von Leuten, deren Leben rein materiell war.
Schrecklicher Zustand des Menschen! Es gibt für
ihn kein Glück, das nicht aus irgendeiner Unwissenheit stammt! Gerade als Frau Grandet ein Los
von sechzehn Sous gewann, den beträchtlichsten
Satz, der jemals in diesem Zimmer gespielt worden war, und die lange Nanon vor Freude lachte,
als sie ihre Herrin diese große Summe einstecken
sah, ertönte ein Hammerschlag an der Tür und
machte einen solchen Spektakel, daß die Frauen
von ihren Stühlen aufsprangen.
„Das ist niemand von Saumur, der so klopft",
sagte der Notar.
„So was, so draufzuhauen", sagte Nanon. „Wollen sie unsre Tür einschlagen?"
„Wer zum Teufel ist da?" schrie Grandet.
Nanon nahm eine der beiden Kerzen und ging
öffnen, von Grandet begleitet.
„Grandet, Grandet", rief seine Frau, und von einem unbestimmten Gefühl von Angst getrieben,
stürzte sie zur Tür.
Alle Spieler sahen sich an.
„Ob wir nachgehen?" sagte Herr des Grassins.
„Dieser Hammerschlag erscheint mir unheimlich."
Ungefähr konnte Herr des Grassins das Gesicht

48

eines jungen Mannes erkennen, sowie den Gepäck-
meister der Post, der zwei ungeheure Koffer trug
und Reisetaschen schleppte. Grandet drehte sich
heftig zu seiner Frau um und sagte:
„Frau Grandet, gehen Sie zu Ihrem Lotto. Lassen
Sie mich mit dem Herrn reden."
Dann zog er schnell die Tür des Saales zu, in dem
die aufgeregten Spieler ihre Plätze wieder einnahmen, aber ohne im Spiel fortzufahren.
„Ist es jemand von Saumur, Herr des Grassins?"
sagte seine Frau.
„Nein, ein Reisender."
„Dann kann er nur aus Paris kommen."
„Wahrhaftig", sagte der Notar und zog seine alt-
modische zwei Finger dicke Uhr, die wie ein hol-
ländisches Kuff aussah, „es ist neune. Potztau-
send, die Post vom Grand Bureau verspätet sich
nie."
„Ist's ein junger Herr?" fragte der Abbé Cruchot.
„Ja", antwortete Herr des Grassins. „Er führt
Gepäck mit, das mindestens dreihundert Kilo wie-
gen muß."
„Nanon kommt nicht wieder", sagte Eugenie.
„Das kann nur ein Verwandter von Ihnen sein",
sagte der Präsident.
„Wollen wir einsetzen?" rief Frau Grandet leise.
„An seiner Stimme habe ich gemerkt, daß Herr
Grandet ärgerlich war; vielleicht wird er es nicht
gern sehen, daß wir uns mit seinen Angelegen-
heiten befassen."
„Fräulein Eugenie," sagte Adolph zu seiner Nach-
barin, „das wird sicherlich Ihr Vetter Grandet
sein, ein sehr hübscher junger Mann, den ich auf
einem Ball bei Herrn von Nucingen gesehen habe."

Adolph fuhr nicht fort, denn seine Mutter trat ihm auf den Fuß; dann forderte sie laut zwei Sous für seinen Einsatz von ihm, während sie ihm leise zuflüsterte:

„Wirst du still sein, großes Kamel."

In diesem Augenblick kam Grandet ohne die lange Nanon zurück, deren und des Gepäckträgers Schritte im Treppenhaus widerhallten; ihm folgte der Reisende, der während der paar Minuten so sehr die Neugierde aufgestachelt und so lebhaft die Einbildungskraft beschäftigt hatte, daß man sein Ankommen in diesem Haus und sein Hereinplatzen in diese Gesellschaft vielleicht mit dem einer Weinbergschnecke in ein Raupennest vergleichen könnte oder mit dem Auftreten eines Pfauen in einem gewöhnlichen dörflichen Hühnerhof.

„Setzen Sie sich ans Feuer", sagte Grandet zu ihm.

Ehe er Platz nahm, grüßte der junge Mann mit großem Anstand die Versammelten. Die Männer erhoben sich, um ihm mit einer höflichen Verbeugung zu danken, die Damen verneigten sich zeremoniell.

„Sicher ist Ihnen kalt, mein Herr", sagte Frau Grandet. „Sie kommen vielleicht von..."

„So sind die Frauen immer!" sagte der alte Winzer und unterbrach die Lektüre eines Briefes, den er in der Hand hielt. „Laßt doch den Herrn sich ausruhen."

„Aber Vater, er braucht vielleicht irgend etwas", sagte Eugenie.

„Er hat einen Mund", antwortete streng der Winzer.

Der Unbekannte allein war von dieser Szene über-
rascht. Die andern alle waren an die despotischen
Manieren des Alten gewöhnt. Jedenfalls erhob
sich der Unbekannte, als diese beiden Fragen und
Antworten sich kreuzten, stellte sich mit dem
Rücken gegen das Feuer, hob den einen Fuß auf,
um seine Schuhsohlen zu erwärmen und sagte zu
Eugenie:

„Ich danke Ihnen, Kusine, ich habe in Tours
gespeist. Und“, fügte er mit einem Blick auf
Grandet hinzu, „ich brauche nichts, ich bin nicht
einmal müde.“

„Sie kommen aus der Hauptstadt?“ fragte Frau
des Grassins.

Als Herr Charles, so hieß der Sohn des Pariser Herrn
Grandet, sich angeredet fand, nahm er ein kleines
Lorgnon, das an einer Kette um seinen Hals hing,
führte es an sein rechtes Auge, um zu mustern,
sowohl was auf dem Tisch war, wie die Personen,
die rund herum saßen, lorgnettierte höchst keck
Frau des Grassins, und nachdem er alles betrachtet hatte, sagte er: „Ja, gnädige Frau.“ — „Sie
spielen Lotto, Tante“, fügte er hinzu; „ich bitte
Sie, spielen Sie weiter, das ist zu amüsant, um
unterbrochen zu werden.“

Ich war sicher, daß es der Kusin sein würde,
dachte Frau des Grassins und sah ihn kokett an.

„Siebenundvierzig“, rief der alte Abbé. „Melden
Sie sich doch, Frau des Grassins, ist das nicht
Ihre Nummer?“

Herr des Grassins setzte eine Spielmarke auf das
Blatt seiner Frau, die von düsteren Vorgefühlen
ergriffen, abwechselnd den Vetter aus Paris und
Eugenie beobachtete, ohne ans Lotto zu denken.

Von Zeit zu Zeit warf die junge Erbin verstohlene
Blicke auf ihren Vetter, und die Frau des Ban-
kiers konnte in ihnen leicht ein crescendo des
Staunens und der Neugierde erkennen.

Herr Charles Grandet, der ein schöner junger
Mann von zweiundzwanzig Jahren war, bildete in
diesem Augenblick einen seltsamen Kontrast zu
diesen guten Provinzlern, die seine aristokratischen Manieren ziemlich aufbrachten, und die
ihn alle genau beobachteten, um sich über ihn lustig zu machen. Dies verlangt eine Erklärung. Mit
zweiundzwanzig Jahren stehen die jungen Leute
dem Kindesalter noch so nahe, daß sie sich Kindereien hingeben. Daher wird man vielleicht unter hundert von ihnen gut neunundneunzig treffen, die sich so aufgeführt hätten, wie sich Charles Grandet aufführte. Einige Tage vor diesem
Abend hatte ihm sein Vater gesagt, daß er für
einige Monate seinen Bruder in Saumur besuchen
solle. Vielleicht dachte Herr Grandet aus Paris
an Eugenie. Charles, der zum erstenmal in die
Provinz schneite, hatte die Absicht, dort mit der
Überlegenheit eines modernen jungen Mannes auf-
zutreten, den ganzen Umkreis durch seinen Luxus totzuärgern, Epoche zu machen und die Er-
rungenschaften des Pariser Lebens einzuführen.
Kurz, um alles mit einem Wort zu sagen, er
wollte in Saumur noch mehr Zeit damit zubringen, seine Nägel zu polieren, als in Paris und gerade da die äußerste Gesuchtheit in seinem An-
zug herauskehren, die ein eleganter junger Mann
zuzeiten mit einer reizvollen Nachlässigkeit ver-
tauscht. Charles brachte daher sein hübschestes
Jagdkostüm mit, das hübscheste Gewehr, das hüb-

scheste Messer, die hübscheste Messerscheide von Paris. Er brachte eine Anzahl seiner fabelhaftesten Westen mit: er hatte graue, weiße, schwarze, skarabeusfarbene, goldglänzende, mit Flittern besetzte, buntgewebte, gefütterte, mit Schal- oder geradem Kragen, bis oben zugeknöpfte, welche mit goldenen Knöpfen. Er brachte alle die verschiedenen Sorten von Kragen und Krawatten mit, die zu dieser Zeit beliebt waren. Er brachte seinen hübschen goldenen Toilettekasten mit, ein Geschenk seiner Mutter. Er brachte all seine Kinkerlitzchen eines Dandys mit, nicht zu vergessen ein entzückendes kleines Schreibzeug, das ihm von der liebenswürdigsten Frau — wenigstens für ihn — geschenkt worden war, von einer großen Dame, die er Annette nannte, die mit ihrem Ehemann höchst langweilig in Schottland herumreiste, als Opfer irgendeines Argwohns, dem man im Augenblick sein Glück drangeben mußte; ferner viel hübsches Briefpapier, um ihr alle vierzehn Tage einen Brief zu schreiben. Kurzum, diese Ausrüstung von Pariser Kleinigkeiten war so vollständig, wie sie nur irgend gemacht werden konnte, und, von der Reitpeitsche, die dazu dient, ein Duell anzufangen, bis zu den schönen ziselierten Pistolen, die es beenden, befand sich in ihr sämtliches Handwerkszeug, dessen ein junger Müßiggänger sich bedient, um das Leben zu meistern. Da sein Vater ihm gesagt hatte, er solle allein und bescheiden reisen, war er in einer für ihn allein belegten Kutsche der Post gekommen, und es war ihm ganz recht, daß er nicht den köstlichen Reisewagen zu verderben brauchte, der bestellt war, um vor seiner Annette herzufahren, der großen Dame, die... usw. und die er im nächsten Juni in Baden-Baden wieder treffen wollte. Charles rechnete darauf, hundert Personen bei seinem Onkel vorzufinden, an Parforcejagden in den Wäldern seines Oheims teilzunehmen, kurzum, das Leben auf einem Schloß bei ihm zu leben; er hatte nicht gedacht, ihn in Saumur anzutreffen, wo er sich nach ihm nur erkundigt hatte, um den Weg nach Froidfond zu erfragen, aber als er erfuhr, er sei in der Stadt, stellte er ihn sich in einem vornehmen Hause vor. Um sich geziemend bei seinem Onkel einzuführen, gleichviel ob in Saumur oder in Froidfond, hatte er die koketteste Reisetoilette von der allergesuchtesten Einfachheit gemacht, die allerliebenswürdigste, um das Wort zu gebrauchen, daß zu dieser Zeit die besondern Vollkommenheiten einer Person oder einer Sache zusammenfaßte. In Tours hatte ihm ein Haarkünstler noch einmal seine schönen kastanienbraunen Haare frisiert, er hatte die Wäsche gewechselt und eine Krawatte aus schwarzer Seide umgelegt, die mit einem runden Kragen kombiniert war, um gefällig sein weißes und fröhliches Gesicht einzurahmen. Sein Reiseüberrock, der ihm wie angegossen saß, ließ halb zugeknöpft eine Kaschmirweste sehen, unter der sich eine zweite weiße Weste befand. Seine Uhr, die sich nachlässig in irgendeiner Tasche verlor, war an einer kurzen Goldkette in einem der Knopflöcher befestigt. Seine grauen Beinkleider wurden an den Seiten geknöpft, wo Stickereien in schwarzer Seide die Nähte verzierten. Er hantierte gewandt mit einem Stock, dessen getriebener Goldknopf seine neuen grauen Handschuhe nicht verdarb. Schließlich war

54

auch seine Mütze von außerordentlichem Geschmack. Ein Pariser, nur ein Pariser aus den
höchsten Kreisen konnte sich so herausputzen, ohne
lächerlich zu wirken und alle diese Albernheiten
in eine Harmonie von Stutzerhaftigkeit bringen,
die sich im übrigen mit einer kühnen Miene ver-
trug, der Miene eines jungen Mannes, der gute
Pistolen hat, eine sichere Hand und Annette.
Um die wechselseitige Überraschung der Saumuraner und des jungen Parisers recht zu verstehen, um sich den Glanz vorzustellen, den die
Eleganz des Reisenden mitten zwischen die grauen
Schatten des Saales warf und auf die Gesichter,
die das Familienbild zusammensetzten, versuche
man, sich die Cruchots vorzustellen. Alle drei
schnupften und dachten längst nicht mehr daran,
schwarze Nasenlöcher und die kleinen schwarzen
Flecken zu vermeiden, die das Jabot ihrer groben
Hemden zierten, mit den zerknitterten Kragen und
vergilbten Falten. Ihre weichen Krawatten roll-
ten sich zum Strick auf, sobald sie um den Hals
gelegt wurden. Da ihr riesiger Vorrat an Wäsche
sie instand setzte, nur alle sechs Monate waschen
zu lassen und die Wäsche in der Tiefe ihrer
Schränke zu verwahren, prägte ihr die Zeit ihre
alte graue Farbe ein. So begegneten sich bei den
Cruchots in vollkommenem Einvernehmen un-
schönes Aussehen und Greisenhaftigkeit. Ihre Gesichter, die so verwelkt waren, wie ihre Röcke
fadenscheinig, ebenso faltig, wie ihre Hosen, erschienen abgenutzt, verknöchert und verzerrt. Die
durchgehende Vernachlässigung bei den übrigen
Kleidern, denen allen etwas fehlte, und die verlegen aussahen, wie es die Toiletten der Provinz

sind, wo man unvermerkt dahin kommt, sich nicht
für die andern anzuziehen, und den Preis von
einem Paar Handschuh ängstlich berechnet, paßte
zu der Ungepflegtheit der Cruchots. Der Abscheu
vor der Mode war der einzige Punkt, in dem die
Grassinisten und die Cruchotisten sich vollkommen verstanden. Nahm der Pariser sein Lorgnon
auf, um die sonderbaren Requisiten des Saals zu
mustern, die Balken der Decke, die Farbe der
Täfelung oder die Punkte, mit denen die Fliegen
sie bedruckt hatten, und deren Zahl genügt hätte,
die Encyclopédie méthodique oder den Moniteur
zu interpungieren, so hoben die Lottospieler
augenblicks die Nase und betrachteten ihn mit
der Neugierde, die sie für eine Giraffe an den Tag
gelegt hätten. Herr des Grassins und sein Sohn,
denen das Aussehen eines Jüngers der Mode nicht
unbekannt war, machten nichtsdestoweniger das
Staunen der andern mit, weil entweder durch seinen Einfluß das allgemeine Gefühl sie bestimmte
oder sie ihm beistimmten, indem sie ihren Lands-
leuten durch ironisches Augenzwinkern zu verstehen gaben: „Ja, so sind d i e in Paris." Alle
konnten übrigens Charles in Muße betrachten,
ohne Furcht, dem Hausherrn zu mißfallen. Grandet war in einen langen Brief vertieft, den er in
der Hand hielt, und hatte, um ihn zu lesen, die
einzige Kerze vom Tisch genommen, ohne sich
um seine Gäste oder ihr Vergnügen zu kümmern.
Eugenie, der das Bild einer solchen Vollkommen-
heit der Kleidung sowohl wie der Person gänzlich
unbekannt war, glaubte in ihrem Vetter ein aus
seraphischen Sphären herabgestiegenes Wesen zu
schauen. Sie atmete mit Entzücken den Duft sei-

56

ner Haare ein, die so glänzten und so schön ge-
lockt waren. Sie hätte das seidige Leder dieser
hübschen feinen Handschuhe anfassen mögen. Sie
wünschte sich die schmalen Hände von Charles,
seinen Teint, die Frische und Feinheit seiner Züge.
Kurzum, wenn allenfalls dies Bild den Eindruck zusammenfassen kann, den der junge Stutzer auf ein weltfremdes Mädchen ausübte, das
immerfort damit beschäftigt wurde, Strümpfe zu
stopfen und die Garderobe ihres Vaters zu flicken,
dessen Leben zwischen diesen verschmutzten Pa-
neelen verflossen war, in der stillen Straße, wo
sie nie mehr als einen Passanten pro Stunde sah,
so durchrieselte der Anblick des Vetters ihre Adern
mit dem feinen Wonnegefühl, das bei einem jungen Mann die phantastischen Frauengestalten von
Westall in den englischen Sammlungen verur-
sachen, die von den Finden mit so zarter Nadel
radiert sind, daß man Furcht hat, durch einen
Hauch auf das Papier diese himmlischen Erschei-
nungen zu verscheuchen. Charles zog ein Taschentuch heraus, das von der großen Dame, die in
Schottland reiste, gestickt war. Als Eugenie diese
hübsche Arbeit sah, die von der Liebe in müßigen
Stunden für die Liebe gemacht worden war,
blickte sie ihren Vetter gespannt an, ob er es
wohl wirklich benutzen würde. Die Manieren
von Charles, seine Bewegungen, die Art, wie er
sein Lorgnon hob, seine gesuchte Keckheit, seine
Verachtung für das Kästchen, das soeben noch der
reichen Erbin soviel Vergnügen gemacht hatte, und
das er augenscheinlich wertlos oder lächerlich fand,
kurz, alles das, was die Cruchots und Grassins
ärgerte, gefiel ihr so sehr, daß sie vor dem Ein-

schlafen noch lange in Gedanken diesem Phönix
von Vetter nachhängen mußte.

Die Nummern wurden sehr langsam gezogen, und
bald hörte man mit dem Lotto auf. Die lange Nanon trat ein und sagte laut: „Madame muß mir
Wäsche rausgeben, um für den Herrn das Bett zu
machen."

Frau Grandet folgte Nanon. Da sagte Frau des
Grassins leise:

„Sparen wir unsere Pfennige, und lassen wir das
Lotto sein."

Jeder nahm seine zwei Sous wieder aus der alten
bestoßenen Untertasse, in die sie gelegt waren,
dann setzte sich die ganze Gesellschaft in Bewegung und machte eine Viertelschwenkung zum
Feuer.

„Sind Sie fertig?" fragte Grandet, ohne mit seinem Brief aufzuhören.

„Ja", sagte Frau des Grassins und setzte sich
neben Charles.

Eugenie, von Gedankengängen bewegt, wie sie im
Herzen von jungen Mädchen entstehen, wenn sich
da zum erstenmal ein Gefühl einnistet, verließ den
Saal, um ihrer Mutter und Nanon zu helfen. Wenn
sie von einem geschickten Beichtvater ausgefragt
worden wäre, hätte sie ihm ohne Zweifel gestanden, daß sie weder an ihre Mutter noch an Nanon dachte, sondern von dem unwiderstehlichen
Wunsch getrieben wurde, das Zimmer ihres Vetters zu besichtigen, um sich dort mit ihrem Vetter
zu beschäftigen, irgend etwas hinzustellen, einem
Vergessen vorzubeugen, für alles Vorkehrungen
zu treffen, um es so elegant und nett wie möglich
herzurichten. Eugenie glaubte bereits, daß nur sie

imstande sei, den Geschmack und die Anschauungen ihres Vetters zu begreifen. Und wirklich kam sie gerade im richtigen Augenblick, um ihrer Mutter und Nanon zu beweisen — die schon in dem Glauben weggingen, alles getan zu haben — daß noch alles zu tun sei. Sie brachte die lange Nanon auf den Gedanken, die Bettwäsche an der Kohlenglut zu wärmen; sie legte selbst auf den alten Tisch eine Decke und band Nanon auf die Seele, jeden Morgen eine frische hinzutun. Sie überzeugte ihre Mutter von der Notwendigkeit, ein tüchtiges Feuer im Kamin zu machen, und bewog Nanon, einen großen Stapel Holz, ohne dem Vater etwas davon zu sagen, in den Korridor heraufzubringen. Sie holte schnell aus einem der Eckschränke im Saal ein altes Lacktablett, das aus der Erbschaft des verstorbenen alten Herrn de la Bertellière stammte, nahm ebenfalls von dort ein sechskantig geschliffenes Kristallglas, einen kleinen Löffel mit verblichener Vergoldung, eine altmodische Karaffe, auf der Amoretten eingraviert waren, und stellte das alles triumphierend auf eine Ecke des Kamins. Es tauchten mehr Gedanken in einer Viertelstunde in ihr auf, als sie gehabt hatte, solange sie auf der Welt war.

„Mama," sagte sie, „mein Vetter kann unmöglich den Geruch eines Talglichtes aushalten. Wenn wir eine Wachskerze kauften?..."

Sie hüpfte fort, leicht wie ein Vogel, um aus ihrer Börse das Fünffrankenstück zu holen, das sie für ihre monatlichen Ausgaben bekommen hatte.

„Hier, Nanon," sagte sie, „lauf schnell."

„Aber was wird dein Vater sagen?"

Dieser schreckliche Einwand wurde von Frau Grandet erhoben, als sie ihre Tochter mit einer Zukkerdose aus altem Sèvresporzellan bewaffnet sah, die Grandet aus dem Schloß von Froidfond mitgebracht hatte.

„Und wo willst du den Zucker hernehmen? Bist du toll?"

„Mama, Nanon soll den Zucker zusammen mit der Kerze kaufen."

„Aber dein Vater?"

„Würde es sich gehören, daß sein Neffe nicht einmal ein Glas Zuckerwasser trinken kann? Übrigens wird er es nicht merken."

„Dein Vater merkt alles", sagte Frau Grandet kopfschüttelnd.

Nanon stand zögernd, sie kannte ihren Herrn.

„Aber so lauf doch, Nanon, weil mein Geburtstag ist."

Nanon lachte schallend auf, als sie den ersten Scherz hörte, den ihre junge Herrin je gemacht hatte, und gehorchte ihr.

☆

WÄHREND EUGENIE UND IHRE MUTTER SICH bemühten, das von Herrn Grandet für seinen Neffen bestimmte Zimmer zu schmücken, war Charles das Ziel von Frau des Grassins Aufmerksamkeiten, die sich durch scherzhafte Herausforderungen liebenswürdig zu machen suchte: „Sie sind sehr mutig," sagte sie zu ihm, „daß Sie die Vergnügungen der Hauptstadt mitten im Winter verlassen, um in Saumur Ihr Zelt aufzuschlagen. Aber wenn wir Ihnen nicht einen allzu großen

Schrecken einjagen, werden Sie sehen, daß man es auch hier fertig bringt, sich zu amüsieren."

Sie schickte ihm einen koketten Seitenblick zu, der echt Kleinstadt war, wo die Frauen gewöhnt sind, mit soviel Zurückhaltung und Vorsicht ihre Augen zu bewegen, daß ihre Blicke dadurch dieselbe begehrliche Lüsternheit bekommen, wie die der Geistlichen, denen jedes Vergnügen ein Raub scheint oder eine Schuld. Charles fand sich dermaßen verloren in diesem Saal, so himmelweit entfernt von dem großen Schloß und der pompösen Lebensführung, die er bei seinem Onkel erwartet hatte, daß er, als er Frau des Grassins aufmerksam betrachtete, schließlich ein halb verwischtes Bild von Pariser Zügen in ihr entdeckte. Er antwortete verbindlich auf die Art Einladung, die er bekommen hatte, und es entspann sich zwanglos eine Unterhaltung, bei der Frau des Grassins nach und nach die Stimme senkte, um sie dem Charakter ihrer vertraulichen Mitteilungen anzupassen. Sie und Charles fühlten gleich stark das Bedürfnis, zueinander Vertrauen zu haben. Daher konnte nach einigen Minuten koketter Plauderei und bedeutsamer Scherze die geschickte Kleinstädterin im Glauben, von den andern nicht verstanden zu werden, die vom Weinverkauf sprachen, der zur Zeit ganz Saumur beschäftigte, zu ihm sagen:

„Wenn Sie uns die Ehre antun wollen, uns zu besuchen, werden Sie ganz bestimmt meinem Mann und mir das größte Vergnügen machen. Unser Salon ist der einzige in Saumur, wo Sie die Spitzen der Kaufmannschaft und den Adel vereinigt finden: wir gehören beiden Gesellschaftskreisen an, die sich nur bei uns treffen, weil man sich da amüsiert. Mein Mann, kann ich mit Stolz sagen, ist in beiden in gleicher Weise geschätzt. So können wir versuchen, die Langeweile Ihres hiesigen Aufenthalts zu beheben. Denn wenn Sie bei Herrn Grandet blieben, was sollte aus Ihnen werden, lieber Himmel! Ihr Onkel ist ein Filz, der an nichts denkt, als an die Ableger seiner Weinstöcke. Ihre Tante ist bigott und kann sich nicht zwei Begriffe zusammenreimen; Ihre Kusine ist ein Dummchen, ohne Erziehung, gewöhnlich, ohne Mitgift, die ihr Leben damit zubringt, Bettücher zu flicken."

„Diese Frau ist doch sehr nett", dachte Charles Grandet bei sich, während er auf die Redensarten von Frau des Grassins antwortete.

„Mir scheint, liebe Frau, du willst Herrn Grandet mit Beschlag belegen", sagte lachend der Bankier. An diese Bemerkung knüpften der Notar und der Präsident mehr oder weniger boshafte Reden; aber der Abbé sandte ihnen einen listigen Blick zu und faßte ihre Gedanken zusammen, während er eine Prise Tabak nahm und seine Dose herumgehen ließ:

„Wer könnte besser", sagte er, „als die gnädige Frau dem Herrn die Honneurs von Saumur machen?"

„Na, wie meinen Sie das, Herr Abbé?" fragte Herr des Grassins.

„Ich meine es, Herr des Grassins, in dem schmeichelhaftesten Sinn für Sie, für die gnädige Frau, für die Stadt Saumur und für den jungen Herrn," fügte der durchtriebene Greis hinzu und wandte sich an Charles. Ohne ihr dem Anschein nach die geringste Aufmerksamkeit zu schenken, hatte der

Abbé Cruchot die Unterhaltung zwischen Charles und Frau des Grassins zu erraten gewußt.

„Mein Herr," sagte jetzt Adolph zu Charles mit einem Ton, der recht leicht klingen sollte, „ich weiß nicht, ob Sie noch irgendeine Erinnerung an mich haben; ich hatte das Vergnügen, Ihr Vis-à-vis auf einem Ball des Herrn Baron von Nucingen zu sein und...

„Aber ganz gewiß", antwortete Charles und sah sich zu seiner Verwunderung als Mittelpunkt der allgemeinen Aufmerksamkeiten.

„Das ist Ihr Sohn?" fragte er Frau des Grassins. Der Abbé sah die Mutter boshaft an.

„Jawohl", sagte sie.

„Dann müssen Sie sehr jung nach Paris gekommen sein", versetzte Charles und wandte sich an Adolph.

„Was wollen Sie," sagte der Abbé, „wir schicken sie nach Babylon, sobald sie entwöhnt sind."

Frau des Grassins warf dem Abbé einen merkwürdig forschenden Blick zu.

„Man muß in die Provinz kommen", fuhr er fort, „um Frauen von einigen dreißig zu finden, die so frisch sind wie die gnädige Frau und dabei einen Sohn haben, der schon bald sein juristisches Examen macht. Mir ist, als wäre heute noch der Tag, an dem die jungen Leute und die Damen auf die Stühle stiegen, um Sie auf dem Ball tanzen zu sehen, gnädige Frau", wandte sich der Abbé an seinen weiblichen Widersacher. „Für mich sind Ihre Erfolge immer noch wie von gestern..."

‚Oh, der alte Bösewicht,‘ dachte Frau des Grassins bei sich, ‚hat er mich wirklich durchschaut?‘

‚Mir scheint, ich werde viel Erfolg in Saumur

haben,' dachte Charles; er knöpfte seinen Rock auf, steckte die Hand in die Weste und ließ seinen Blick in die Ferne schweifen, um die Pose nachzuahmen, in der Chantrey Lord Byron dargestellt hat.

Die Unaufmerksamkeit des alten Grandet oder, besser gesagt, seine völlige Versenkung in die Lektüre seines Briefs entging dem Notar und dem Präsidenten nicht, die auf den Inhalt aus den unmerklichen Zuckungen in dem von der Kerze hell beleuchteten Gesicht des Alten Schlüsse zu ziehen versuchten. Der Winzer bewahrte mühsam die gewöhnliche Ruhe seines Ausdrucks. Und jeder kann sich ein Bild von der erzwungenen Fassung des Mannes machen beim Lesen des verhängnisvollen Briefes, der so lautete:

„Lieber Bruder, wir haben uns jetzt seit fast dreiundzwanzig Jahren nicht mehr gesehen. Meine Verheiratung war der Anlaß unserer letzten Zusammenkunft, nach der wir uns beide befriedigt getrennt haben. Wahrhaftig, nie hätte ich gedacht, daß Du eines Tages die einzige Stütze der Familie sein würdest, über deren Blühen und Gedeihen Du Dich damals freutest. Wenn Du diesen Brief in der Hand hältst, bin ich nicht mehr. In meiner Stellung wollte ich die Schande eines Bankrotts nicht überleben. Ich habe mich bis zum letzten Moment am Rande des Strudels gehalten, in der Hoffnung, wenigstens nach oben zu schwimmen. Ich sollte hineinstürzen. Der Bankrott meines Wechselmaklers zugleich mit dem von meinem Notar Roguin hat meine letzten Hilfsquellen versiegen lassen, und mir bleibt nichts. Ich habe das Unglück, fast vier Millionen schuldig zu sein und dagegen nicht mehr als fünfundzwanzig Prozent Aktiva bieten zu können. Die Weine in meinen Lagerhäusern spüren in diesem Augenblick die verhängnisvolle Baisse, die durch den Überfluß und die Qualität Deiner Ernten verursacht wird. In drei Tagen wird Paris sagen: ‚Herr Grandet war ein Schuft‘. Ich bette mich, der ich rechtschaffen bin, in ein Leichentuch von Schande. Ich raube meinem Sohn sowohl seinen Namen, den ich beflecke, wie das Vermögen seiner Mutter. Er weiß nichts davon, das unglückliche Kind, das ich abgöttisch liebe. Wir haben uns zärtlich Lebewohl gesagt. Er ahnte zum Glück nicht, daß die letzten Flutungen meines Lebens sich in diesen Abschied ergossen. Wird er mich nicht eines Tages verwünschen? Bruder, Bruder, der Fluch unserer Kinder ist entsetzlich. Sie können gegen den unsern Vorstellungen erheben, aber der ihre ist unwiderruflich. Grandet, Du bist mein älterer Bruder, Du bist mir Deinen Schutz schuldig: sorge dafür, daß Charles mir kein bittres Wort in mein Grab nachschickt. Lieber Bruder, wenn ich Dir mit Blut und Tränen schreiben würde, wären es nicht so große Schmerzen, wie ich sie bei diesem Brief erdulde: denn ich würde weinen, ich würde bluten, ich würde sterben und nicht mehr leiden; aber ich leide und sehe den Tod trockenen Auges an. Du mußt also jetzt Charles' Vater sein. Er hat keine Verwandten mütterlicherseits, Du weißt warum. Warum bin ich nicht den sozialen Vorurteilen gefolgt? Warum gab ich der Liebe nach? Warum habe ich die natürliche Tochter eines Aristokraten geheiratet? Nun hat Charles keine Familie. Ach, mein Sohn, mein unglücklicher

Sohn. Höre, Grandet, ich komme nicht, um Dich um meinetwillen anzuflehen. Zudem würde Dein Reichtum vielleicht nicht groß genug sein, um eine Hypothek von drei Millionen zu vertragen; aber um meines Sohnes willen. Merke dies wohl, lieber Bruder, meine flehenden Hände falten sich in Gedanken an Dich. Grandet, sterbend vertraue ich Dir Charles an. Und jetzt blicke ich ohne Gram auf meine Pistolen in dem Gedanken, daß Du ihm Vater sein wirst. Mein Charles, er liebt mich sehr; ich war so gut zu ihm, ich war ihm nie im Wege; er wird mich nicht verfluchen. Im übrigen, Du wirst ja sehen; er ist sanft, er ähnelt seiner Mutter, er wird Dir nie Kummer machen. Das arme Kind; er ist an das Schwelgen im Luxus gewöhnt, er hat keine einzige Entbehrung kennengelernt, wie sie uns beiden unsere anfängliche Armut aufgezwungen hat. Und nun: ruiniert dazustehen und allein! Denn sicher, alle seine Freunde werden ihm ausweichen, und ich bin es, ich bin die Ursache seiner Demütigungen. Ach, ich wünschte, ich hätte einen Arm, stark genug, ihn mit einem Ruck in den Himmel zu entführen, an die Seite seiner Mutter. Törichte Rede! Ich kehre zu meinem Unglück zurück, zu dem von Charles. Ich schicke ihn Dir also, damit Du ihn in angemessener Weise sowohl von meinen Tod unterrichtest wie von seinem Los in der Zukunft. Sei sein Vater, aber sei ein guter Vater. Entreiße ihn nicht auf einmal seinem bequemen Leben, Du würdest ihn töten. Ich bitte ihn kniefällig, auf die Schuldforderung zu verzichten, die er als Erbe seiner Mutter gegen mich anstrengen könnte. Aber das ist eine überflüssige Bitte. Er hat Ehrgefühl; er wird selbst fühlen, daß er sich nicht mit seinen Gläubigern verbinden darf. Laß ihn auf meine Erbschaft zu gegebener Zeit verzichten. Mache ihn mit den harten Lebensbedingungen bekannt, die ich ihm schaffe; und wenn er mir seine Liebe bewahrt, dann sage ihm in meinem Namen, daß für ihn noch nicht alles verloren ist. Denn die Arbeit, die uns beiden geholfen hat, kann ihm das Vermögen wiedergeben, daß ich ihm nehme; wenn er auf das Wort seines Vaters hören will, der seinetwegen gern für einen Augenblick aus dem Grab steigen möchte, so soll er fortreisen, soll er nach Indien gehen. Lieber Bruder, Charles ist ein junger Mann von Rechtschaffenheit und Mut; rüste ihn mit einer kleinen Warenladung aus, so wird er lieber sterben, als Dir nicht zurückzugeben, was Du ihm zum Anfangen geliehen hast. Denn Du mußt sie ihm leihen, Grandet, wenn Du Dir nicht Gewissensbisse schaffen willst. Ach, wenn mein Kind keine Hilfe und Liebe bei Dir fände, so würde ich ewig Gott um Rache für Deine Härte anrufen. Wenn ich einige Werte hätte retten können, würde ich wohl das Recht haben, ihm eine Summe für das Vermögen seiner Mutter wiederzugeben; aber meine Zahlungen am Monatsende haben alle meine Hilfsquellen erschöpft. Ich wäre lieber nicht in der Ungewißheit über das Schicksal meines Kindes gestorben, es wäre mir lieber gewesen, heilige Gelübde in Deinem warmen Händedruck zu spüren, der mich wieder erwärmt hätte, aber es gebricht mir an Zeit. Während Charles unterwegs ist, muß ich meine Bilanz ziehen. Ich versuche, durch den guten Glauben, der mich bei meinen Geschäften leitete, zu beweisen, daß bei meinem Unstern kein Verschulden und keine Unredlichkeit ist. Heißt das nicht, sich mit Charles beschäftigen? Leb wohl, lieber Bruder. Möge Dir der volle Segen Gottes zuteil werden für die Vormundschaft, die ich Dir anvertraue, und die Du, daran zweifle ich nicht, hochherzig annehmen wirst. Es wird ohne Unterlaß eine Stimme für Dich beten in der Welt, in die wir alle eines Tages eingehen müssen, und in der ich schon bin.

Victor-Ange-Guillaume Grandet.

„Unterhalten Sie sich gut?" sagte der alte Grandet; er kniffte den Brief genau in die früheren Falten und steckte ihn in die Tasche seiner Weste. Er sah seinen Neffen mit einer unterwürfigen und furchtsamen Miene an, hinter der er seine Aufregung und seine Berechnungen verbarg.

„Hast du dich gewärmt?"

„Sehr gut, mein lieber Onkel."

„Nanu, wo sind denn unsere Frauen?" sagte der Onkel, der schon vergessen hatte, daß sein Neffe bei ihm übernachtete.

In diesem Augenblick kamen Eugenie und Frau Grandet wieder herein.

„Ist alles in Ordnung oben?" fragte der Alte und hatte seine Ruhe wiedergefunden.

„Ja, lieber Vater."

„Na also, Neffe, wenn du müde bist, wird dich Nanon in dein Zimmer führen. Weiß Gott, das ist kein Zimmer für ein feines Herrchen, aber du wirst uns arme Winzer entschuldigen, die wir nie einen Pfennig haben. Die Steuern fressen uns alles auf."

„Wir wollen keine Störenfriede sein, Grandet",

68

sagte der Bankier. „Sie werden vielleicht mit Ihrem Neffen plaudern wollen, wünsche einen angenehmen Abend! Bis morgen." Bei diesen Worten erhob sich die Gesellschaft, jeder verabschiedete sich auf seine Art. Der alte Notar ging vom Eingang seine Laterne holen, zündete sie an und erbot sich, die Grassins nach Hause zu bringen. Frau des Grassins hatte ja den Zwischenfall, der den Abend zu früh beendete, nicht vorhersehen können, und ihr Diener war daher noch nicht da.

„Erweisen Sie mir die Ehre, meinen Arm zu nehmen?" sagte der Abbé Cruchot zu Frau des Grassins.

„Danke, Herr Abbé, ich habe meinen Sohn", antwortete sie trocken.

„Aber die Damen kompromittieren sich nicht mit mir", sagt der Abbé.

„Gib doch Herrn Cruchot den Arm", sagte ihr Mann zu ihr.

Der Abbé führte die hübsche Frau geschickt so, daß er sich mit ihr ein paar Schritte vor der Karawane befand.

„Sehr nett ist dieser junge Mann, gnädige Frau," sagte er zu ihr und drückte ihren Arm. „Ade, Ihr Körbe, die Lese ist vorüber. Nun heißt es Fräulein Grandet Valet sagen. Eugenie gehört dem Pariser. Falls nicht dieser Vetter in eine Pariserin vernarrt ist, findet Ihr Adolph in ihm einen Widersacher von größter . . ."

„Lassen Sie nur, Herr Abbé. Dieser junge Mann wird schnell genug bemerken, daß Eugenie eine Gans ist, ein Mädel ohne jede Frische. Haben Sie sie angesehen? Sie war heute abend quittegelb."

„Sie haben vielleicht schon den Vetter darauf aufmerksam gemacht?"

„Ich habe mich nicht geniert."

„Halten Sie sich nur immer neben Eugenie, gnädige Frau, und Sie brauchen diesem jungen Mann gar nicht viel gegen seine Kusine zu sagen, er wird von selbst einen Vergleich anstellen, der —"

„Er hat mir bereits versprochen, übermorgen zum Essen zu mir zu kommen."

„Ah, wenn Sie nur wollten, gnädige Frau..." sagte der Abbé.

„Und was wollen Sie, daß ich will, Herr Abbé? Denken Sie, mir auf diese Weise schlechte Ratschläge zu geben? Ich bin nicht neununddreißig Jahre alt geworden mit einem Gott sei Dank tadellosen Ruf, um ihn zu kompromittieren, selbst wenn es sich um das Reich des Großmoguls handeln würde. Wir stehen beide in dem Alter, Sie und ich, in dem man weiß, was Worte sagen wollen. Für einen Geistlichen haben Sie wahrhaftig recht unpassende Ansichten. Pfui, das ist ja eines Faublas würdig."

„Sie haben also Faublas gelesen?"

„Nein, Herr Abbé, ich wollte sagen ‚die Liaisons dangereuses'."

„Ah, dies Buch ist allerdings unendlich moralischer", sagte lächelnd der Abbé. „Aber Sie machen mich so schlecht, wie es ein junger Mann von heute ist. Während ich ganz einfach sagen wollte, Sie..."

„Wagen Sie es, mir zu sagen, daß Sie nicht daran dachten, mir schlimme Dinge anzuraten! Ist das nicht ganz klar? Wenn dieser junge Mann, der sehr nett ist, das gebe ich zu, mir den Hof macht, wird er nicht an seine Kusine denken. In Paris, weiß ich wohl, opfern sich manche guten Mütter auf diese Weise für das Glück und das Vermögen ihrer Kinder; aber wir sind hier in der Provinz, Herr Abbé."

„Jawohl, gnädige Frau."

„Und", fuhr sie fort, „ich möchte nicht, und Adolph selbst würde es nicht wollen, hundert Millionen um diesen Preis erwerben."

„Gnädige Frau, ich habe durchaus nicht von hundert Millionen gesprochen. Die Versuchung würde vielleicht, bei beiden von uns, über unsere Kräfte gehen. Nichts anderes, als daß ich glaube, daß eine ehrbare Frau sich im besten Sinne, in allen Ehren, kleine Koketterien ohne Folgen erlauben darf, die einen Teil ihrer gesellschaftlichen Pflichten ausmachen, und die..."

„Das glauben Sie?"

„Sind wir nicht verpflichtet, gnädige Frau, zu versuchen, uns einander angenehm zu machen?... Erlauben Sie, daß ich mich schneuze. — Ich versichere Sie, gnädige Frau," fuhr er fort, „daß er Sie mit etwas schmeichelhafterem Ausdruck durch sein Lorgon beguckte, als der war, mit dem er mich ansah, aber ich nehme es ihm nicht übel, daß er mehr als dem Alter der Schönheit Ehre erwies..."

„Das ist klar," sagte der Präsident mit seiner lauten Stimme, „daß Herr Grandet von Paris seinen Sohn in ausgesprochensten Heiratsabsichten nach Saumur schickt..."

„Aber dann wäre der Vetter nicht wie eine Bombe hereingeplatzt", entgegnete der Notar.

„Das beweist nichts," bemerkte Herr des Grassins, „der Alte ist ein Geheimniskrämer."

71

„Grassins, mein Lieber, ich habe den jungen Mann für übermorgen zum Essen eingeladen. Du mußt Herrn und Frau von Larsonnière dazu bitten, und die Hautoy's, mit dem hübschen Fräulein von Hautoy selbstverständlich; wenn sie sich nur an diesem Tag hübsch anzieht. Aus Eifersucht kleidet ihre Mutter sie so abscheulich! — Ich hoffe, meine Herren, Sie machen uns das Vergnügen, zu kommen?" fügte sie hinzu und blieb mit ihrem Begleiter stehen, um sich zu den beiden Cruchots umzuwenden.

„Da wären Sie zu Hause, gnädige Frau", sagte der Notar.

Nachdem sie die drei Grassins gegrüßt hatten, gingen die drei Cruchots heim; unterwegs nutzten sie die Begabung zur Analyse, die Kleinstädtern eigentümlich ist, um unter allen Gesichtspunkten das große Ereignis des heutigen Abends zu untersuchen, das die gegenseitige Stellung der Cruchotisten und der Grassinisten veränderte. Der bewundernswerte gesunde Menschenverstand, der die Handlungen dieser schlau berechnenden Leute bestimmte, ließ beide Parteien einsehen, daß augenblicklich ein Bündnis gegen den gemeinsamen Feind nottat. Mußten sie nicht wechselweise Eugenie hindern, ihren Vetter zu lieben, und Charles, an seine Kusine zu denken? Würde der Pariser den falschen Einflüsterungen widerstehen können, den verzuckerten Bosheiten, den mit Lobsprüchen verbrämten Lästerungen, den offenen Verleumdungen, die sich beständig um ihn drehen würden, um ihn zu täuschen? Als die vier Verwandten im Saal allein waren, sagte Herr Grandet zu seinem Neffen:

„Gehen wir schlafen. Es ist zu spät, um über die Sachen zu reden, die dich herführen; morgen finden wir hierfür einen geeigneten Augenblick. Wir frühstücken hier um acht Uhr. Um zwölf essen wir etwas Obst, einen Bissen Brot aus der Hand und trinken ein Glas Weißwein, dann essen wir wie die Pariser um fünf Uhr Mittag. Das ist die Tageseinteilung. Wenn du dir die Stadt und Umgebung ansehen willst, bist du frei wie ein Vogel. Du mußt mich entschuldigen, wenn meine Geschäfte mir nicht immer erlauben, dich zu begleiten. Du wirst vielleicht hören, daß all die Leute hier zu dir sagen, ich sei reich: „Herr Grandet hier, Herr Grandet da." Ich lasse sie reden, ihr Geschwätz schadet ja nicht meinem Kredit. Aber ich habe keinen Pfennig und arbeite in meinem Alter wie ein junger Geselle, der als einziges Gut ein gewöhnliches Schnitzmesser besitzt und zwei gesunde Arme. Du wirst bald an dir selbst merken, was ein Taler kostet, wenn man für ihn schwitzen muß. Mach, Nanon, die Kerzen!"

„Ich hoffe, lieber Neffe, daß Sie alles finden werden, was Sie brauchen," sagte Frau Grandet, „aber wenn Ihnen etwas fehlen sollte, können Sie Nanon rufen."

„Liebe Tante, das wird schwerlich nötig sein; denn ich glaube, ich habe all meine Sachen mitgebracht. Darf ich Ihnen eine Gute Nacht wünschen und auch Ihnen, kleine Kusine."

Charles nahm aus Nanons Händen eine angezündete Wachskerze, eine Wachskerze aus Anjou, von sehr gelblichem Ton, die beim Krämer alt geworden war und dem Talglicht so ähnlich sah, daß Herr Grandet, der unmöglich ihre Existenz

im Hause vermuten konnte, diese Großartigkeit
nicht merkte.

„Ich will dir den Weg zeigen", sagte der Alte.

Statt zu der Tür des Saales herauszugehen, die
zu dem gewölbten Hauseingang führte, schritt
Grandet feierlich durch den Gang, der den Saal
von der Küche trennte. Eine Klapptür, mit einem
großen ovalen Glaseinsatz schloß den Gang nach
der Treppe zu ab, um die Kälte, die von dort
hereinströmte, zu mindern. Aber im Winter
blies der Nordwind doch sehr rauh von dort-
her und trotz den Auspolsterungen an den Türen
des Saales hielt sich die Wärme da kaum auf
einem erträglichen Grad. Nanon ging, das Tor
zu verriegeln, schloß den Saal ab und machte im
Stall einen Wolfshund los, dessen Stimme gebrochen klang, wie wenn er die Bräune hätte.
Dies Tier von außerordentlicher Wildheit kannte
nur Nanon. Diese beiden ländlichen Geschöpfe
verstanden sich. Als Charles die gelblichen und
verräucherten Wände des engen Hauses sah, in
dem die Treppe mit dem wurmstichigen Geländer unter dem gewichtigen Schritt seines Onkels zitterte, ging's mit seiner Ernüchterung rin-
forzando. Er kam sich wie auf einer Hühner-
leiter vor. Seine Tante und Kusine, zu denen er
sich umwandte, um ihre Mienen zu befragen,
waren so sehr an diese Treppe gewöhnt, daß sie
den Grund seines Erstaunens nicht errieten, sondern für einen Ausdruck der Freundschaft hielten, auf den sie mit einem liebenswürdigen Lächeln antworteten, das Charles außer sich brachte.

„Warum zum Teufel schickt mein Vater mich
hierher?" fragte er sich.

Auf dem ersten Treppenabsatz angelangt, sah er drei Türen, in etruskischem Rot gestrichen, die sich glatt ohne Rahmen der grauen Wand einfügten; sie waren mit hervorstechenden eisernen Beschlägen versehen, die flammenartig ausliefen, ebenso wie jedes Ende des langen Schlüssellochs des Schlosses. Die Türe, die sich gegenüber der Treppe befand und in das über der Küche liegende Zimmer führte, war augenscheinlich zugemauert. Man gelangte dorthin tatsächlich nur durch das Zimmer von Grandet, dem jener Raum als Arbeitskabinett diente. Das einzige Fenster, durch das er Licht bekam, war nach dem Hof zu durch riesige Gitterstangen aus Eisen versichert. Niemand, selbst Frau Grandet nicht, durfte da hineingehen, der Alte wollte dort allein bleiben, wie ein Alchimist bei seinem Schmelzofen. Dort war ohne Zweifel ein Versteck sehr geschickt eingebaut, dort wurden die Besitzurkunden aufgespeichert, dort hingen die Wagen, um die Goldstücke zu wägen, dort entstanden nächtlicherweile und im geheimen die Quittungen, die Empfangsscheine, die Berechnungen; dergestalt, daß die Geschäftsleute, die Grandet für alles gerüstet sahen, sich einbilden konnten, er habe eine Fee oder einen Dämon zu seiner Verfügung. Kein Zweifel, daß dorthin, wenn Nanon schnarchte, daß die Balken sich bogen, wenn der Wolfshund im Hof wachte und bellte, wenn Frau und Fräulein Grandet fest eingeschlafen waren, daß dorthin der alte Küfer kam, um sein Gold zu hegen und zu pflegen, mit seinen Blicken daran zu hängen, es durcheinander zu mengen, es zu umfassen. Die Wände waren dick, die Läden verschwiegen.

Er allein hatte den Schlüssel zu diesem Laboratorium, wo er, wie man sagte, die Pläne studierte, auf denen seine Obstbäume verzeichnet waren, und wo er seine Erträge verrechnete, auf einen Ableger, auf ein Reisigbündel genau. Der Eingang zu Eugeniens Zimmer befand sich dieser vermauerten Tür gegenüber. Dann, am Ende des Treppenabsatzes, kamen die Zimmer der Ehegatten, die die ganze Front des Hauses einnahmen. Frau Grandets Zimmer stieß an das von Eugenie, in das man durch eine Glastür eintrat. Das Zimmer des Hausherrn wurde von dem seiner Frau durch eine dünne Wand getrennt und von dem geheimnisvollen Kabinett durch eine dicke Mauer. Vater Grandet hatte seinen Neffen in der zweiten Etage einquartiert, hoch in der Mansarde, die über seinem Zimmer lag, damit er ihn hören konnte, wenn es ihm einfiel, auszugehen und zu kommen. Als Eugenie und ihre Mutter in der Mitte des Treppenabsatzes waren, gaben sie sich den Gutenachtkuß; dann nach ein paar Abschiedsworten zu Charles, die auf den Lippen frostig, aber sicherlich voll Wärme im Herzen des jungen Mädchens waren, zogen sie sich in ihre Zimmer zurück.

„Hier wohnst du, lieber Neffe", sagte Vater Grandet zu Charles und öffnete ihm die Tür. „Wenn du rausgehen mußt, mußt du Nanon rufen. Sonst Gnade dir Gott! Der Hund würde dich verspeisen, ohne dich um Erlaubnis zu bitten. Schlaf wohl. Gute Nacht! Ah! sieh an! die Damen haben Feuer für dich gemacht", bemerkte er.

In diesem Augenblick erschien die lange Nanon mit einer Wärmepfanne bewaffnet.

„Und da kommt sogar noch eins!" sagte Grandet.
„Hältst du meinen Neffen für eine Frau in den
Wochen? Willst du wohl deine Kohlenglut weg-
schaffen, Nanon."

„Aber, Herr, die Bettücher sind feucht, und dieser Herr ist wirklich zierlich wie eine Frau."

„Also los, mach zu, weil du es dir in den Kopf
gesetzt hast," sagte Grandet und schob sie bei den
Schultern vorwärts, „aber sei vorsichtig mit dem
Feuer."

Dann stieg der Geizhals hinab und murmelte un-
verständliche Worte in sich hinein.

Charles stand verdutzt inmitten seiner Koffer.
Seine Augen glitten über die Wände eines Man-
sardenzimmers, das mit so einer gelben Blumen-
straußtapete tapeziert war, wie man sie in den
Kneipen hat, über einen Kamin aus Kalkstein mit
Riefen, bei dessen bloßem Anblick man fror, über
gelbe Holzstühle mit lackiertem Rohrsitz, die mehr
als vier Kanten zu haben schienen, über ein Un-
getüm von offenem Nachttisch, in dem ein kleiner Tambourmajor hätte Platz finden können,
über den dürftigen Teppichstreifen am untern
Ende des Himmelbetts, dessen völlig mottenzer-
fressene Tuchseiten zitterten, wie wenn sie herab-
fallen wollten; dann blickte er die lange Nanon
ernsthaft an und sagte zu ihr:

„Ist's möglich, mein gutes Kind, bin ich wirklich
bei Herrn Grandet, dem früheren Bürgermeister
von Saumur, dem Bruder von Herrn Grandet aus
Paris?"

„Ei gewiß, Herr, bei einem sehr netten, sehr
guten, vortrefflichen Herrn. Soll ich Ihnen beim
Auspacken Ihrer Koffer helfen?"

77

„Wahrhaftig, das wär' mir lieb, mein alter Krieger. Haben Sie etwa bei der Gardemarine gedient?"

„Ei, ei, ei, ei", sagte Nanon. „Was ist denn das, die Marinierten der Garde? Ist das salzig? Geht das aufs Wasser?"

„Wart, nimm meinen Schlafrock heraus, in diesem Koffer da. Hier ist der Schlüssel."

Nanon wurde von Verwunderung überwältigt beim Anblick eines Schlafrocks aus grüner Seide mit goldenen Blumen und antiken Mustern.

„Das wollen Sie anziehen, um schlafen zu gehen?" sagte sie.

„Jawohl."

„Heilige Jungfrau! Die schöne Altardecke, die das für die Pfarrkirche geben würde. Aber, mein liebes junges Herrchen, geben Sie das doch der Kirche, Sie werden Ihre Seele retten, die das hier ins Verderben bringen wird. Oh, wie sind Sie doch hübsch so! Ich will unser Fräulein rufen, damit sie Sie ansieht."

„Halt, Nanon, wollen Sie still sein! Lassen Sie mich schlafen gehen, ich will meine Sachen morgen auspacken, und wenn mein Schafrock Ihnen so gefällt, so sollen Sie Ihre Seele retten. Ich bin ein zu guter Christ, um ihn Ihnen vorzuenthalten, wenn ich weggehe, und Sie können damit anfangen, was Sie wollen."

Nanon stand wie angewurzelt und sah Charles an, ohne seinen Worten glauben zu können.

‚Mir diesen schönen Staat geben!' sagte sie zu sich selbst im Weggehen. ‚Er träumt schon, der Herr.'

„Gute Nacht."

„Gute Nacht, Nanon."

‚Was soll ich bloß hier machen?‘ dachte Charles im Einschlafen. ‚Mein Vater ist kein Narr, meine Reise muß einen Zweck haben. Pah! „Auf morgen die ernsten Geschäfte“, sagte irgendein griechischer Kunde.‘

‚Heilige Jungfrau, wie hübsch ist mein Vetter,‘ sagte Eugenie zu sich selbst und unterbrach sich in ihren Gebeten, die an diesem Abend nicht beendet wurden.

Frau Grandet dachte gar nichts, als sie sich schlafen legte. Sie hörte durch die Verbindungstür, die in der Mitte der dünnen Wand war, den Geizhals in seinem Zimmer auf und ab gehen. Wie alle furchtsamen Frauen hatte sie den Charakter ihres Gebieters studiert. So wie die Möve das Gewitter voraussieht, hatte sie aus unmerklichen Anzeichen den innern Sturm geahnt, der Grandet bewegte, und, um einen Ausdruck von ihr zu gebrauchen, in solchem Fall „stellte sie sich tot“.

Grandet blickte auf die innen mit Blech beschlagene Tür, die er zu seinem Kabinett hatte machen lassen, und dachte bei sich:

‚Welch seltsamer Gedanke von meinem Bruder, mir sein Kind zu vermachen. Nette Erbschaft, das. Ich habe nicht zwanzig Taler zu verschenken. Und was wären zwanzig Taler für diesen Gecken, der mein Barometer beguckt hat, als wenn er damit Feuer machen wollte.‘

Als er an die Folgen von diesem Testament des Schmerzes dachte, war Grandet vielleicht aufgeregter als sein Bruder in der Stunde, da er es niederschrieb.

‚Ich soll diesen goldenen Rock...?‘ sagte Nanon und schlief ein, mit ihrer Altardecke bekleidet

und träumte von Blumen, Stoffen, Damast zum
erstenmal in ihrem Leben, so wie Eugenie von
der Liebe träumte.

☆

IN DEM UNSCHULDIGEN UND EINFÖRMIGEN
Leben der jungen Mädchen kommt eine zauber-
hafte Stunde, wo die Sonne ihnen ihre Strahlen
ins Herz schickt, wo die Blume ihnen Gedanken
ausdrückt, wo das Klopfen des Herzens dem Kopf
seine heiße Befruchtungskraft verleiht und die
Gedanken in einen unbestimmten Wunsch hin-
schmelzen. Tag von unschuldiger Trauer und lieb-
licher Fröhlichkeit! Wenn die Kinder anfangen
zu sehen, so lächeln sie; wenn das junge Mädchen
das Gefühlsleben in der Natur erkennt, lächelt
es, wie es als Kind lächelte. Wenn das Licht die
erste Liebe des Lebens ist, ist dann nicht die Liebe
das Licht des Herzens? Der Augenblick, wo ihr
die irdischen Dinge klar wurden, war für Eugenie gekommen.
Da sie wie alle jungen Mädchen in der Provinz
Frühaufsteherin war, erhob sie sich zeitig, ver-
richtete ihr Gebet und machte sich an ihre Toilette, eine Beschäftigung, die von jetzt ab Sinn
bekam. Sie kämmte zuerst ihre kastanienbraunen
Haare, legte ihre dicken Zöpfe mit der größten
Sorgfalt um den Kopf, achtsam, daß sich kein
Härchen aus den Flechten löste, und gab ihrer
Frisur eine Symmetrie, die die schüchterne Treuherzigkeit ihres Gesichts erhöhte, weil sie die Einfachheit des Zubehörs mit der kindlichen Liebenswürdigkeit der Hauptlinien in Übereinstim-

mung setzte. Während sie sich tüchtig die Hände in klarem Wasser wusch, das ihre Haut rauh und rot machte, betrachtete sie ihre hübschen runden Arme und fragte sich, was ihr Vetter nur anstellte, um so weiche weiße Hände und so schön gepflegte Nägel zu bekommen. Sie zog neue Strümpfe und ihre hübschesten Schuhe an. Sie schnürte sich sorgfältig, ohne ein Schnürloch auszulassen. Und da sie zum erstenmal im Leben den Wunsch hatte, vorteilhaft auszusehen, wußte sie das Glück zu schätzen, daß sie ein neues Kleid hatte, das hübsch war und ihr gut stand. Als ihre Toilette beendet war, hörte sie die Uhr der Pfarrkirche schlagen und zählte zu ihrer Verwunderung nur sieben Schläge. Um ja die nötige Zeit zu haben, sich sorgfältig anzuziehen, war sie zu früh aufgestanden. Da sie die Kunst nicht kannte, zehnmal eine Haarlocke wieder in die Hand zu nehmen und ihre Wirkung auszuprobieren, verschränkte Eugenie ganz einfach die Arme, setzte sich ans Fenster und blickte auf den Hof hinaus, auf den engen Garten und die hohen Terrassen, die ihn überragten; eine melancholische, eng begrenzte Aussicht, der aber nicht die geheimnisvolle Schönheit der einsamen Orte und der ungepflegten Natur fehlte. In der Nähe der Küche befand sich ein Ziehbrunnen mit steinernem Geländer, dessen Rolle von einem Arm aus gebogenem Eisen gehalten wurde, um den sich ein Weinstock mit verwelkten, roten, vom Sommer versengten Ranken schlang; von hier aus erreichte das gekrümmte Rebenholz die Mauer, zog sich dort herauf, lief am Haus entlang und endigte auf einem Holzstall, in dem das Holz so exakt aufgestellt war wie Bücher eines Bibliophilen. Das Pflaster des Hofes wies seine schwärzlichen Flecken, die mit der Zeit durch Moose, durch Gräser, durch den Mangel an Verkehr entstanden waren; die dicken Mauern zeigten ihr grünes Kleid, das mit langen braunen Spuren gestreift war. Und die acht Stufen, die sich im Hintergrund des Hofs befanden, waren jede für sich unter hohen Pflanzen verhüllt, wie das Grab eines Ritters zur Zeit der Kreuzzüge, den seine Witwe begraben hat. Über einer Schicht von ganz ausgehöhlten Steinen erhob sich ein Zaun von verfaultem Holz, der vor Alter halb verfallen war, an dem sich aber Kletterpflanzen in Hülle und Fülle umschlangen. Zu jeder Seite der weitlückigen Tür streckten zwei verkrüppelte Apfelbäume ihre krummen Zweige vor. Drei parallele, mit Sand beworfene Wege, die voneinander durch viereckige, mit einem Buchsbaumrand eingefaßte Beete getrennt wurden, bildeten diesen Garten, den unten an der Terrasse ein Dach von Linden abschloß. Auf der einen Seite Himbeersträucher, auf der andern ein ungeheurer Nußbaum, dessen Zweige bis zum Kabinett des Böttchers herabhingen. Ein klarer Morgen und die schöne Sonne der Herbsttage an den Ufern der Loire begannen die Lasur zu zerteilen, mit der die Nacht die malerischen Gegenstände, die Mauern, die Pflanzen überzogen hatte, die diesen Garten und den Hof anfüllten.

Eugenie fand ganz neue Reize in dem Anblick dieser Dinge, die vorher so gewöhnlich für sie gewesen waren. Tausend verwirrte Gedanken entstanden in ihrem Herzen und nahmen dort innen in dem Maße zu, wie draußen die Strahlen der

Sonne. Am Ende verspürte sie eine Regung unbestimmter, unerklärlicher Lust, die das geistige Sein einhüllt, wie eine Wolke das körperliche Sein einhüllen könnte. Ihre Betrachtungen klangen zusammen mit den einzelnen Tönen dieser sonderbaren Landschaft, und die Harmonien ihres Herzens schlossen einen Bund mit den Harmonien der Natur. Als die Sonne ein Stück der Mauer erreichte, wo Frauenhaar in dicken wie Taubenhälse schillernden Blättern herabfiel, da beleuchteten himmlische Strahlen der Hoffnung für Eugenie die Zukunft, und sie liebte es von jetzt ab, dies Mauerstück zu betrachten, seine bleichen Blumen, seine blauen Glocken, seine verblühten Gräser, mit denen sich eine Erinnerung vermischte, anmutig, wie die an die Kindheit. Das Geräusch, das in diesem widerhallenden Hof jedes Blatt hervorbrachte, das sich von seinem Zweig löste, antwortete auf die geheimen Fragen des jungen Mädchens, das dort den ganzen Tag hätte sitzen können, ohne das Fliehen der Stunden zu merken. Plötzlich wurde ihr Herz stürmisch bewegt. Sie erhob sich ein paarmal, stellte sich vor den Spiegel und betrachtete sich, wie ein ehrlicher Schriftsteller sein Werk betrachtet, um sich zu kritisieren und sich selbst zu schelten.

„Ich bin nicht schön genug für ihn!", das war Eugeniens Gedanke, ein demütiger Gedanke, der Leiden schuf. Das arme Kind wurde sich nicht gerecht; aber die Bescheidenheit oder besser gesagt, die Scheu ist eine der ersten Tugenden der Liebe. Eugenie gehörte wohl zu diesem kräftig gebauten Typus, den man bei den Kindern der kleinbürgerlichen Kreise findet, dessen Schönheiten gewöhnlich scheinen. Aber wenn sie der Venus von Milo ähnelte, so waren ihre Formen durch die Milde des christlichen Fühlens und Wollens geadelt, das die Frau läutert und ihr eine Besonderheit verleiht, von der die alten Bildhauer nichts wußten. Sie hatte einen sehr großen Kopf, die männliche aber fein gebildete Stirn des Jupiter von Phidias, und graue Augen, aus denen ihr keusches Leben, das sich ganz in ihnen aussprach, hell herausleuchtete. Die Züge ihres runden Gesichts, das früher frisch und rosig gewesen war, waren etwas angeschwollen nach den Blattern, die milde genug aufgetreten waren, um keine Narben zu hinterlassen, die aber die Sammetweiche der Haut zerstört hatten; immerhin war ihre Haut noch so zart und fein, daß der reine Kuß ihrer Mutter vorübergehend einen roten Fleck auf ihr abzeichnete. Ihre Nase war ein bißchen zu stark, aber sie paßte zu einem kirschroten Mund, der strahlte vor Liebe und Güte. Ihr Hals besaß eine vollendete Rundung. Ihr voller Busen, der sorgfältig verhüllt war, zog den Blick an und beschäftigte die Phantasie; doch fehlte ihm gewiß etwas von der Anmut, die der Kleidung zu verdanken ist. Aber für Kenner mußte die Straffheit dieser hohen Büste ihren Reiz haben. Eugenie war groß und stark und besaß nichts von der Hübschheit, die der Menge gefällt. Aber sie war schon von dieser Art deutlicher Schönheit, die nur die Künstler lieben. Der Maler, der hienieden einen Typus der himmlischen Reinheit der Maria sucht, der von dem ganzen weiblichen Geschlecht die bescheiden stolzen Augen verlangt, die Raphael erraten hat, die jungfräulichen Linien, die oft den Zufällen der Empfängnis verdankt werden, die aber nur ein christliches und züchtiges Leben bewahren und erwerben kann; der Maler, der in ein so seltenes Modell verliebt ist, hätte auf einmal in Eugenies Gesicht den angeborenen Adel gefunden, der von sich selbst nichts weiß; er hätte hinter einer ruhigen Stirn eine Welt voll Liebe erkannt und im Schnitt der Augen, in der Haltung der Lider etwas Göttliches. Ihre Züge, die Umrisse ihres Hauptes, die der Ausdruck der Lust noch nie entstellt oder ermüdet hatte, glichen den Linien des Horizonts, die in der Ferne von stillen Seen sanft abgeschnitten werden. Diese ruhigen, frischen Gesichtszüge, um die ein Schimmer war, wie um eine hübsche, aufgeblühte Blume, ließen die Seele ausruhen, offenbarten den Reiz des Gemüts, das sich in ihnen widerspiegelte und beherrschten den Blick. Eugenie befand sich noch an dem Ufer des Lebens, an dem die kindlichen Illusionen blühen, wo die Gänseblümchen mit Glücksgefühlen gepflückt werden, die man später nicht mehr kennt. Und so sagte sie, als sie sich im Spiegel erblickte, ohne noch zu wissen, was Liebe ist:

„Ich bin zu häßlich, er wird mich nicht beachten."

Dann öffnete sie die Tür ihres Zimmers, die zur Treppe führte und steckte den Kopf heraus, um auf die Geräusche im Haus zu hören.

Er ist nicht auf, dachte sie, während sie das morgendliche Husten von Nanon vernahm und, wie das brave Mädchen ging und kam, den Saal kehrte, Feuer anmachte, den Hund an die Kette legte und mit ihren Tieren im Stall sprach. Flugs ging

Eugenie herunter und lief zu Nanon, die die Kuh melkte.

„Nanon, liebe Nanon, mach doch Rahm zum Kaffee für meinen Vetter."

„Aber Fräulein, man hätte ihn gestern aufstellen müssen", sagte Nanon und brach in schallendes Gelächter aus. „Ich kann nicht Rahm machen. Ihr Vetter ist niedlich, niedlich, aber wirklich zu niedlich. Sie haben ihn nicht in seinem Schlafröckchen aus Seide und Gold gesehen. Aber ich, ich hab ihn drin gesehen. Er trägt so feine Wäsche wie das Chorhemd vom Herrn Pfarrer."

„Nanon, dann mach uns weißes Milchbrot."

„Und wer gibt mir das Holz für den Backofen, Weißmehl und Butter?" sagte Nanon, die in ihrer Eigenschaft als Premierminister von Grandet manchmal eine ungeheure Bedeutung in den Augen von Eugenie und ihrer Mutter bekam. „Man soll wohl den Herrn bestehlen, um Ihren Vetter zu feiern? Bitten Sie ihn doch um Butter, Weißmehl und Holz, er ist ja Ihr Vater, er kann es Ihnen geben. Halt, da kommt er gerade herunter, um nach den Vorräten zu sehen."

Eugenie flüchtete vor Schreck in den Garten, als sie die Treppe unter dem Schritt ihres Vaters zittern hörte. Sie empfand schon die Wirkungen der tiefen Scham, des besonderen Glücksgefühls, das uns glauben läßt, vielleicht nicht mit Unrecht, unsre Gedanken seien uns auf die Stirn geschrieben und sprängen den andern in die Augen. Jetzt erst wurde sie die kalte Blöße des väterlichen Hauses gewahr, und da empfand das arme Kind eine Art von Verdruß, es nicht in Harmonie bringen zu können mit der Eleganz ihres

Vetters. Sie fühlte das leidenschaftliche Bedürfnis irgend etwas für ihn zu tun; was? das wußte
sie nicht. Kindlich und wahr überließ sie sich
ihrer engelreinen Natur, ohne ihren Eindrücken
oder ihren Gefühlen zu mißtrauen. Der bloße
Anblick ihres Vetters hatte in ihr die natürlichen
Neigungen der Frau aufgeweckt, und sie mußten
sich um so lebhafter entfalten, als sie im Alter
von dreiundzwanzig Jahren in der Vollkraft ihrer
Intelligenz und ihres Begehrens stand.

Zum erstenmal empfand sie Furcht im Herzen
beim Anblick ihres Vaters, da sie ihn als Herrn
ihres Schicksals ansah, und fühlte sich eines Ver-
gehens schuldig, weil sie ihm ein paar Gedanken
verschwieg. Sie begann ihre Schritte zu beschleu-
nigen und verwunderte sich, eine reinere Luft zu
atmen, die Sonnenstrahlen belebender zu fühlen
und eine seelische Wärme aus ihnen zu schöpfen,
ein neues Leben. Während sie auf eine List sann,
um Weißbrot zu erlangen, erhob sich zwischen
der langen Nanon und Grandet ein Streit, der bei
den zweien etwas so Seltenes war wie Schwalben
im Winter. Bewaffnet mit seinen Schlüsseln war
der Alte herabgekommen, um die für den Tagesverbrauch nötigen Lebensmittel abzumessen.

„Ist Brot von gestern übriggeblieben?" fragte er.

„Nicht ein Krümchen, Herr."

Grandet nahm ein großes, rundes, schön mit Mehl
bestäubtes Brot heraus, das in so einem flachen
Korb geformt war, wie sie in Anjou zum Backen
benutzt werden, und wollte es durchschneiden,
als Nanon zu ihm sagte:

„Wir sind heute fünf, Herr."

„Richtig," antwortete Grandet, „aber dein Brot

hier wiegt sechs Pfund, es wird noch was übrigbleiben. Übrigens diese jungen Leute aus Paris, du wirst sehen, die essen kein Brot."

„Die essen wohl nur die ,Frippe' ", sagte Nanon.

In Anjou versteht man unter Frippe, einem Wort der Volkssprache, den Aufstrich aufs Brot, von der Butter angefangen, die auf die Schnitte gestrichen wird, der gewöhnlichen Frippe, bis zum Pfirsicheingemachten, der allerfeinsten Frippe; und alle, die in ihrer Kindheit die Frippe abgeleckt und das Brot liegengelassen haben, werden die Bedeutung dieses Ausdrucks verstehen.

„Nein," versetzte Grandet, „die essen weder Frippe noch Brot. Sie sind gewissermaßen wie die heiratsfähigen Töchter."

Zum Schluß wollte der Alte, nachdem er knikkerig das Menu des Tages bestimmt hatte, sich in seinen Obstkeller begeben, nicht ohne die Schränke seiner Speisekammer abzuschließen, als Nanon ihn anhielt, um ihm zu sagen:

„Herr, dann geben Sie mir doch Mehl und Butter, ich will für die Kinder ein Weißbrot machen."

„Willst du nicht noch das Haus ausplündern, meines Neffen wegen?"

„Ich hab an Ihren Neffen nicht mehr als an Ihren Hund gedacht, nicht mehr als Sie selbst an ihn denken... Da haben Sie mir doch nur sechs Stück Zucker rausgeholt, ich will acht."

„Na nu, Nanon, ich hab dich ja noch nie so gesehen. Was fällt dir denn ein? Bist du die Herrin hier? Du bekommst nur sechs Stück Zucker."

„So, und womit wird Ihr Neffe seinen Kaffee zuckern?"

„Mit zwei Stücken, ich... ich verzichte dafür."

88

„Sie werden auf den Zucker verzichten, in Ihrem Alter! Eher würde ich Ihnen welchen aus meiner Tasche kaufen."

„Kümmere dich um deine Sachen."

Trotz seinem niedrigen Preise war der Zucker in den Augen des Böttchers immer noch die kostbarste Kolonialware, für ihn kostete er immer noch sechs Franken das Pfund. Der während des Kaiserreichs bestehende Zwang, mit ihm zu sparen, war ihm zur unerschütterlichen Gewohnheit geworden. Alle Frauen, selbst die einfältigsten, wissen eine List zu gebrauchen, um zu ihrem Zweck zu gelangen. Nanon ließ die Zuckerfrage fahren, um das Weißbrot zu bekommen.

„Fräulein," rief sie durchs Fenster, „nicht wahr, Sie möchten Weißbrot haben?"

„Nein, nein", antwortete Eugenie.

„Also komm, Nanon," sagte Grandet, als er die Stimme seiner Tochter hörte, „da nimm."

Er öffnete den Kasten, in dem das Mehl war, gab ihr dann ein Maß voll und fügte einige Unzen Butter zu dem Stück hinzu, das er schon abgeschnitten hatte.

„Ich brauche Holz, um den Backofen zu heizen", sagte die unerbittliche Nanon.

„Na ja, du kannst dir soviel nehmen, wie du brauchst," antwortete er melancholisch, „aber dann mache uns einen Obstkuchen und koche das ganze Essen im Backofen, dann brauchst du nicht zwei Feuer anzuschüren."

„Pah!" rief Nanon aus, „das brauchen Sie mir nicht erst zu sagen."

Grandet warf seinem treuen Minister einen fast väterlichen Blick zu.

„Fräulein," rief die Köchin, „wir bekommen Weißbrot."

Der alte Grandet kam mit seinem Obst beladen
zurück und machte einen ersten Teller voll auf
dem Küchentisch zurecht.

„Sehen Sie nur, Herr," sagte Nanon zu ihm,
„die hübschen Stiefel, die Ihr Neffe hat. Was
für Leder, und wie gut das riecht! Womit soll
ich das denn putzen? Soll man Ihre Eiwichse da
drauf schmieren?"

„Nanon, ich glaube, das Ei verdirbt solches Leder.
Übrigens, sag ihm doch, du weißt nicht, wie man
dies Maroquin... ja, es ist Maroquin, wichsen
soll. Er wird dann selbst in Saumur etwas kaufen und es dir geben, um seine Stiefel zu putzen.
Ich habe sagen hören, daß man Zucker unter solche Wichse mengt, um sie glänzend zu machen."

„Ei, schmeckt das gut?" sagte die Magd und hielt
sich die Stiefel unter die Nase. „Seh einer an! Das
riecht ja wie Eau de Cologne von Madame. Ach
ist das komisch!"

„Komisch", sagte der Hausherr. „Du findest es
komisch, für die Stiefel mehr auszugeben, als
der wert ist, der sie trägt?"

„Herr," sagte sie beim zweiten Gang ihres Gebieters, der den Obstkeller abgeschlossen hatte,
„nicht wahr, wir werden wohl ein oder zweimal
wöchentlich einen pot au feu haben, wegen Ihres?..."

„Ja."

„Dann muß ich zum Schlächter gehen."

„Keinesfalls; du kannst uns Bouillon von Geflügel kochen; die Pächter werden dich nicht damit
sitzen lassen. Aber ich will Cornoiller sagen, daß

90

er mir Raben töten soll. Dies Wild gibt die beste Bouillon von der Welt."

„Ist's wahr, Herr, daß Raben Leichen essen?"

„Du bist wohl dumm, Nanon. Sie essen, wie jedermann, das, was sie finden. Leben wir nicht von Leichen? Was ist denn eine Erbschaft sonst?"

Da Vater Grandet weitere Befehle nicht zu geben hatte, zog er seine Uhr heraus, und als er sah, daß er noch über eine halbe Stunde vor dem Frühstück verfügen konnte, nahm er seinen Hut, ging seine Tochter zu begrüßen und sagte zu ihr: „Willst du einen Spaziergang zu meinen Wiesen am Loireufer machen? Ich habe da etwas zu tun."

Eugenie setzte ihren genähten mit rosa Taffet abgefütterten Strohhut auf, dann schritten Vater und Tochter die krumme Straße bis zum Platz hinab.

„Wohin stürzen Sie denn so früh am Morgen?" sagte der Notar Cruchot, der Grandet in den Weg lief.

„Etwas ansehen", erwiderte der Alte.

Wenn der alte Grandet etwas ansehen ging, so wußte der Notar aus Erfahrung, daß man immer etwas von ihm profitieren konnte. Daher begleitete er ihn.

„Kommen Sie mit, Cruchot", sagte Grandet zum Notar. „Sie gehören ja zu meinen Freunden, da will ich Ihnen mal zeigen, was das für eine Dummheit ist, Pappeln auf guten Boden zu pflanzen."

„Dann rechnen Sie wohl die sechzigtausend Franken für nichts, die Sie für die auf Ihren Wiesen an der Loire in die Finger gekriegt haben?" rief der Notar aus und riß seine Glotzaugen auf. „Was

Sie da für Glück gehabt haben! Ihre Bäume just in dem Moment zu fällen, wo man in Nantes kein weißes Holz hatte, und sie zu dreißig Franken zu verkaufen."

Eugenie hörte zu, ohne zu wissen, daß sie dem ernstesten Augenblick ihres Lebens nahe war und der Notar im Begriff stand, die Verkündigung eines väterlichen und oberherrlichen Ratschlusses über sie hervorzurufen. Grandet hatte die prächtigen Wiesen erreicht, die er am Loireufer besaß, wo dreißig Arbeiter damit beschäftigt waren, die Stellen, wo früher die Pappeln gestanden hatten, aufzuräumen, zuzuschütten und einzuebnen.

„Da sehen Sie, Cruchot, wieviel Platz eine Pappel einnimmt", sagte er zum Notar. — „Jean," rief er einem Arbeiter zu, „me... me... miß mit dem St... Stab in allen R... R... Richtungen."

„Viermal acht Fuß", sagte der Arbeiter, als er fertig war.

„Zweiunddreißig Fuß Verlust", sagte Grandet zu Cruchot. „Ich hatte in dieser Reihe dreihundert Pappeln, nicht wahr? Oder d...d...dreihundertmal zweiundd...dreißig F... Fuß f... f... fraßen mir f... fünfhundert Heu weg; rechnen Sie zweimal so viel auf den Seiten dazu: fünfzehnhundert, die in der Mitte wuchsen, ebensoviel. Also, w...w...wollen wir sagen tausend Bündel Heu."

„Nun ja," sagte Cruchot, um seinem Freund zu helfen, „tausend Bündel Heu sind ungefähr sechshundert Franken wert."

„W... w... wollen wir z... z... zwölfhundert sagen wegen der drei- bis vierhundert Franken für das Grummet. Nun schön, b... b... berech-

nen Sie, was zwölfhundert Franken jährlich, w...
w... während vierzig Jahren g... geben, z...
z... zusammen mit den Z... Z... Zinsen, die
Sie ja w... wissen."

„Sagen wir sechzigtausend Franken."

„Es ist mir recht! das m... m... mögen nur
sechzigtausend Franken sein. Na schön," fuhr der
Winzer fort, ohne zu stottern, „zweitausend Pappeln in vierzig Jahren würden mir nicht fünfzigtausend Franken einbringen. Das ist Verlust. Ich
hab' das herausgefunden, jawohl", sagte Grandet
voll Stolz.

„Jean," fuhr er fort, „schütte die Löcher zu, aus-
genommen die längs der Loire, da pflanzst du die
Pappeln hin, die ich gekauft habe. Wenn man sie
an den Fluß setzt, nähren sie sich auf Kosten der
Regierung", fügte er an Cruchot gewandt hinzu,
und machte mit dem Geschwür auf seiner Nase
eine kleine Bewegung, die einem Lächeln voller
Ironie gleichkam.

„Das ist klar: Pappeln sollte man nur auf magern
Boden pflanzen", sagte Cruchot, verblüfft über
Grandets Berechnungen.

„Aller—dings, mein Herr", versetzte der Böttcher
ironisch.

Eugenie, die den Anblick der herrlichen Landschaft der Loire genoß, ohne den Berechnungen
ihres Vaters zuzuhören, spitzte schleunigst die
Ohren bei den Worten Cruchots, als sie ihn zu
seinem Klienten sagen hörte:

„Na, Sie haben sich einen Schwiegersohn aus Paris
kommen lassen; in ganz Saumur ist nur von Ihrem
Neffen die Rede. Da hab' ich bald einen Kontrakt
aufzusetzen, was Vater Grandet?"

„S ... S... Sie sind f ... f...früh aufgestanden,
um m... m... mir d... das zu sagen", erwiderte
Grandet und begleitete diese Betrachtung mit einer
Bewegung seines Geschwürs. „Nun gut, mein alter
Kamerad, ich will offen sein und Ihnen sagen,
was Sie w.... w... wissen w... w... wollen. Ich
möchte lieber, sehen S... Sie, m... m... meine
To...Tochter in die Loire w...w...werfen, als
sie ihrem V... V... Vetter g... g.,, geben. Sie
k...k...können das v...verkünden. Aber was,
lassen Sie die W...Welt schwatzen.

Diese Antwort rief einen Schwindel bei Eugenie
hervor. Die fernen Hoffnungen, die in ihrem
Herzen zu keimen begannen, blühten plötzlich
auf, nahmen Gestalt an und bildeten ein Büschel
von Blumen, die sie abgeschnitten und am Boden
liegen sah. Seit dem vorigen Abend fühlte sie sich
mit Charles durch alle die Banden des Glücks verbunden, die die Seelen vereinen; von nun ab begann das Leid sie zu befestigen. Liegt das nicht
auch in der edlen Bestimmung der Frau, daß sie
näher berührt wird von den ernsten Aufzügen
der Leiden als von den Freuden des Glücks? Wie
konnte nur das väterliche Gefühl im Herzen ihres
Vaters erlöschen? Welchen Verbrechens war Charles denn schuldig? Geheimnisvolle Fragen! Schon
wurde ihre eben geborene Liebe, selbst ein so tie-
fes Geheimnis, in Geheimnisse verwickelt. Sie kam
mit zitternden Knien wieder zu sich, und als sie
an der düstern alten Straße anlangten, die ihr so
fröhlich erschienen war, fand sie den Anblick
traurig, atmete sie die Melancholie dieses Ortes
ein, die ihm Zeit und Dinge aufgeprägt hatten.
Sie lernte alle Stadien der Liebe kennen. Einige

Schritt vor dem Hause ging sie ihrem Vater voran und wartete auf ihn an der Tür, nachdem sie geklopft hatte. Denn Grandet, der in der Hand des Notars eine Zeitung noch unter dem Kreuzband sah, hatte zu ihm gesagt:

„Wie stehen die Renten?"

Und der Notar hatte geantwortet: „Sie wollen nicht auf mich hören, Grandet. Kaufen Sie schnell, man kann noch zwanzig Prozent in zwei Jahren daran verdienen, außer den Zinsen, zu einem ausgezeichneten Zinsfuß, fünftausend Franken Rente für achtzigtausend Franken. Die Renten stehen achtzig und einen halben Franken."

„Es wird sich finden", sagte Grandet und rieb sich das Kinn.

„Mein Gott!" sagte der Notar, der seine Zeitung geöffnet hatte.

„Nanu, was gibt's?" rief Grandet, als Cruchot ihm die Zeitung mit den Worten unter die Augen hielt: „Lesen Sie diesen Artikel."

„Herr Grandet, einer der angesehensten Geschäftsleute in Paris hat sich gestern erschossen, nachdem er wie gewöhnlich auf der Börse erschienen war. Er hatte beim Präsidenten der Deputiertenkammer seine Entlassung eingereicht und gleichfalls sein Amt als Richter am Handelsgericht niedergelegt. Der Bankrott der Herren Roguin und Souchet, seines Wechselmaklers und seines Notars, haben ihn ruiniert. Die Achtung, die Herr Grandet genoß und sein Kredit waren dennoch so, daß er zweifellos Hilfe am Pariser Geldmarkt gefunden hätte. Es ist zu bedauern, daß dieser ehrenwerte Mann dem ersten Augenblick der Verzweiflung nachgegeben hat ... usw."

„Ich habe es gewußt", sagte der alte Winzer zum Notar.

Dies Wort ließ Cruchot erstarren, dem es trotz seiner Unempfindlichkeit als Notar kalt über den Rücken lief beim Gedanken, daß der Pariser Grandet vielleicht vergeblich die Millionen des Grandet in Saumur angefleht hatte.

„Und sein Sohn, gestern so vergnügt..."

„Er weiß noch nichts", antwortete Grandet mit derselben Ruhe.

„Adieu, Herr Grandet", sagte Cruchot, der alles begriff und den Präsidenten von Bonfons beruhigen ging.

☆

ZU HAUSE FAND GRANDET DAS FRÜHSTÜCK bereit. Frau Grandet saß schon auf ihrem erhöhtem Sitz und strickte sich Pulswärmer für den Winter. Eugenie fiel ihr um den Hals und umarmte sie, bewegt von ihrem geheimen Kummer, mit überquellendem Herzen.

„Sie können frühstücken", sagte Nanon, die die Treppe heruntersprang, „der Junge schläft wie ein Engel. Wie hübsch er ist, wenn er die Augen zu hat. Ich bin reingegangen und hab' ihn angerufen. Ja Kuchen, nichts rührt sich."

„Laß ihn schlafen," sagte Grandet, „er wacht früh genug auf, um böse Neuigkeiten zu erfahren."

„Was ist denn los?" fragte Eugenie und legte die beiden kleinen Stücke Zucker in ihren Kaffee, die kaum ein paar Gramm wogen; der Alte vergnügte sich damit, sie in seinen Mußestunden selbst abzuzwicken.

Frau Grandet, die nicht gewagt hatte, diese Frage zu stellen, blickte ihren Mann an.

„Sein Vater hat sich erschossen."

„Mein Onkel?"... sagte Eugenie.

„Der arme Junge!" rief Frau Grandet aus.

„Ja, a r m ," wiederholte Grandet, „er besitzt keinen Pfennig."

„Ach Gott, er schläft, wie wenn er der Herr der Welt wäre", sagte Nanon mit Rührung im Ton.

Eugenie hörte auf zu essen. Ihr Herz krampfte sich zusammen, wie das Herz sich zusammenkrampft, wenn bei dem Unglück dessen, den man liebt, zum erstenmal das Mitleid emporquillt und den ganzen Körper einer Frau durchströmt. Das junge Mädchen fing an zu weinen.

„Du hast deinen Onkel nicht gekannt, warum weinst du?" sagte ihr Vater und schleuderte ihr einen Blick wie ein hungriger Tiger zu, so einen Blick, wie er ihn ohne Zweifel auf seine Goldhaufen warf.

„Aber Herr Grandet," sagte die Magd, „wer wird denn kein Mitleid mit dem armen jungen Mann haben, der wie ein Brett schläft und nicht weiß, was ihm blüht."

„Ich habe nicht mit dir gesprochen, Nanon, halt den Mund!"

Eugenie begriff in diesem Augenblick, daß die Frau, die liebt, immer ihre Gefühle verbergen muß. Sie antwortete nicht.

„Bis zu meiner Rückkehr werdet Ihr ihm gar nichts erzählen, wünsche ich, Frau Grandet," sprach der Alte weiter, „ich muß fort, um den Graben für meine Wiesen an der Straße abstecken zu lassen. Ich werde um zwölf zum zweiten Frühstück zurück sein und mich dann mit meinem Neffen über seine Angelegenheiten unterhalten. Was dich betrifft, mein Fräulein, wenn du etwa dieses Stutzers wegen weinst, Schluß damit, mein Kind. Er wird allerschleunigst nach Ostindien abreisen. Du wirst ihn nie wieder sehen."

Der Vater nahm seine Handschuhe vom Rand seines Hutes, zog sie mit seiner gewohnten Ruhe an, strich sie herunter, indem er seine Finger zwischeneinander steckte und ging fort.

„O Mama, ich halte es nicht aus!" rief Eugenie, als sie mit ihrer Mutter allein war. „Ich habe noch nie so gelitten!"

Frau Grandet sah, wie ihre Tochter blaß wurde, sie öffnete das Fenster und ließ sie die frische Luft atmen.

„Mir ist besser", sagte Eugenie nach einem Augenblick.

Diese Nervenerschütterung bei einer Natur, die bis dahin dem Anschein nach ruhig und kühl war, ging Frau Grandet zu Herzen; sie sah mit diesem feinfühligen Verstehen, mit dem die Mütter für ihre zärtlich Geliebten begabt sind, ihre Tochter an und erriet alles. Zudem konnte wahrhaftig das Leben der berühmten ungarischen Schwestern, die ein Versehen der Natur aneinander geschmiedet hatte, keinen innigern Zusammenhang gehabt haben, als das von Eugenie und ihrer Mutter, die immer in der einen Fensternische zusammensaßen, zusammen zur Kirche gingen und beim Schlafen die gleiche Luft einsogen.

„Mein armes Kind!" sagte Frau Grandet und umfaßte den Kopf von Eugenie, um ihn an ihr Herz zu drücken.

Bei diesen Worten hob das junge Mädchen das Gesicht, sah ihre Mutter forschend an, erspähte ihre geheimen Gedanken und fragte:

„Warum ihn nach Indien schicken? Wenn er im Unglück ist, sollte er dann nicht hier bleiben? Ist er nicht unser nächster Verwandter?"

„Ja, mein Kind, das wäre ganz natürlich. Aber der Vater hat seine Gründe, wir müssen sie achten."

Mutter und Tochter setzten sich schweigend hin, die eine auf ihren erhöhten Stuhl, die andere auf ihren kleinen Sessel, und alle beide nahmen ihre Handarbeit vor. Überwältigt von Dankbarkeit für das wunderbare Herzensverständnis ihrer Mutter, küßte ihr Eugenie die Hand und sagte:

„Wie gut du bist, meine geliebte Mama!"

Bei diesen Worten blühte das alte mütterliche Gesicht auf, das in langen Leiden welk geworden war.

„Findest du ihn nett?" fragte Eugenie.

Frau Grandet antwortete nur mit einem Lächeln; dann sagte sie nach einer Pause mit leiser Stimme:

„Du liebst ihn also schon? Das ist schlimm."

„Schlimm!" erwiderte Eugenie, „warum? Er gefällt dir, er gefällt Nanon, warum darf er mir nicht gefallen? Weißt du, Mama, wir wollen den Tisch für sein Frühstück decken!"

Sie warf ihre Arbeit hin, ihre Mutter tat dasselbe mit den Worten:

„Du bist ja toll."

Aber es gefiel ihr, die Verrücktheit ihrer Tochter zu rechtfertigen, indem sie sie mitmachte.

Eugenie rief Nanon.

„Was ist denn los, Fräulein?"

„Nanon, du hast doch wohl Rahm gegen Mittag?"

„Ja, gegen Mittag wohl", antwortete die alte Köchin.

„Sehr schön, mach ihm also sehr starken Kaffee, ich habe gehört, wie er zu Herrn des Grassins sagte, daß man in Paris den Kaffee sehr stark macht. Nimm viel!"

„Wo soll ich ihn aber hernehmen?"

„Kauf' welchen!"

„Und wenn der Herr mich trifft?"

„Er ist auf seinen Wiesen."

„Dann renne ich. Aber Herr Fessard hat mich schon gefragt, ob die heiligen drei Könige bei uns eingekehrt sind, als er mir das Wachslicht gab. Die ganze Stadt wird unsere Üppigkeit erfahren."

„Wenn dein Vater irgend etwas bemerkt," sagte Frau Grandet, „ist er imstande, uns zu schlagen."

„Meinetwegen soll er uns schlagen, dann nehmen wir seine Schläge auf den Knien entgegen."

Frau Grandet hob statt aller Antwort die Augen zum Himmel. Nanon setzte ihre Haube auf und ging. Eugenie legte reines Tischzeug auf, sie holte ein paar von den Weintrauben, die sie zum Zeitvertreib an der Trockenleine auf dem Boden aufgereiht hatte. Sie ging mit leisen Schritten den Flur entlang, um ihren Vetter ja nicht zu wecken, und konnte sich nicht enthalten, an der Tür auf seine Atemzüge zu lauschen, die in regelmäßigen Zwischenräumen von seinen Lippen kamen.

„Das Unglück wacht, während er schläft", dachte sie bei sich.

Sie nahm die grünsten Blätter der Reben, baute ihre Traube so zierlich auf, wie ein alter Küchenchef sie hätte anrichten können, und trug sie voll Stolz auf den Tisch. In der Küche stibitzte sie die von ihrem Vater gezählten Birnen, und ordnete sie pyramidenförmig zwischen Blättern an. Sie ging, sie kam, sie lief, sie rannte hin und her. Sie hätte am liebsten ihres Vaters ganzes Haus ausgeräumt, aber er hatte alles unter Verschluß. Nanon kam mit zwei frischen Eiern heim. Beim Anblick der Eier war Eugenie drauf und dran, ihr um den Hals zu fallen.

„Der Pächter von Lalande hatte welche in seinem Korb. Ich habe ihn drum angekriegt, und aus Gefälligkeit für mich hat er sie mir gegeben, der gute Mann."

Nach zweistündigen Mühen, während welcher Zeit Eugenie zwanzigmal von ihrer Arbeit weglief, um den Kaffee kochen zu sehen, um zu horchen, ob ihr Vetter schon aufstand, war es ihr gelungen, ein Frühstück herzurichten, das sehr einfach war, sehr wenig kostete, das aber in erschreckender Weise von den eingewurzelten Gewohnheiten des Hauses abwich. Das Zwölf-Uhr-Frühstück wurde im Stehen abgemacht. Jeder nahm ein bißchen Brot zu sich mit etwas Obst oder Butter oder ein Glas Wein. Beim Anblick des Tisches, der ans Kaminfeuer gerückt war, des einen Armstuhls vor dem Gedeck ihres Vetters, beim Anblick von den beiden Fruchtschalen, dem Eierbecher, der Flasche Weißwein, dem Brot und dem auf eine Untertasse aufgehäuften Zucker, zitterte Eugenie an allen Gliedern beim bloßen Gedanken an die Blicke, die ihr Vater ihr zuschleudern würde, wenn er unversehens in diesem Augenblick heimkäme. Und sie warf oft einen Blick auf die Wanduhr, um sich auszurechnen, ob ihr Vetter noch vor der Rückkehr des Alten gefrühstückt haben könnte.

„Sei nur ruhig, Eugenie, wenn der Vater kommt, werde ich alles auf mich nehmen", sagte Frau Grandet. Eugenie kamen Tränen in die Augen.

„O du gute Mutter!" rief sie aus, „ich habe dich nicht lieb genug gehabt!"

Nachdem Charles vor sich hinsummend hundertmal in seinem Zimmer hin und her gegangen war, kam er endlich herunter. Gott sei Dank, es war noch nicht ganz elf Uhr. Der echte Pariser! Er hatte so schmucke Toilette gemacht, wie wenn er sich auf dem Schloß der vornehmen Dame befunden hätte, die in Schottland auf Reisen war. Er kam mit dieser liebenswürdigen und heiteren Miene herein, die der Jugend so gut steht, und die Eugenie mit einer schmerzlichen Freude erfüllte. Er hatte den Zusammensturz seiner Luftschlösser von der lustigen Seite genommen und wandte sich in bester Laune an seine Tante:

„Haben Sie gut geschlafen, liebe Tante? und Sie, Kusine?"

„Sehr gut, lieber Neffe, und Sie?" sagte Frau Grandet.

„Ich, ausgezeichnet."

„Sie werden Hunger haben, Vetter," sagte Eugenie, „kommen Sie zu Tisch."

„Aber ich frühstücke ja nie vor zwölf Uhr, gerade wenn ich aufstehe. Indessen, ich habe so schlecht unterwegs gelebt, daß ich nicht abgeneigt bin. Übrigens..." Und er zog die entsückendste flache Uhr heraus, die je Bréguet gemacht hat.

„Nanu, es ist elf Uhr, bin ich aber früh aufgestanden!"

„Früh?" sagte Frau Grandet.

„Ja, aber ich wollte meine Sachen auspacken. Nun

gut, ich will gern etwas essen, eine Kleinigkeit, ein bißchen Geflügel, ein Rebhühnchen..."

„Heilige Jungfrau!" schrie Nanon, die diese Worte hörte.

‚Ein Rebhuhn', dachte Eugenie bei sich, und hätte ihre ganzen Ersparnisse für ein Rebhuhn hergeben mögen.

„Kommen Sie, setzen Sie sich", sagte die Tante. Der Dandy ließ sich auf den Armstuhl nieder, so wie eine schöne Frau sich auf ihren Diwan sinken läßt. Eugenie und ihre Mutter rückten ihre Stühle heran und setzten sich neben ihn vor das Feuer.

„Leben Sie immer hier?" fragte Charles, der den Saal am Tage noch häßlicher fand als bei Licht.

„Ja, immer", antwortete Eugenie und sah ihn an; „außer während der Weinernte; da helfen wir Nanon und wohnen alle in der Abtei von Noyers.

„Gehen Sie nie spazieren?"

„Manchmal am Sonntag nach der Vesper, wenn schönes Wetter ist", sagte Frau Grandet, „gehen wir auf die Brücke oder sehen zu, wie das Gras gemäht wird."

„Haben Sie ein Theater?"

„Ins Theater gehen!" rief Frau Grandet aus, „Komödianten ansehen! Aber wissen Sie nicht, daß das eine Todsünde ist?"

„Sehen Sie, mein lieber Herr," sagte Nanon, die die Eier hereinbrachte, „wir servieren Ihnen die Hühner in der Schale."

„Ach, frische Eier!" sagte Charles, der wie alle an Luxus gewöhnten Leute schon nicht mehr an sein Rebhuhn dachte. „Aber das ist köstlich. Hätten Sie wohl Butter, wie, mein liebes Kind?"

„Was, Butter! Dann wollen Sie also kein Weißbrot?"

„Aber bring doch Butter, Nanon", rief Eugenie
aus.

Das junge Mädchen beobachtete ihren Vetter, wie
er sich seine Brotschnittchen zurechtmachte und
fand daran soviel Vergnügen, wie das gefühl-
vollste Nähmädchen von Paris, das ein Melodrama
spielen sieht, in dem die Unschuld triumphiert.
In der Tat hatte Charles, der von einer anmutigen
Mutter erzogen worden war und von einer Frau
von Welt den letzten Schliff bekommen hatte, so
kokette, elegante, zierliche Bewegungen wie ein
Dämchen. Das Mitleid und das zärtliche Gefühl
eines jungen Mädchens besitzen einen wahrhaft
magnetischen Einfluß. Daher konnte Charles, als
er sah, wie aufmerksam Tante und Kusine zu
ihm waren, dem Einfluß der Gefühle nicht widerstehen, die auf ihn zuströmten und ihn sozusagen
überfluteten. Er warf Eugenie einen vor Freundlichkeit und Liebenswürdigkeit strahlenden Blick
zu, einen Blick, der zu lächeln schien. Als er
Eugenie betrachtete, nahm er die außerordentliche Harmonie der Züge dieses reinen Gesichts
wahr, ihren unschuldigen Ausdruck, die bezau-
bernde Klarheit ihrer Augen, in denen die jungen
Liebesgedanken schimmerten, aber der Wunsch
die Lust noch nicht kannte.

„Wahrhaftig, liebe Kusine, wenn Sie in der
großen Loge und in großer Toilette in der Oper
säßen, versichere ich Sie, daß die Tante ganz
recht hätte, Sie würden viele Sünden des Begehrens bei den Männern und der Eifersucht bei
den Frauen hervorrufen."

Bei diesem Kompliment zog sich Eugeniens Herz zusammen und fing vor Freude an zu klopfen, obwohl sie kein Wort davon verstand.

„Ach, lieber Vetter, Sie wollen sich über eine arme Kleinstädterin lustig machen."

„Wenn Sie mich kennen würden, liebe Kusine, würden Sie wissen, daß ich den Spott verabscheue; er vertrocknet das Herz, mordet alle Gefühle . . ." Und er schluckte sehr anmutig seine Butterschnitte herunter.

„Nein, ich habe vermutlich nicht genug Geist, um mich über andre lustig zu machen und dieser Fehler schadet mir sehr. In Paris hat man eine gewisse Art, einen Menschen zu erledigen, indem man von ihm sagt: Er hat ein gutes Herz. Dieser Satz bedeutet soviel wie: Der arme Junge ist dumm wie ein Rhinozeros. Aber da ich reich und dafür bekannt bin, daß ich eine Puppe beim ersten Schuß auf dreißig Schritt Entfernung mit jeder Art von Pistolen und auf freiem Felde treffe, nimmt sich der Spott vor mir in acht."

„Was Sie da sagen, lieber Neffe, verrät ein gutes Herz."

„Sie haben einen sehr hübschen Ring," sagte Eugenie, „darf man Sie bitten, ihn ansehen zu lassen?"

Charles streckte die Hand aus, indem er den Ring abnahm und Eugenie errötete, als sie mit ihren Fingern leicht die rosigen Nägel ihres Vetters berührte.

„Sieh mal, Mutter, die schöne Arbeit."

„Ei, der hat schweres Gold", sagte Nanon, die den Kaffee hereinbrachte.

„Was ist denn das da?" fragte Charles lachend.

105

Und er zeigte auf einen länglichen Topf aus braunem Ton, der lackiert und auf der Innenseite von Steingut war; ein Kranz von Asche umgab ihn; der Kaffee stieg vom Boden des Topfes zur Oberfläche der siedenden Flüssigkeit auf.

„Das ist kochender Kaffee", sagte Nanon.

„Nun, meine liebe Tante, ich werde wenigstens einige wohltätige Spuren meiner Durchreise hier zurücklassen. Ihr seid sehr zurück! Ich werde Ihnen beibringen, guten Kaffee in einer Kaffeemaschine à la Chaptal zu machen."

Und er versuchte, das System der Kaffeemaschine à la Chaptal zu erklären.

„Oje! wenn es so umständlich ist," sagte Nanon, „muß man gleich sein ganzes Leben drauf verwenden. Nie werd' ich so Kaffee kochen. Na das wäre so was! Und wer würde für unsre Kuh das Futter machen, während ich den Kaffee mache?"

„Dann werde eben ich ihn machen", sagte Eugenie.

„Kind!" sagte Frau Grandet und sah ihre Tochter an.

Nach diesem Wort, das den schon fast vergessenen Kummer über den unglücklichen jungen Mann wieder wachrief, schwiegen die drei Frauen still und sahen sich mit einem mitleidigen Ausdruck an, der ihm auffiel.

„Was haben Sie denn, Kusine?"

„Scht!" sagte Frau Grandet zu Eugenie, die antworten wollte. „Du weißt, mein Kind, daß der Vater es übernommen hat, mit dem Herrn zu sprechen."

„Sagen Sie Charles", sagte der junge Grandet.

„Ach, Sie heißen Charles? Das ist ein hübscher Name", rief Eugenie aus.

Die schlimmen Vorahnungen treffen fast immer ein.

Schon hörten Nanon, Frau Grandet und Eugenie, die mit Zittern an die Rückkehr des alten Böttchers dachten, einen Hammerschlag, dessen Ton ihnen wohlbekannt war.

„Das ist Papa!" sagte Eugenie.

Sie nahm die Untertasse mit dem Zucker weg und ließ nur ein paar Stücke auf dem Tischtuch liegen. Nanon trug den Eierteller fort. Frau Grandet stand auf wie ein verschrecktes Reh. Es entstand eine panische Furcht, über die Charles sich wunderte, ohne sie sich erklären zu können.

„Nanu, was haben Sie denn?" fragte er.

„Aber mein Vater kommt doch", sagte Eugenie.

„Nun und?"

Herr Grandet trat ein, warf seinen scharfen Blick auf den Tisch, auf Charles und sah alles.

„Ah! Ah! Ihr gebt euerm Neffen ein Fest, das ist gut, sehr gut, ausgezeichnet", sagte er, ohne zu stottern. „Wenn die Katze aus ist, tanzen die Mäuse auf dem Tisch."

‚Fest?' dachte Charles bei sich, außerstande, die Lebensweise und die Sitten dieses Hauses zu ahnen.

„Gib mir mein Glas, Nanon", sagte der Alte.

Eugenie brachte das Glas. Grandet zog aus seiner Hosentasche ein Hornmesser mit mächtiger Klinge, schnitt sich eine Scheibe Brot ab, nahm ein wenig Butter, die er sorgfältig auseinanderstrich und begann im Stehen zu essen. In diesem Augenblick tat Charles Zucker in seinen Kaffee. Vater Grandet bemerkte die Stücke Zucker, sah seine Frau forschend an, die blaß wurde, und machte drei Schritte vorwärts; er neigte sich zum Ohr der armen Alten und sagte zu ihr:

„Wo habt Ihr denn all den Zucker hergenommen?"

„Nanon hat welchen bei Fessard geholt. Es war keiner da."

Es ist unmöglich, sich das ungeheure Interesse vorzustellen, das die drei Frauen an dieser stummen Szene nahmen. Nanon war aus der Küche in den Saal gekommen, um zu sehen, wie die Dinge da liefen. Charles, der seinen Kaffee gekostet hatte und ihn zu bitter fand, suchte den Zucker, den Grandet schon weggestellt hatte.

„Was suchst du, Neffe?" sagte der Alte zu ihm.

„Den Zucker."

„Tu Milch hinein," versetzte der Herr des Hauses, „dann wird dein Kaffee süßer werden."

Eugenie nahm die Untertasse mit dem Zucker, die Grandet schon weggestellt hatte, und setzte sie wieder auf den Tisch, indem sie ihren Vater mit ruhiger Miene ansah. Fürwahr, die Pariserin, die, um die Flucht ihres Geliebten zu erleichtern, mit ihren schwachen Armen eine seidne Strickleiter hält, beweist nicht mehr Mut, als Eugenie entfaltete, indem sie den Zucker wieder auf den Tisch setzte. Aber der Geliebte belohnt seine Pariserin, die ihm ihren zerfleischten Arm zeigt, auf dem jede verletzte Ader mit Küssen und Tränen gebadet und durch das Vergnügen geheilt wird; während Charles nie hinter das Geheimnis der tiefinnern Aufregung kommen sollte, die das Herz seiner Kusine zerriß, als sie jetzt ein Blick des alten Böttchers niederschmetterte.

„Du ißt nichts, Frau?"

Die arme Sklavin kam heran, schnitt sich jämmerlich ein Stück Brot ab und nahm eine Birne. Eugenie bot mutig ihrem Vater Weintrauben an, wobei sie sagte: „Koste doch meine getrockneten Trauben, Papa! — Lieber Vetter, Sie essen sie doch, nicht wahr? Ich habe diese hübschen Trauben hier für Sie geholt."

„Pah! wenn man sie nicht aufhält, werden sie Saumur für dich ausrauben, Neffe. Wenn du fertig bist, wollen wir zusammen in den Garten gehen, ich habe dir Dinge zu sagen, die nicht gezuckert sind."

Eugenie und ihre Mutter warfen einen Blick auf Charles, über dessen Ausdruck sich der junge Mann nicht täuschen konnte.

„Was bedeuten denn diese Worte, lieber Onkel? Seit dem Tod meiner armen Mutter... (bei diesen Worten wurde seine Stimme weich) gibt es kein mögliches Unglück für mich..."

„Mein lieber Neffe, wer kennt die Leiden, durch die Gott uns prüfen will?" sagte seine Tante zu ihm.

„Ta, ta, ta, ta," sagte Grandet, „da fangen die Dummheiten schon an. Ich sehe mit Kummer, lieber Neffe, deine hübschen weißen Hände."

Und er zeigte ihm die Art Hammelschultern, die die Natur ihm ans Ende der Arme gesetzt hatte.

„Das sind Hände, um Taler zu sammeln! Du bist dazu erzogen worden, deine Füße in das Leder zu stecken, aus dem die Brieftaschen gemacht werden, in denen wir die Wechsel aufheben. Schlimm, schlimm!"

„Was meinen Sie damit, lieber Onkel? Ich will gehängt werden, wenn ich ein Wort verstehe..."

„Komm", sagte Grandet.

Der Geizhals ließ die Klinge seines Messers zuklappen, trank seinen Weißwein aus und öffnete die Tür.

„Lieber Vetter, Mut!"

Der Ton des jungen Mädchens ließ Charles erstarren; er folgte seinem schrecklichen Verwandten, von der tödlichsten Unruhe ergriffen. Eugenie, ihre Mutter und Nanon gingen in die Küche, einer unbezwinglichen Neugierde folgend, die beiden Schauspieler dieser Szene zu beobachten, die sich in dem kleinen, feuchten Garten abspielen sollte, wo der Onkel zunächst schweigend mit dem Neffen auf und ab ging. Es setzte Grandet nicht in Verlegenheit, Charles vom Tod seines Vaters unterrichten zu müssen, aber er fühlte eine Art von Mitleid mit ihm, weil er ihn ohne Pfennig wußte, und er suchte nach Formeln, um die Verkündung dieser grausamen Wahrheit zu mildern. Du hast deinen Vater verloren. Das ließ sich leicht sagen. Väter sterben vor den Kindern. Aber: Du bist völlig mittellos. Alles Unglück der Erde war in diesen Worten zusammengefaßt. Und der Alte machte zum drittenmal die Tour durch den Mittelweg, dessen Sand unter seinen Schritten knirschte. Bei den bedeutsamen Umständen unsres Lebens klammert sich unsre Seele fest an den Ort, wo das Glück oder das Leid über uns hereingebrochen ist. Daher musterte auch Charles mit besonderer Aufmerksamkeit die Buchsbaumsäume des kleinen Gartens, die welken Blätter, die herabfielen, die Schäden der Mauer, die seltsamen Formen der Obstbäume und all die malerischen Einzelheiten, die seinem Gedächtnis eingeprägt bleiben sollten, ewig verknüpft mit dieser außerordentlichen Stunde, durch die eigentümliche Mnemotechnik der Leidenschaften.

„Es ist sehr heiß, sehr schön", sagte Grandet und schöpfte tief Luft.

„Ja, lieber Onkel, aber warum . . .?"

„Nun gut, mein Junge," versetzte der Onkel, „ich habe dir schlechte Nachrichten zu bringen. Dein Vater ist sehr krank . . ."

„Aber warum bin ich hier?" sagte Charles. „Nanon," schrie er, „Postpferde!" Ich werde wohl einen Wagen im Ort finden", wandte er sich an seinen Onkel, der unbeweglich dastand.

„Pferde und Wagen sind unnütz", antwortete Grandet und sah Charles an, der verstummte und dessen Augen starr wurden. — „Ja, mein armer Junge, du errätst es. Er ist tot. Aber das ist noch nichts, es gibt etwas viel Schlimmeres, er hat sich erschossen . . ."

„Mein Vater?"

„Ja, aber das ist noch nichts. Die Zeitungen beurteilen das, als wenn sie dazu das Recht hätten. Wart, lies!"

Grandet, der sich die Zeitung von Cruchot geliehen hatte, hielt den unseligen Artikel Charles unter die Augen. In dem Augenblick löste der arme junge Mann, der noch ein Kind war, noch im Alter der unbefangenen Gefühlsäußerungen stand, sich in eine Flut von Tränen auf.

So, das ist recht, dachte Grandet bei sich. Seine Augen erschreckten mich. Wo er weint, ist er gerettet. — „Das ist immer noch nichts, mein armer Neffe," fuhr Grandet mit lauter Stimme fort, ohne zu wissen, ob Charles ihn hörte; „das ist nichts, du wirst dich darüber trösten, aber . . ."

„Niemals! niemals! mein Vater! mein Vater!"

„Er hat dich ruiniert. Du bist ohne Geld!"

„Was macht mir das?! Wo ist mein Vater? mein Vater!"

Das Weinen und Schluchzen tönte schrecklich zwischen diesen Mauern und wurde vom Echo zurückgeworfen.

Die drei Frauen weinten, von Mitleid ergriffen: Tränen sind ebenso ansteckend, wie es das Lachen sein kann.

Ohne auf seinen Onkel zu hören, flüchtete sich Charles in den Hof, fand die Treppe, stieg in sein Zimmer hinauf, warf sich quer über das Bett, vergrub das Gesicht in die Kissen und weinte, wie's ihm ums Herz war, fern von seinen Verwandten.

„Man muß den ersten Anfall vorüberlassen", sagte Grandet, als er in den Saal zurückkam, wo Eugenie und ihre Mutter hastig ihre Plätze wieder eingenommen hatten und mit zitternden Händen arbeiteten, nachdem sie sich die Augen gewischt hatten. „Aber dieser junge Mann bringt es zu nichts; er beschäftigt sich mehr mit dem Toten, als mit dem Geld."

Es schauderte Eugenie, als sie ihren Vater sich so über den heiligsten Schmerz äußern hörte. Von diesem Augenblick an begann sie, ihren Vater zu richten. Charles Schluchzen klang, wenn auch gedämpft, durch das hellhörige Haus; und seine abgrundtiefe Klage, die von unter der Erde heraufzukommen schien, hörte erst gegen Abend auf, nachdem sie allmählich schwächer geworden war.

„Armer junger Mann!" sagte Frau Grandet.

Ein verhängnisvoller Ausruf. Vater Grandet sah

seine Frau, Eugenie und die Zuckerschale an; er dachte wieder an das außerordentliche Frühstück, das für den unglücklichen Verwandten bereitet worden war, und pflanzte sich in der Mitte des Saales auf.

„Nun hört mal!" sagte er mit seiner gewohnten Ruhe. „Ich hoffe, daß Sie nicht mit Ihren Verschwendereien fortfahren, Frau Grandet. Ich gebe Ihnen nicht m e i n Geld, um den jungen Fant mit Zucker zu überschütten."

„Die Mutter kann nichts dafür", sagte Eugenie. „Ich bin schuld, ich . . ."

„Vielleicht weil du mündig bist", sagte Grandet, seine Tochter unterbrechend, „willst du mir widersprechen? Denke daran, Eugenie . . ."

„Lieber Vater, der Sohn Ihres Bruders soll doch nicht Mangel haben an . . ."

„Ta, ta, ta, ta," sagte der Böttcher in vier ansteigenden Tönen, „der Sohn meines Bruders hier, mein Neffe da. Charles geht uns nichts an, er hat weder Heller noch Pfennig. Sein Vater hat Bankrott gemacht, und wenn dieser Geck sich ausgeweint hat, wird er hier das Feld räumen; ich will nicht, daß er mein Haus aufrührerisch macht."

„Was heißt das, Bankrott machen, Vater?" fragte Eugenie.

„Bankrott machen", versetzte der Vater, „heißt die ehrloseste von allen Handlungen begehen, die einen Menschen entehren können."

„Das muß eine große Sünde sein," sagte Frau Grandet, „und unser Bruder wird verdammt werden."

„Na ja, das sind wieder deine Litaneien", sagte er achselzuckend zu seiner Frau.

„Bankrott machen, Eugenie," fuhr er fort, „ist ein Diebstahl, den das Gesetz leider unter seinen Schutz nimmt. Leute haben Guillaume Grandet ihre Waren geliefert, auf seinen guten und ehrlichen Ruf; dann hat er alles weggewirtschaftet und läßt ihnen nur noch ihre Augen zum weinen. Der Straßenräuber ist noch dem Bankrotteur vorzuziehen; denn der greift dich an, du kannst dich zur Wehr setzen, er riskiert seinen Kopf, während der andre ... Jedenfalls, Charles ist entehrt."

Diese Worte drangen dem jungen Mädchen ins Herz und lasteten da mit ihrem ganzen Schwergewicht. So rechtlich gesinnt, wie eine im Waldesgrund erblühte Blume zart ist, kannte Eugenie die Grundsätze der Welt nicht, nicht ihre arglistigen Urteile noch ihre Sophismen; sie nahm daher die entsetzliche Erklärung an, die ihr Vater ihr über den Bankrott gab, ohne daß er sie den Unterschied wissen ließ, der zwischen einem unfreiwilligen Bankrott und einem aus Berechnung besteht.

„Ach, Vater, konnten Sie denn das Unglück nicht verhindern?"

„Mein Bruder hat mich nicht um Rat gefragt; außerdem hat er vier Millionen Schulden."

„Wieviel ist das eigentlich, eine Million, Vater?" fragte sie mit der Naivität eines Kindes, das glaubt, unverzüglich haben zu können, was es sich wünscht.

„Eine Million," sagte Grandet, „nun, das heißt, eine Million von Zwanzig-Sous-Stücken und man braucht fünf Zwanzig-Sous-Stücke, um fünf Franken zu haben."

„Mein Gott! Mein Gott!" rief Eugenie aus. „Wie

konnte denn mein Onkel selber vier Millionen gehabt haben? Gibt's noch irgendeinen andern Menschen in Frankreich, der so viel Millionen hat?"
Vater Grandet strich sich das Kinn, lächelte und sein Geschwür schien sich zu blähen.
„Aber was wird aus meinem Vetter Charles?"
„Er wird nach Ostindien reisen, wo er nach dem Wunsch seines Vaters versuchen soll, Geld zu verdienen."
„Aber hat er Geld, um dorthin zu reisen?"
„Ich werde ihm seine Reise bezahlen, bis ... ja bis Nantes."
Eugenie fiel ihrem Vater um den Hals.
„Ach lieber Vater, Sie sind so gut."
Sie umarmte ihn in einer Weise, die Grandet, den sein Gewissen doch ein bißchen beunruhigte, beinah beschämte.
„Braucht man viel Zeit, um eine Million zusammen zu haben?" fragte sie.
„Na, ich denke," sagte der Böttcher, „du weißt, was ein Napoleon ist; nun gut, man braucht davon fünfzigtausend, um eine Million zu haben."
„Mama, wir wollen Messen für ihn lesen lassen."
„Ich dachte auch schon daran", antwortete die Mutter.
„Da haben wir's wieder! Immer Geld ausgeben", rief der Vater aus. „Also hört mal, glaubt ihr, daß hier Hunderttausende zu haben sind?"
In diesem Augenblick ertönte ein dumpfer Klagelaut, noch unheimlicher als die andern, schallte von den Bodenräumen zurück und ließ Eugenie und ihre Mutter vor Schreck erstarren.
„Nanon, geh' rauf nachsehen, daß er sich nichts antut", sagte Grandet.

„Na, na," fuhr er zu Frau und Tochter gewandt fort, die bei seinen Worten blaß geworden waren, „keine Dummheiten, ihr zwei. Ich lasse euch allein. Ich will einmal um unsre Holländer herumstreichen, die heut weggehen. Dann werde ich Cruchot aufsuchen, um mit ihm über alles dies zu sprechen."

Er ging. Als Grandet die Tür hinter sich geschlossen hatte, atmeten Eugenie und ihre Mutter erleichtert auf. Vor diesem Morgen hatte das junge Mädchen niemals eine Hemmung in Gegenwart ihres Vaters gespürt; aber seit ein paar Stunden änderten sich jeden Augenblick ihre Gefühle und ihre Gedanken.

„Mama, wieviel Louis kriegt man für ein Stückfaß Wein?"

„Der Vater verkauft seine für hundert bis hundertfünfzig Franken, manchmal für zweihundert, hab ich sagen hören."

„Wenn nun die Ernte vierzehnhundert Stück Wein gibt?"

„Bei Gott, Kind, ich weiß nicht, was das macht; dein Vater spricht nie mit mir von seinen Geschäften."

„Dann muß Papa ja reich sein."

„Möglich. Doch Herr Cruchot hat mir gesagt, daß er vor zwei Jahren Froidfond gekauft hat. Das wird ihn festgelegt haben."

Eugenie, die sich nicht mehr im Vermögen ihres Vaters auskannte, gab ihre Berechnungen auf.

„Er hat mich überhaupt nicht mal angesehen, das Jungchen", sagte Nanon, die zurückkam.

„Er liegt wie ein Kalb ausgestreckt auf seinem Bett und weint wie Magdalena, es ist eine wahre

Überschwemmung. Welchen Kummer hat doch dieser arme, liebe, junge Mann!"

„Gehen wir doch ganz schnell hinauf, ihn zu trösten, Mama; und wenn es klopft, kommen wir herunter."

Frau Grandet war ungewappnet gegenüber dem einschmeichelnden Klang in der Stimme ihrer Tochter. Eugenie war wundervoll, sie war Frau. Alle beide stiegen sie mit klopfendem Herzen in Charles Zimmer hinauf. Die Tür war offen. Der junge Mann sah und hörte nichts. In Tränen gebadet, stieß er unartikulierte Klagelaute aus.

„Wie er seinen Vater liebt!" sagte Eugenie mit leiser Stimme.

Es war unmöglich, im Tonfall dieser Worte die Hoffnungen eines unbewußt leidenschaftlichen Herzens zu verkennen. Darum ließ Frau Grandet einen Blick voll Mütterlichkeit auf ihrer Tochter ruhen, dann sagte sie ihr ganz leise ins Ohr:

„Nimm dich in acht! Du wirst ihn lieben."

„Ihn lieben", wiederholte Eugenie. „Ach, wenn du wüßtest, was der Vater gesagt hat."

Charles drehte sich um und bemerkte seine Tante und Kusine.

„Ich habe meinen Vater verloren, meinen armen Vater. Wenn er mir sein geheimes Unglück anvertraut hätte, hätten wir beide zusammenarbeiten können, um es wieder gutzumachen. Lieber Gott! Mein guter Vater. Ich habe so sicher damit gerechnet, ihn wiederzusehen, daß ich glaube, ich habe ihn kalt umarmt..."

Schluchzen schnitt ihm das Wort ab.

„Wir wollen viel für ihn beten", sagte Frau Grandet. „Ergeben Sie sich in den Willen Gottes."

„Lieber Vetter," sagte Eugenie, „fassen Sie Mut. Ihr Verlust ist unwiederbringlich. So denken Sie jetzt daran, Ihre Ehre zu retten..."

Mit diesem Instinkt, diesem scharfsinnigen Feingefühl der Frau, die immer klug ist, selbst wenn sie tröstet, wollte Eugenie ihren Vetter über seinen Schmerz wegtäuschen, indem sie ihn mit sich selbst beschäftigte.

„Meine Ehre?" schrie der junge Mann auf, indem er sich mit einer heftigen Bewegung das Haar zurückstrich. Er setzte sich auf sein Bett und verschränkte die Arme.

„Ah! Es ist wahr! Mein Onkel hat mir gesagt, daß mein Vater Bankrott gemacht hat."

Er stieß einen durchdringenden Schrei aus und verbarg das Gesicht in den Händen.

„Lassen Sie mich, Kusine, lassen Sie mich! Mein Gott, mein Gott! vergib meinem Vater, er muß furchtbar gelitten haben."

Es hatte etwas grauenvoll Fesselndes, die Äußerung dieses Schmerzes anzuhören, der kindlich, aufrichtig, ohne Berechnung, ohne Hintergedanken war.

Aus dem Schamgefühl des Schmerzes heraus, das die einfachen Herzen von Eugenie und ihrer Mutter begriffen, bat Charles sie durch eine Geste, ihn sich selbst zu überlassen. Sie stiegen hinab, nahmen schweigend ihre Plätze am Fenster wieder ein und arbeiteten ungefähr eine Stunde lang, ohne ein Wort zu sprechen. Eugenie hatte mit einem verstohlenen Blick, den sie auf die Sachen des jungen Mannes warf, diesem Blick eines jungen Mädchens, der in einem Nu alles sieht, die hübschen Kleinigkeiten seines Toilettenkastens bemerkt, seine mit Gold verzierten Scheren und Rasiermesser. Dieser Ausblick in den Luxus, durch den Schmerz hindurchgesehen, machte ihr Charles nur noch interessanter, vielleicht im Kontrast. Nie zuvor hatte ein so ernstes Ereignis, ein so dramatisches Schauspiel an die Einbildungskraft dieser beiden in eine ununterbrochene Ruhe und Einsamkeit versenkten Wesen gepocht.

„Mama," sagte Eugenie, „wir wollen Trauer um meinen Onkel anlegen."

„Das wird der Vater entscheiden", antwortete Frau Grandet.

Sie verharrten wieder in Schweigen. Eugenie machte ihre Stiche mit einer Regelmäßigkeit, die dem Beobachter die emsigen Gedanken ihres Nachsinnens enthüllt hätten. Der Hauptwunsch dieses prachtvollen Mädchens war, die Trauer ihres Vetters zu teilen. Gegen vier Uhr fuhr ein heftiger Hammerschlag Frau Grandet in die Glieder.

„Was hat denn der Vater?" sagte sie zu ihrer Tochter.

Der Winzer trat fröhlich ein. Nachdem er die Handschuhe ausgezogen hatte, rieb er sich die Hände, daß die Haut hätte abgehen können, wäre seine Epidermis nicht gegerbt gewesen wie Juchtenleder ohne den Geruch von Lärchenholz und Weihrauch. Er spazierte auf und ab, sah nach dem Wetter. Endlich gab er sein Geheimnis preis.

„Liebe Frau," sagte er, ohne zu stottern, „ich habe sie alle erwischt. Unser Wein ist verkauft. Die Holländer und Belgier wollten heut früh abreisen, ich bin auf dem Marktplatz vor ihrem Hotel herumspaziert und gab mir den Anschein eines Dummerjahns. Die Sache, die du kennst, wickelte sich ab. Die Besitzer aller guten Weinberge behalten ihre Ernte und wollen abwarten, ich habe sie nicht daran gehindert. Unser Belgier war außer sich. Das hab' ich gemerkt. Das Geschäft ist gemacht. Er nimmt unsere Ernte zu zweihundert Franken das Stückfaß, im Durchschnitt gerechnet. Ich werde in Gold bezahlt. Die Wechsel sind ausgestellt; hier sind sechs Louis für dich. In drei Monaten werden die Weine fallen."

Diese letzten Worte wurden in ruhigem Ton gesprochen, aber mit so vollendeter Ironie, daß, wenn die Leute von Saumur sie gehört hätten, die jetzt in Gruppen auf dem Marktplatz standen, bestürzt über die Nachricht von Grandets eben abgeschlossenen Verkauf, sie gezittert hätten; der Wein wäre infolge einer panischen Furcht um fünfzig Prozent gefallen.

„Sie haben tausend Stück Wein dieses Jahr, lieber Vater?" sagte Eugenie.

„Jawohl, Töchterchen."

Dies Wort war der höchste Ausdruck der Freude des alten Winzers.

„Das macht zweihunderttausend Zwanzig-Sous-Stücke?"

„Jawohl, Fräulein Grandet."

„Na dann, lieber Vater, können Sie ja leicht Charles helfen."

Das Erstaunen, die Wut, die Bestürzung Belsazars, als er das Menetekel sah, kann sich nicht mit dem kalten Zorn Grandets messen, der seinen Neffen schon vergessen hatte und ihn nun im Herzen und in den Berechnungen seiner Tochter wiederfand.

„Was soll das heißen! Seitdem dieser Geck den Fuß in mein Haus gesetzt hat, geht alles quer.

Ihr macht euch üppig mit Kaufen von Zucker-
werk, mit Gelagen und Schmausereien. Ich will
solche Sachen nicht. Ich weiß in meinem Alter,
wie ich mich zu benehmen habe, sollt ich meinen.
Und ich brauche gute Lehren weder von meiner
Tochter noch von sonst jemandem. Ich werde für
meinen Neffen tun, was sich gehört, und ihr habt
nicht die Nase reinzustecken. — Und du, Eugenie,"
fügte er zu ihr gewandt hinzu, „sprich mir nicht
mehr von so was, oder ich schicke dich in die
Abtei von Noyers mit Nanon, damit du mich
kennenlernst, und zwar schon morgen, wenn du
muckst. — Wo ist eigentlich der Junge? Ist er
nicht runtergekommen?"
„Nein, mein Freund", antwortete Frau Grandet.
„Na, was treibt er denn?"
„Er beweint seinen Vater", antwortete Eugenie.
Grandet sah seine Tochter an und fand kein Wort
der Erwiderung. Er selber war doch auch ein wenig Vater. Nachdem er ein paarmal im Saal auf
und ab gegangen war, stieg er plötzlich nach oben
in sein Kabinett, um dort eine Geldanlage in
Staatsrenten zu überlegen. Seine zweihundert Ar
abgeholzter Wald hatten ihm sechshunderttausend
Franken eingebracht; schlug er hierzu das Geld
für seine Pappeln, seine Einkünfte des vergangenen und laufenden Jahres ohne die zweihunderttausend Franken aus dem eben abgeschlossenen
Verkauf, so konnte er eine Summe von neunhun-
derttausend Franken zusammenbringen. Die zwanzig Prozent, die man in kurzer Zeit an den Renten, die auf siebzig Franken standen, verdienen
konnte, lockten ihn. Er rechnete seine Spekulation auf der Zeitung aus, in der die Nachricht

vom Tod seines Bruders stand und hörte dabei das Stöhnen seines Neffen, ohne darauf achtzugeben. Nanon klopfte an die Wand, um ihren Herrn zum Herunterkommen zu nötigen, das Essen war fertig. Im Hauseingang und auf der letzten Treppenstufe sagte Grandet zu sich selbst: Da ich acht Prozent Zinsen kriege, werde ich das Geschäft machen. In zwei Jahren habe ich dann fünfzehnhunderttausend Franken, die ich mir in Paris in gutem Gold auszahlen lasse. — „Na, wo ist denn mein Neffe?"

„Er sagt, daß er nichts essen will," sagte Nanon, „das ist nicht gesund."

„Dafür sparsam", erwiderte ihr Herr.

„Das — stimmt", sagte sie.

„Bah, er wird nicht ewig weinen. Der Hunger treibt den Wolf aus dem Wald."

Das Essen verlief auffallend schweigsam.

„Mein Lieber," sagte Frau Grandet, als abgeräumt war, „wir müssen Trauer anlegen."

„Wahrhaftig, Frau Grandet, Sie wissen nicht, was Sie ausdenken sollen, um Geld auszugeben. Die Trauer ist im Herzen und nicht in den Kleidern."

„Aber die Trauer um einen Bruder ist unerläßlich, und die Kirche befiehlt uns..."

„Kaufen Sie sich Ihre Trauer von Ihren sechs Louis. Mir geben Sie einen Flor, das genügt mir."

Eugenie hob die Augen zum Himmel, ohne ein Wort zu sagen. Zum erstenmal in ihrem Leben wurden ihre freigebigen Neigungen, die eingeschläfert und unterdrückt worden waren, aber plötzlich erwachten, jeden Augenblick verletzt. Dieser Abend war dem Anschein nach tausend

Abenden ihres einförmigen Lebens ähnlich, aber in Wirklichkeit war er der furchtbarste. Eugenie arbeitete ohne den Kopf zu heben und benutzte das Arbeitskästchen nicht, das Charles am Abend vorher nicht gewürdigt hatte. Frau Grandet strickte ihre Pulswärmer. Grandet drehte vier Stunden lang die Daumen, in Berechnungen vertieft, deren Ergebnis morgen Saumur verblüffen sollte. Niemand besuchte an diesem Tag die Familie. Augenblicklich hallte die ganze Stadt wider vom Gewaltstreich Grandets, dem Bankrott seines Bruders und der Ankunft seines Neffen. Im Bedürfnis, sich über ihre gemeinsamen Interessen zu besprechen, waren alle Weinbergbesitzer der oberen und mittleren Gesellschaft zu Herrn des Grassins gekommen, und schreckliche Verwünschungen wurden da gegen den ehemaligen Bürgermeister laut. Nanon spann und das Geräusch ihres Rades war der einzige Laut, der sich unter der angegrauten Decke des Saales hören ließ.

„Wir schonen unsere Zungen", sagte sie und zeigte ihre weißen großen Zähne, die aussahen, wie geschälte Mandeln.

„Man muß alles schonen", sagte Grandet und erwachte aus seinem Nachdenken. Er sah acht Millionen in drei Jahren vor sich und schwamm im Geist auf dieser breiten Fläche von Gold dahin.

„Gehen wir schlafen. Ich werde meinem Neffen im Namen aller Gute Nacht sagen und sehen, ob er etwas zu sich nehmen will."

Frau Grandet blieb auf dem Treppenabsatz der ersten Etage stehen, um die Unterhaltung zwischen Charles und dem Alten zu hören. Eugenie, mutiger als ihre Mutter, stieg zwei Stufen höher.

„Na, lieber Neffe, bist du traurig? Jawohl, weine, das ist natürlich. Ein Vater bleibt immer ein Vater. Aber wir müssen unser Unglück mit Geduld tragen. Ich beschäftige mich mit dir, während du weinst. Ich bin nämlich ein guter Onkel. Also Mut! Willst du ein kleines Glas Wein trinken? Der Wein kostet in Saumur nichts, man bietet hier Wein an, wie in Indien eine Tasse Tee. Aber," fuhr Grandet fort, „du bist ohne Licht. Schlimm, schlimm! Man muß klar sehen, was man tut."

Grandet ging zum Kamin.

„Nanu!" rief er aus, „da steht ja eine Wachskerze. Wo zum Teufel hat man die Wachskerze aufgegabelt. Die Weiber werden mir noch das Dach überm Kopf abreißen, um dem Jungen eine Extrawurst zu braten."

Als sie diese Worte hörten, liefen Mutter und Tochter in ihre Zimmer und verkrochen sich in ihre Betten mit der Geschwindigkeit von erschreckten Mäusen, die in ihre Löcher huschen.

„Frau Grandet, Sie haben also einen Schatz?" sagte ihr Mann, als er ins Zimmer seiner Frau trat.

„Mein Freund, ich bete, warten Sie", antwortete mit aufgeregter Stimme die arme Mutter.

„Der Teufel hole deinen lieben Gott", murmelte Grandet in sich hinein. Die Geizhälse glauben nicht an ein zukünftiges Leben. Die Gegenwart bedeutet alles für sie. Diese Bemerkung wirft ein schreckliches Licht auf die gegenwärtige Zeit, wo wie zu keiner andern vom Geld die Gesetze, die Politik und die Sitten beherrscht werden. Erziehung, Bücher, Menschen, Theorien arbeiten alle

124

zuammen darauf hin, den Glauben an ein zukünftiges Leben zu unterwühlen, auf den sich das Gebäude unserer Gesellschaft seit achtzehnhundert Jahren gestützt hat. Jetzt ist der Sarg ein wenig gefürchteter Übergang. Die Zukunft, die uns jenseits des Requiems erwartete, ist in die Gegenwart verlegt worden. Per fas et nefas zum irdischen Paradies des Luxus' und der eitlen Genüsse zu gelangen, sein Herz zu verhärten und den Körper zu kasteien im Hinblick auf vergänglichen Besitz, wie man früher das Martyrium des Lebens im Hinblick auf die ewigen Güter litt, das ist der allgemeine Gedanke. Ein Gedanke, der überdies allenthalben schriftlich ausgearbeitet wird, selbst bis in die Gesetze hinein, die den Gesetzgeber fragen: Was zahlst du? statt zu ihm zu sagen: Was denkst du? Wenn diese Auffassung der bürgerlichen Kreise auf das Volk übergeht, was soll dann aus dem Land werden?

„Frau Grandet, bist du fertig?" sagte der alte Böttcher.

„Mein Freund, ich bete für dich."

„Sehr schön. Gute Nacht. Morgen früh werden wir uns unterhalten."

Die arme Frau legte sich schlafen wie der Schüler, der seine Aufgabe nicht gelernt hat und sich davor ängstigt, nach dem Erwachen das erboste Gesicht seines Lehrers zu sehen. Gerade, als sie sich vor Furcht in ihre Bettdecke einwickelte, um nichts mehr zu hören, schlich Eugenie zu ihr, im Hemd, barfuß und küßte sie auf die Stirn.

„Ach, liebe Mutter," sagte sie, „morgen werde ich ihm sagen, daß ich schuld bin."

„Nein, er würde dich nach Noyers schicken. Laß mich nur machen, er wird mich nicht fressen."

„Hörst du, Mama?"

„Was denn?"

„Ach Gott, e r weint immer noch."

„Geh doch schlafen, Kind. Du wirst deine Füße erkälten, der Boden ist feucht."

So verlief dieser ernste Tag, der auf dem ganzen Leben der reichen armen Erbin lasten sollte; ihr Schlaf war in dieser Nacht nicht so tief und nicht so unschuldig wie bisher. Ziemlich häufig erscheinen manche Handlungen im menschlichen Dasein, dichterisch gesprochen, unwahrscheinlich, obwohl sie wahr sind. Aber liegt das nicht daran, daß man es fast immer unterläßt, über unsre plötzlichen Entschlüsse gewissermaßen ein psychologisches Licht zu halten, und daß man die Beweggründe nicht erklärt, die sich geheimnisvoll entwickelt und die Handlung notwendig gemacht haben. Vielleicht müßte die tiefe Leidenschaft von Eugenie in ihre zartesten Fasern analysiert werden; denn sie wurde, wie Spötter sagen würden, eine Krankheit und beeinflußte ihr ganzes Leben. Aber viele Leute leugnen lieber, daß sich seelische Lagen aus langsamer Entwicklung ergeben, als daß sie die Stärke der Bänder, Knoten, Verhaftungen messen, die insgeheim eine Tat an die andere schweißen in der sittlichen Welt. Hier nun bürgt die Vergangenheit von Eugenie den Beobachtern der menschlichen Natur für die Naivität ihres unvorbedachten Handelns und für die Unmittelbarkeit des Überströmens ihres Herzens. Je ruhiger ihr Leben gewesen war, desto lebhafter entwickelte sich das weibliche Mitleid, das weiseste aller Gefühle, in ihrer Seele. Aufgeregt durch die Ereignisse des Tages, erwachte sie mehrere Male, um auf ihren Vetter zu horchen, und sie glaubte die Seufzer zu hören, die seit dem Abend in ihrem Herzen wiedertönten, bald sah sie ihn vor Kummer vergehen, bald bildete sie sich ein, er müsse vor Hunger umkommen. Gegen morgen hörte sie ganz bestimmt einen schrecklichen Ausruf. Augenblicklich kleidete sie sich an und lief in der Dämmerung ganz leise zu ihrem Vetter, der seine Tür aufgelassen hatte. Die Kerze war in der Lichtmanschette des Leuchters ausgebrannt. Von der Natur überwältigt, schlief Charles angekleidet in einem Sessel, den Kopf über das Bett gelegt; er träumte wie Menschen mit leerem Magen. Eugenie konnte weinen, wie ihr ums Herz war, sie konnte dies junge, schöne, schmerzlich verzogene Gesicht bewundern, die von Tränen geschwollenen Augen, die noch im festen Schlaf weiter zu weinen schienen. Charles erriet sympathetisch die Gegenwart seiner Kusine, er öffnete die Augen und sah sie mit Rührung.

„Verzeihung, liebe Kusine," sagte er, er wußte offenbar nicht, welche Zeit es war, noch wo er sich befand.

„Es gibt Herzen hier, die Sie verstehen, Vetter, und wir haben geglaubt, daß Sie vielleicht irgend etwas brauchten. Sie sollten ins Bett gehen. Sie machen sich zu müde, wenn Sie so bleiben."

„Das ist richtig."

„Nicht wahr, adieu."

Sie entschlüpfte, beschämt und beglückt darüber, daß sie gekommen war. Nur die Unschuld wagt solche Kühnheit. Wissend berechnet auch die Tugend genau wie das Laster. Eugenie, die neben ihrem Vetter nicht gezittert hatte, konnte sich kaum auf den Füßen halten, als sie in ihrem Zimmer ankam. Plötzlich war es mit ihrem gedankenlosen Dahinleben vorbei; sie überlegte, sie machte sich tausend Vorwürfe. Was für eine Meinung wird er von mir bekommen? Er wird denken, daß ich ihn liebe. Just das war es, was sie am allermeisten wünschte, daß er denken möchte. Die echte Liebe weiß, ohne es gelernt zu haben, daß Liebe Liebe erzeugt. Welch ein Ereignis für dies einsame junge Mädchen, auf diese Weise heimlich zu einem jungen Mann gegangen zu sein. Und es gibt Gedanken und Handlungen, die in der Liebe bei manchen Seelen heiligen Verlöbnissen gleichkommen. Eine Stunde später ging sie zu ihrer Mutter hinein, und half ihr wie gewöhnlich beim Anziehen. Dann setzten sich beide an ihre Plätze vorm Fenster und warteten auf Grandet mit der Ängstlichkeit, die, je nach dem Charakter, einem kalt oder heiß macht, das Herz zusammenzieht oder flattern läßt, wenn man eine Szene, eine Strafe fürchtet. Diese Stimmung ist übrigens etwas so Natürliches, daß selbst die Haustiere sie bis zu dem Grade haben, daß sie bei dem kleinen Schmerz einer Abstrafung schreien, während sie ruhig sind, wenn sie sich aus Versehen weh tun. Der Alte kam herab, aber er sprach zerstreut mit seiner Frau, küßte Eugenie und setzte sich zu Tisch, augenscheinlich, ohne an seine Drohungen vom Abend vorher zu denken.

„Was macht denn mein Neffe? Der Junge stört uns nicht."

„Herr, er schläft", antwortete Nanon.

„Um so besser, dann braucht er keine Wachskerze", sagte Grandet im Ton eines Scherzes.

Diese ungewöhnliche Milde und spöttische Heiterkeit machte Frau Grandet betroffen, die ihren Mann sehr aufmerksam ansah. Der Alte nahm Hut und Handschuhe und sagte:

„Ich will zum Markt schlendern, um unsern Cruchot zu treffen."

„Eugenie, der Vater hat entschieden irgendwas." Es war so, daß Grandet, der wenig schlief, die Hälfte seiner Nächte zu vorläufigen Berechnungen benutzte, die seinen Ansichten, Bemerkungen und Plänen ihre erstaunliche Richtigkeit gaben und ihnen den beständigen Erfolg sicherten, über den sich die Saumuraner zu Tode wunderten. Alles menschliche Können ist eine Summe von Geduld und Zeit. Männer von Macht wollen und wachen. Das Leben des Geizhalses ist eine beständige Ausübung der Macht im Dienst der Person. Er verläßt sich nur auf zwei Gefühle: Eigenliebe und Eigennutz. Aber der Eigennutz ist gewissermaßen eine starke und wohlverstandene Eigenliebe, die beständige Bekundung einer tatsächlichen Überlegenheit, Eigenliebe und Eigennutz sind zwei Teile desselben Ganzen, des Egoismus. Daher kommt vielleicht das fabelhafte Interesse, daß die gut dargestellten Geizhälse erregen. Jeder hängt durch eine Faser mit diesen Menschen zusammen, die sich an alle menschlichen Gefühle heranmachen und sie alle zusammenfassen. Denn wo ist ein Mensch ohne Wunsch? und welcher Wunsch ließe sich in der Gesellschaft ohne Geld erfüllen? Grandet hatte in der Tat wirklich etwas, um den Ausdruck seiner Frau zu gebrauchen.

Er hatte, wie alle Geizhälse, das beständige Bedürfnis, mit den andern Menschen ein Spiel zu spielen, ihnen auf gesetzlichem Wege ihre Taler abzugewinnen. Andere auszunutzen, heißt das nicht, Macht ausüben, sich beständig das Recht geben, die zu verachten, die sich hienieden aus Schwäche auffressen lassen? Ach, wer hat das wohl recht verstanden, das Lamm, das zu den Füßen Gottes friedlich ausgestreckt liegt: das rührendste Sinnbild aller auf Erden Geopferten, das Sinnbild ihres Schicksals, mit einem Wort die verklärte Duldung und Schwäche? Dieses Lamm läßt der Geizhals fett werden, er mästet es, tötet es, brät es, verzehrt es und verachtet es. Die Nahrung der Geizhälse besteht aus Geld und Verachtung. Während der Nacht hatten die Ideen des Alten einen andern Kurs genommen: daher seine Milde. Er hatte sich ein Gewebe zurechtgelegt, um die Pariser zu foppen, um sie zu würgen, zu hetzen, zu kneten, sie kommen und gehen, schwitzen, hoffen, erbleichen zu lassen; er wollte sich über sie lustig machen, er, der ehemalige Böttcher, in der Tiefe seines grauen Saals, auf der wurmstichigen Treppe in seinem Haus in Saumur. Sein Neffe hatte ihn beschäftigt. Er wollte die Ehre seines toten Bruders retten, ohne daß es ihn oder seinen Neffen einen Pfennig kosten sollte. Sein Geld würde für drei Jahre festgelegt sein, ihm blieb nichts zu tun, als seine Güter zu verwalten; daher brauchte er Nahrung für seinen boshaften Tätigkeitsdrang, und die hatte er im Bankrott seines Bruders gefunden. Da er nichts anderes zwischen seinen Tatzen zum Zerquetschen fühlte, wollte er die Pariser kleinkriegen zum

Nutzen von Charles, und sich billig als vorzüglichen Bruder zeigen. Die Ehre der Familie war von so geringem Belang bei seinem Plan, daß sein guter Wille mit dem Bedürfnis der Spieler verglichen werden kann, auch ein Spiel gut spielen zu sehen, bei dem sie nicht mitspielen. Und da die Cruchots ihm nötig waren und er sie doch nicht aufsuchen wollte, hatte er beschlossen, sie zu sich kommen zu lassen und dann noch an diesem Abend die Komödie zu beginnen, zu der er soeben den Plan entworfen hatte, um am nächsten Tage, ohne daß es ihn einen Heller kostete, die Bewunderung seiner Stadt zu erregen. In der Abwesenheit ihres Vaters genoß Eugenie das Glück, sich offen mit ihrem geliebten Vetter beschäftigen und ohne Furcht die Schätze ihres Mitleids über ihn ausschütten zu können. Ist doch das Mitleid eine der wundervollen Überlegenheiten der Frau, die einzige, die sie fühlen lassen sollte und die sie dem Mann verzeiht, über ihn erringen zu dürfen. Drei- oder viermal ging Eugenie auf die Atemzüge ihres Vetters zu horchen, nachzusehen, ob er schlief, ob er wach war; dann, als er aufstand, mußte sie sich um den Rahm, den Kaffee, die Eier, das Obst, die Teller, das Glas, um alles, was zu seinem Frühstück gehörte, kümmern. Sie erklomm leichtfüßig die alte Treppe, um auf die Geräusche zu horchen, die ihr Vetter machte. Zog er sich an? Weinte er noch? Sie ging bis zu seiner Tür.

„Vetter!"

„Kusine!"

„Wollen Sie im Saal frühstücken oder in Ihrem Zimmer?"

„Wo Sie wollen!"

„Wie geht es Ihnen?"

„Ach, liebe Kusine, ich schäme mich, Hunger zu haben."

Diese Unterhaltung durch die Tür hindurch war für Eugenie eine ganze Romanhandlung.

„Nun, dann bringen wir Ihnen das Frühstück in Ihr Zimmer, damit mein Vater sich nicht ärgert."

Sie flog in die Küche hinab mit der Leichtigkeit eines Vogels.

„Nanon, mach doch sein Zimmer."

Diese Treppe, auf der sie so oft hinauf und herunter gegangen war, auf der man das kleinste Geräusch hörte, schien Eugenie den Charakter der Altersschwäche verloren zu haben; sie schien ihr hell, sie sprach zu ihr, sie war jung wie sie selbst, jung wie die Liebe, der sie diente. Und auch ihre Mutter, ihre gute nachgiebige Mutter, wollte gern den Wünschen ihrer Liebe Beistand leisten, und als Charles' Zimmer gemacht war, gingen sie alle beide, dem Unglücklichen Gesellschaft leisten; befahl die christliche Barmherzigkeit nicht, ihn zu trösten? Die beiden Frauen schöpften aus der Religion ein gut Teil kleiner Sophismen, um ihren verbotenen Wandel zu rechtfertigen. So sah sich Charles Grandet von der liebevollsten und innigsten Fürsorge umgeben. Sein bekümmertes Herz empfand lebhaft den Trost dieser milden Freundschaft, dieses seltenen Mitgefühls, das diese beiden stets unterdrückten Seelen im Augenblick, wo sie sich frei fühlten, zu entfalten wußten, hier im Bezirke der Leiden, ihrer natürlichen Sphäre. Durch ihre Verwandtschaft fühlte Eugenie sich berechtigt, die Wäsche und die Toilettengegen-

stände, die ihr Vetter mitgebracht hatte, zu ordnen, und sie konnte nach Herzenslust jede kostbare Spielerei, all die aus Silber und Gold gear-
beiteten Kinkerlitzchen bewundern, die ihr unter
die Hände kamen und die sie lange festhielt unter
dem Vorwand, sie zu überprüfen. Charles sah
nicht ohne tiefe Rührung die hochherzige An-
teilnahme, die ihm seine Tante und Kusine ent-
gegenbrachten, er kannte die Gesellschaft von
Paris gut genug, um zu wissen, daß er in seiner
Lage dort nur gefühllose und kalte Herzen gefunden hätte. Eugenie erschien ihm in dem ganzen Glanz ihrer eigenartigen Schönheit, jetzt bewunderte er ihr unschuldiges Benehmen, über
das er sich am ersten Abend lustig gemacht hatte.
Und als Eugenie Nanon den Steinguttopf mit
Kaffee und Rahm aus der Hand nahm, um mit
der ganzen Unbefangenheit ihrer Zuneigung ihrem
Vetter einzuschenken, wobei sie ihm einen freund-
lichen Blick zuwarf, da wurden die Augen des Parisers feucht; er ergriff ihre Hände und küßte sie.
„Aber was haben Sie denn wieder?" fragte sie.
„Ach, das sind Tränen der Dankbarkeit", antwortete er.
Eugenie wandte sich hastig zum Kamin um und
nahm die Leuchter.
„Nanon, hier, trag die fort", sagte sie.
Als sie ihren Vetter ansah, war sie zwar noch
rot, aber wenigstens konnten ihre Blicke lügen
und verrieten nicht die überschwängliche Freude,
die ihr Herz überflutete; aber beider Augen drückten das gleiche Gefühl aus, und ihre Seelen gaben
sich dem gleichen Gedanken hin: die Zukunft
gehörte ihnen.

Diese liebreiche Stimmung war um so köstlicher für Charles inmitten seines unendlichen Kummers, als sie so gar nicht erwartet war. Ein Hammerschlag rief die beiden Frauen an ihre Plätze zurück. Zum Glück konnten sie schnell genug die Treppe hinabeilen, um bei ihrer Arbeit zu sein, als Grandet hereinkam; wenn er sie im Treppenhaus getroffen hätte, so hätte das genügt, um seinen Argwohn zu erregen. Nach dem Frühstück, das der Alte im Stehen abmachte, kam der Waldhüter, dem seine versprochene Entschädigung noch nicht bezahlt worden war, aus Froidfond an und brachte einen Hasen, im Park geschossene junge Rebhühner, Aale und zwei Hechte, die die Müller abliefern mußten.

„Ei, sieh da! der gute Cornoiller kommt ja wie gerufen. Das wird schmecken, was?"

„Ja, lieber gnädiger Herr, das ist die Beute der letzten beiden Tage."

„Los, Nanon, hurtig!" sagte der Alte. „Nimm das hier zum Mittagessen heute; ich habe zwei Cruchots eingeladen."

Nanon riß die Augen auf und blickte im Kreis herum.

„So was!" sagte sie. „Aber wo soll ich Speck und Gewürze hernehmen?"

„Liebe Frau," sagte Grandet, „gib Nanon sechs Franken und erinnre mich daran, daß ich guten Wein aus dem Keller hole."

„Und nun, Herr Grandet,"' fing der Waldhüter wieder an, der seine Rede vorbereitet hatte und seine Gehaltsfrage zum Schluß bringen wollte, „Herr Grandet..."

„Ta ta ta ta," sagte Grandet, „ich weiß, was du

sagen willst; du bist ein guter Kerl: morgen wird sich das finden, ich bin zu beschäftigt heute. — Liebe Frau, gib ihm fünf Franken", sagte er zu Frau Grandet.

Er räumte das Feld. Die arme Frau war nur zu glücklich, mit elf Franken den Frieden erkaufen zu können. Sie wußte, das Grandet vierzehn Tage lang Ruhe geben würde, während er ihr auf diese Weise Stück für Stück ihr Geld wieder abnahm.

„Hier, Cornoiller," sagte sie und drückte ihm zehn Franken in die Hand, „später werden wir deine Dienste belohnen."

Cornoiller hatte nichts dagegen einzuwenden. Er zog ab.

„Madame", sagte Nanon, die ihre schwarze Haube aufgesetzt und ihren Korb genommen hatte, „ich brauche nur drei Franken, behalten Sie den Rest. Wirklich, es langt auch so."

„Mach uns ein gutes Essen, Nanon, mein Vetter wird herunterkommen", sagte Eugenie.

„Entschieden geht hier etwas Außergewöhnliches vor", sagte Frau Grandet. „Das ist erst das drittemal seit unserer Hochzeit, daß dein Vater ein Essen gibt."

Gegen vier Uhr, gerade als Eugenie und ihre Mutter den Tisch für sechs Personen gedeckt hatten und der Hausherr einige Flaschen von erlesenen Weinen heraufgeholt hatte, die Kleinstädter mit Liebe aufheben, erschien Charles im Saal. Der junge Mann war bleich. Seine Bewegungen, seine Haltung, seine Blicke und der Ton seiner Stimme besaßen eine Traurigkeit voll Anmut. Er spielte nicht den Schmerz, er litt wirklich und der Schleier, den das Leid über sein Gesicht breitete, gab ihm diesen interessanten Zug, der den Frauen so gut gefällt. Eugenie liebte ihn um so mehr. Vielleicht brachte ihn auch das Unglück ihr näher. Charles war nicht mehr der reiche schöne junge Mann in einer ihr unerreichbaren Sphäre, sondern ein Verwandter, der in schreckliche Not geraten war. Die Not gebiert Gleichheit. Die Frau hat das mit dem Engel gemein, daß ihr die Wesen gehören, die leiden. Charles und Eugenie verstanden sich und sprachen miteinander nur durch Blicke; denn der arme gestürzte Dandy, die Waise, setzte sich in eine Ecke und verhielt sich dort stumm, ruhig und stolz; doch von Zeit zu Zeit leuchtete der sanfte und liebreiche Blick seiner Kusine zu ihm hinüber und zwang ihn, seine traurigen Gedanken aufzugeben und mit ihr in die Gefilde der Hoffnung und der Zukunft zu enteilen, wo sie sich gerne mit ihm zusammen erging. Zu dieser Stunde regte sich die Stadt Saumur mehr über das Essen auf, zu dem Grandet die Cruchots eingeladen hatte, als am Abend vorher über den Verkauf seiner Ernte, der doch ein Hochverratsverbrechen gegen den Weinbau war. Wenn der weltkluge Winzer sein Essen in der Absicht gegeben hätte, die dem Hund des Alkibiades den Schwanz kostete, hätte er vielleicht ein großer Mann werden können; aber bei seiner Überlegenheit über die Stadt, die er fortwährend zum besten hatte, legte er kein Gewicht auf Saumur. Die Grassins erfuhren bald den gewaltsamen Tod und den wahrscheinlichen Bankrott des Vater von Charles: sie beschlossen, noch am selben Abend zu ihrem Klienten zu gehen, ihn in seinem Unglück ihre Teilnahme und Freundschaft zu zeigen und dabei in Erfahrung zu bringen, was für Gründe ihn bestimmt haben könnten, bei einer solchen Gelegenheit die Cruchots zum Essen einzuladen. Pünktlich um fünf Uhr erschienen der Präsident C. de Bonfons und sein Onkel, der Notar, vom Scheitel bis zur Sohle im Sonntagsstaat. Die Tischgenossen setzten sich und aßen hervorragend gut. Grandet war ernst, Charles schweigsam, Eugenie stumm, Frau Grandet sprach nicht mehr als gewöhnlich, so daß dies Essen ein wirkliches Trauermahl war. Als man sich von Tisch erhob, sagte Charles zu seiner Tante und seinem Onkel:

„Erlauben Sie mir, mich zurückzuziehen. Ich habe mit einer langen und traurigen Korrespondenz zu tun."

„Recht, lieber Neffe."

Als er weg war und der Alte annehmen durfte, daß er nichts mehr hören konnte und in seine Schreibereien vertieft sein würde, warf er seiner Frau einen heimlichen Blick zu:

„Frau Grandet, was wir zu besprechen haben, würde Latein für Sie sein, es ist halb acht, Sie sollten in die Klappe gehen. — Gute Nacht, meine Tochter."

Er küßte Eugenie und die beiden Frauen gingen hinaus. Jetzt begann die Szene, bei der Grandet wie zu keinem andern Zeitpunkt seines Lebens, die Geschicklichkeit ausnutzte, die er im Verkehr mit den Menschen erworben hatte und die ihm manchmal den Beinamen ‚alter Hund' von denen eintrug, denen er etwas zu grob das Fell gezaust hatte. Wenn der Bürgermeister von Saumur größeren Ehrgeiz besessen hätte und glücklichere Umstände ihn in die höheren Kreise der Gesellschaft geführt hätten und er zu den Kongressen geschickt worden wäre, wo man die Geschäfte der Nationen verhandelt, und wenn er da das Genie gezeigt hätte, das er für sein persönliches Interesse entfaltete, so ist kein Zweifel, daß er in rühmlicher Weise Frankreich genutzt haben würde. Doch ist es vielleicht ebenso wahrscheinlich, daß außerhalb von Saumur der Alte nur eine traurige Figur gespielt hätte. Vielleicht ist's hierin im Reich der Geister wie bei manchen Tieren, die nicht mehr zeugen können, wenn sie aus dem Klima verpflanzt werden, in dem sie geboren wurden.

„Herr P... P... P... räsident, Sie s... s... sagten, daß der B... B... Bank... k... krott..."

Das Gestammel, das der Alte seit so langer Zeit künstlich hervorbrachte, und das für natürlich galt, ebenso wie die Taubheit, über die er sich bei Regenwetter beklagte, wurde in diesem Gespräch so ermüdend für die beiden Cruchots, daß sie, während sie dem Winzer zuhörten, unbewußt Gesichter schnitten und Anstrengungen machten, wie wenn sie die Worte vollenden wollten, in die er sich zu seinem Vergnügen verhedderte. Hier ist es vielleicht am Platze, die Geschichte des Stotterns und der Taubheit von Grandet zu geben. Niemand in Anjou verstand besser und konnte deutlicher das Französisch dieser Provinz aussprechen als der durchtriebene Winzer. Nun war er früher einmal, trotz seiner Schlauheit, von einem Israeliten betrogen worden, der beim Verhandeln die Hand ans Ohr legte an Stelle eines Hörrohrs, unter dem Vorwand, so besser zu verstehen, und der so gut kauderwelschte beim Suchen nach Worten, daß Grandet, als Opfer seiner Menschlichkeit, sich verpflichtet fühlte, diesem boshaften Juden die Worte und Gedanken zu suggerieren, die der Jude zu suchen schien, selbst die Schlußfolgerungen des besagten Juden zu ziehen, zu sprechen, wie der verdammte Jude sprechen sollte, kurz der Jude und nicht Grandet zu sein. Für den Böttcher endete dieser wunderliche Zweikampf damit, daß er den einzigen Handel abschloß, den er im Lauf seines geschäftlichen Lebens bedauerte. Aber wenn er dabei in pekuniärer Hinsicht verloren hatte, so hatte er als moralischen Gewinn eine gute Lektion davongetragen, deren Früchte er später erntete. Und so kam der Alte dahin, den Juden zu segnen, der ihn die Kunst gelehrt hatte, den geschäftlichen Gegner ungeduldig zu machen, ihn damit zu beschäftigen, den Gedanken des andern auszudrücken und dabei beständig seinen eignen aus den Augen zu verlieren. Nun wohl, kein Geschäft verlangte mehr, als das gegenwärtige, das sich Taubstellen, das Stottern und die unbegreiflichen Umschweife, in die Grandet seine Gedanken einwickelte. Zunächst wollte er nicht die Verantwortlichkeit für seine Ideen übernehmen, ferner wollte er Herr seiner Worte bleiben und seine wahren Absichten im Zweifel lassen.

„Herr von B... B... B... onfons..."

Zum zweitenmal in drei Jahren nannte Grandet den Neffen Cruchot: „Herr von Bonfons."

Der Präsident durfte glauben, der arglistige Alte hätte ihn zum Schwiegersohn gewählt.

„S... S... Sie s... s... sa... sagten doch, daß B... Ba... Bank... krotte in g... g... gew... wissen F... F... Fällen v... v... ver-

hindert werden k... k... können, d... d...
urch..."

„Durch die Handelsgerichte selbst. Das kommt alle
Tage vor," sagte Herr von Bonfons, in dem er
den Gedanken des Vater Grandet ausdrückte oder
ihn zu erraten glaubte und ihn freundlich erklären wollte. „Hören Sie zu!"

„Ich h... hö... höre", antwortete der Alte bescheiden, indem er die boshafte Haltung eines
Kindes annahm, das innerlich über seinen Lehrer
lacht, während es ihm scheinbar die größte Aufmerksamkeit schenkt.

„Wenn ein achtbarer und angesehener Mann, wie
es z. B. Ihr verstorbener Herr Bruder in Paris
war..."

„M... m... mein Bruder, ja..."

„von einer Zahlungsunfähigkeit bedroht wird..."

„D... d... das n... n... nennt man Z... Za...
Za... ahlungsunfähigkeit?..."

„Jawohl. Wenn sein Bankrott bevorsteht, so ist
das Handelsgericht, dem er unterworfen ist (folgen Sie genau), berechtigt, durch einen Gerichts-
spruch in seinem Geschäftshaus Liquidatoren zu
ernennen. Liquidieren ist nicht Bankrott machen,
verstehen Sie? Wenn jemand Bankrott macht, ist
er entehrt, aber wenn er liquidiert, bleibt er ein
ehrlicher Mann."

„D... as ist ein g... gr... großer Untersch...
sch... schied, wenn d... d... das nicht mehr
k... k... kostet", sagte Grandet.

„Aber eine Liquidation kann man auch herbei-
führen, selbst ohne die Hilfe des Handelsgerichts.
Denn", sagte der Präsident, indem er eine Prise Tabak schnupfte, „wie wird ein Bankrott erklärt?"

„Ja, ich habe niemals darüber nach... ge...
ge... dacht", antwortete Grandet.

„Erstens," versetzte der Richter, „durch die De-
ponierung der Bilanz in der Gerichtskanzlei durch
den Kaufmann selbst oder durch seinen regel-
recht eingetragenen Bevollmächtigten. Zweitens
auf das Nachsuchen des Gläubigers hin. Nun
wohl, wenn der Kaufmann die Bilanz nicht
deponiert und wenn kein Gläubiger vom Ge-
richtshof ein Urteil erwirkt, das den besagten
Kaufmann als bankrott erklärt, was geschieht
dann?"

„Ja, w... w... was dann?"

„Dann liquidiert die Familie des Verstorbenen,
seine Vertreter, seine Erben, oder der Kaufmann
selbst, wenn er nicht tot ist, oder seine Freunde,
wenn er sich verbirgt. Vielleicht wollen Sie die
Geschäfte Ihres Bruders liquidieren?" fragte der
Präsident.

„Ach, Grandet," rief der Notar aus, „das wäre
schön. Es gibt noch Ehrgefühl bei uns tief in der
Provinz. Wenn Sie Ihren Namen retten, denn es
ist ja Ihr Name, wären Sie..."

„Erhaben!" fiel der Präsident seinem Onkel ins
Wort.

„S... S... Sicherlich," versetzte der alte Winzer; „m... mein B... Bruder h... h... hieß
Grandet, s... sso w... wie i... i... ich. D...
das ist s... s... sicher und g... g... gewiß. I...
i... ich sage nicht n... n... nnein. U... u...
und diese L... L... Liquidation würde auf alle
F... F.... Fälle und in j... j... jeder B...
Be... Beziehung s... s... sehr v,,. vorteilhaft
im I... Interesse meines N... N... Neffen sein,

den ich g... g... gern habe. Aber man muß
überlegen. Ich k.. k... kkenne nicht die Schelme
von Paris. I... ich bin in Sau... Saumur, s...
sehen Sie. Meine Ableger, meine G... G...
Gräben und k... kurzum, ich habe hier z... zu
t... tun. Ich habe noch nie W... W... Wechsel
ausgestellt. Was ist das, ein Wechsel? Ich habe
v... v... viele be... be... bekommen, aber nie
welche gez... z... zeichnet. Die werden eink...
kassiert, die w... w... werden d... d... diskon-
tiert. Das ist a... a... alles, was ich w...
weiß. Ich habe s... s... sagen hören, d...d...
daß man W...W... Wechsel z... zurückk...
kaufen k... könnte?"
„Jawohl", sagte der Präsident. „Man kann Wechsel
auf der Börse erwerben, vermittels so und soviel
Prozent. Verstehen Sie?"
Grandet machte ein Hörrohr aus seiner Hand,
legte sie ans Ohr, und der Präsident wiederholte
ihm den Satz.
„Aber," antwortete der Winzer, „k... kommt
man d... denn auf seine K... K... Kosten, bei
dem allen? I... i... ich w... weiß nichts in
meinem Alter von allen d... diesen S... S...
Sachen. Ich m... muß hier b... b... bleiben,
um über m... mein K... K... Korn zu wa...
wachen. Das K... Korn häuft sich und mit K...
K... Korn be... be... bezahlt man. V... vor allem
m... muß man über der Ernte w... wachen.
Ich habe w... wichtige und in... in... teres-
sante Ge... Ge... Geschäfte in Froidfond. Ich
k... könnte nicht m... mein Haus verlassen, wegen allen T... Teu... Teufeln von V... Verz...
zzzwwick... k... ktheiten, von denen ich n...

nichts v... v... verstehe. Sie s... sagten, daß
ich, um zu l... l... liquidieren, um die Bankrotterklärung zu verhinden, in Paris sein müßte.
Man kann nicht z... z... zugleich an z... z...
zwei Orten s... sein, wenn m... man k... kein
V... Vö... Vöglein ist...:"
„Ich verstehe Sie!" rief der Notar aus. „Nun
wohl. mein alter Freund, Sie haben Freunde, alte
Freunde, die fähig sind, ein Opfer für Sie zu
bringen..."
Los, also, dachte der Winzer bei sich, entschließen Sie sich schon!
„Und wenn jemand nach Paris reiste, dort den
stärksten Gläubiger Ihres Bruders Guillaume auf-
suchte und zu ihm sagte..."
„M... M... Moment, halt," versetzte der Alte,
„ihm — was? sagte. Irgendw... was, s... so wie
d... dies: ‚Herr Grand... det von Saumur hier,
Herr Grandet von Saumur da. Er liebt seinen
Bruder, er liebt seinen N... Neffen. Grandet ist
ein guter O... oonkel, er hat sehr gute Absichten. Er hat seine E... E... Ernte gut verkauft.
Erklären Sie nicht den B... Bankrott, versammeln Sie sich, ernennen Sie L... L... Liquidatoren. D... dann wird Grandet z... z... zus...
sehen. Für Sie w... w... wird es viel v... vor-
teilhafter sein, zu liquidieren, als die Leute vom
Gericht die Na... ase reinstecken zu l... lassen.'
So? nicht wahr?"
„Ganz richtig", sagte der Präsident.
„Denn, nicht wahr, Herr von Bon... Bon...
Bonfons, man muß überlegen, ehe man sich
ent... ent... scheidet. Wer nicht k.. k...
kann, k... kann nicht. Bei jedem sch... schwie-

rigen Ge... Geschäft, muß man, um sich nicht zu ruinieren, die Hilfsmittel und die Verpflichtungen kennen. Wie, nicht wahr?"

„Ganz gewiß", sagte der Präsident. „Ich für meine Person bin der Ansicht, daß im Lauf von ein paar Monaten man die Schuldforderungen zurückkaufen könnte, für eine gewisse Summe und alle auf einmal nach Übereinkunft bezahlen. Ja, ja, man lockt die Hunde weit, wenn man ihnen eine Wurst zeigt. Wenn keine Bankrotterklärung stattgefunden hat und Sie die Schuldscheine in Händen halten, sind Sie weiß, wie Schnee..."

„Wie Sch... Sch... Schnee?" wiederholte der Alte und machte wieder ein Hörrohr mit der Hand. „Ich verstehe nicht den Sch... Schn... Schnee..."

„Aber," schrie der Präsident, „so hören Sie doch nur!"

„Ich hö... hö... höre..."

„Ein Wechsel ist eine Ware, die ihre Hausse und ihre Baisse haben kann. Das ist eine Deduktion von der Lehre Jeremias Benthams über den Wucher. Dieser Publizist hat bewiesen, daß das Vorurteil, das die Wucherer ächtete, eine Dummheit ist."

„Donner!" sagte der Alte.

„In Erwägung dessen, daß im Prinzip nach Bentham das Geld eine Ware ist und das, was das Geld repräsentiert, gleicherweise Ware wird," fuhr der Präsident fort, „in Erwägung dessen, daß es bekannt ist, daß, gemäß den gewöhnlichen Veränderlichkeiten, von denen die Geschäftslage beherrscht wird, die Wechsel-Ware, die diese oder jene Signatur trägt, wie dieser oder jener Artikel, an der Börse reichlich vorhanden ist oder fehlt, daß sie teuer ist oder auf Nichts fällt, befiehlt das Gesetz — (ach, bin ich dumm, Verzeihung) bin ich der Meinung, daß Sie Ihren Bruder mit fünfundzwanzig Prozent zurückkaufen können."

„Sie n... n... nennen Je... Je... Je... Jeremias Ben...?"

„Bentham, ein Engländer."

„Dieser Jeremias erspart uns viele Klagen im Geschäftsleben", sagte der Notar lachend.

„Diese Engländer haben m... m... manchmal ge... ge.. gesunden Menschenverstand", sagte Grandet. „Also wenn n... n... nach Ben... Ben... Ben... Bentham die Wechsel meines Bruders etwas w... w... wert sind..., nichts wert sind! Wenn, s... s... sage ich nur, nicht wahr? Das scheint mir klar. Die Gläubiger würden... nein... würden nicht... Ich v... v... ver... stehe..."

„Lassen Sie mich Ihnen das alles erklären", sagte der Präsident. „Billigerweise schulden, wenn Sie alle Schuldverschreibungen des Hauses Grandet besitzen, Ihr Bruder oder seine Erben niemandem etwas. Gut."

„Gut", wiederholte der Alte.

„Desgleichen, wenn die Wechsel Ihres Bruders an der Börse gehandelt werden (gehandelt werden; verstehen Sie den Ausdruck wohl?) mit soundso viel Prozent Verlust, wenn einer Ihrer Freunde hingereist wäre, wenn er sie zurückgekauft hätte, wobei die Gläubiger ja durch keinen Gewaltakt gezwungen waren, sie herauszugeben, so ist die Hinterlassenschaft des verstorbenen Pariser Grandet rechtmäßigerweise schuldenfrei."

„Das stimmt, G... G... Geschäft ist Geschäft",

sagte der Böttcher. „Das zuge... ge... geben...
Aber, trotzdem, Sie v... v... ver... verstehen,
daß d... d... das schw... sch... schwierig ist.
Ich... ich... ich habe kein G... Geld noch Zeit,
noch Zeit... noch..."

„Jawohl, Sie können sich nicht stören lassen. Nun
gut, ich biete mich an, nach Paris zu gehen. Sie
ersetzen mir die Reise, das ist eine Kleinigkeit.
Ich sehe dort die Gläubiger, spreche mit ihnen,
erwirke Prolongation und alles kommt in Ordnung mit Hilfe eines Zahlungszuschlags, den Sie
dem Wert der Liquidationsmasse hinzufügen, um
in den Besitz der Schuldscheine zu kommen."

„Nun, d... d... das wird sich f... f... finden.
Ich k... k... kann nicht, ich... ich... ich will
nicht mich v... v... verpflichten ohne... ohne
zu... Wer... wer... wer nicht kann, kann nicht.
S... S... Sie verstehen?

„Das ist in der Ordnung."

„Mir p... p... p... platzt der Kopf davon, w...
w... wie Sie da l... l... losge... ge... legt
ha... haben. Das ist das er... erste M... Mal in
meinem Leben, daß ich ge... ge... genötigt bin,
darüber n... n... nachzudenken, wie..."

„Natürlich, Sie sind kein Jurist."

„Ich... ich... bin ein ar...mer Winzer und v...
v... verstehe nichts von dem, was Sie so... so...
soeben gesagt haben; ich m... m... muß d...
d... das studieren."

„Nun gut", fuhr der Präsident fort und setzte
sich auf, wie um die Unterredung zusammenzu-
fassen."

„Neffe!" — unterbrach ihn der Notar in vorwurfs-
vollem Ton.

„Na, was denn? Onkel!" antwortete der Präsident.
„Laß doch Herrn Grandet dir seine Absichten erklären. Es handelt sich in diesem Augenblick um
einen wichtigen Auftrag. Unser lieber Freund muß
ihn aufs genaueste auseinander..."
Ein Hammerschlag, der die Familie des Grassins
ankündigte, ihr Eintreten und ihre Begrüßung
verhinderten Cruchot, seinen Satz zu vollenden. Der
Notar war zufrieden mit dieser Unterbrechung;
Grandet sah ihn bereits schief an und sein Geschwür verriet einen innern Sturm. Aber erstens
fand es der kluge Notar nicht passend für einen
Gerichtspräsidenten der ersten Instanz, nach Paris
zu fahren, um da Gläubiger zur Kapitulation zu
zwingen und Handreichungen bei Börsenränken
zu leisten, die die Gesetze der strengen Rechtlichkeit verletzten; da er ferner noch nicht bemerkt
hatte, daß es den Vater Grandet im geringsten an-
wandelte, etwas zu bezahlen, was immer es sei,
zitterte er instinktiv davor, seinen Neffen an diesem Geschäft beteiligt zu sehen. Er benutzte daher den Moment, wo die des Grassins hereinkamen,
um den Präsidenten beim Arm zu nehmen und
ihn in die Fensternische zu ziehen.
„Du hast dich vollkommen genügend heraus-
gestellt, Neffe, aber nun genug von Aufopferungen
dieser Art. Der Wunsch, das Mädchen zu kriegen,
macht dich blind. Zum Teufel, man muß nicht
vorgehen wie eine Krähe, die Nüsse herunter wirft.
Laß mich jetzt das Schiff steuern, unterstütze du le-
diglich das Manöver. Ist das etwa deine Sache, deine
Richterwürde bloßzustellen in einer solchen..."
Er sprach nicht weiter; er hörte Herrn des Grassins, der dem alten Böttcher die Hand drückte,

sagen: „Grandet, wir haben das schreckliche Unglück erfahren, das Ihrer Familie zugestoßen ist, den Unstern des Handelshauses Guillaume Grandet und den Tod Ihres Bruders; wir kommen, um Ihnen unsre ganze Teilnahme an diesem traurigen Ereignis auszusprechen."

„Ein beispielloses Unglück", unterbrach der Notar den Bankier, „ist der Tod des Herrn Grandet junior. Und er würde sich nicht getötet haben, wenn ihm die Idee gekommen wäre, seinen Bruder zu Hilfe zu rufen. Unser alter Freund, der Ehrgefühl bis in die Fingerspitzen hat, beabsichtigt, die Schulden des Hauses Grandet in Paris zu liquidieren. Mein Neffe, der Präsident, hat sich erboten, um ihm die Verdrießlichkeiten einer so ganz juristischen Angelegenheit zu ersparen, auf der Stelle nach Paris zu reisen, um sich mit den Gläubigern zu vergleichen und sie in angemessener Weise zu befriedigen."

Diese Worte, die durch die Haltung des Winzers, der sich das Kinn rieb, bestätigt wurden, waren eine ungeheure Überraschung für die drei des Grassins, die unterwegs nach Kräften über Grandets Geiz hergezogen waren und ihn fast eines Brudermords beschuldigt hatten.

„Ach, ich wußte es wohl!" rief der Bankier aus und sah seine Frau an. „Was sagte ich unterwegs zu dir, Frau des Grassins? Grandet hat Ehrgefühl bis in die Haarspitzen, er duldet nicht, daß sein guter Name den leisesten Stoß empfängt. Geld ohne Ehrgefühl ist eine Krankheit. Es gibt noch Ehrgefühl bei uns in der Provinz! Das ist schön, sehr schön, Grandet. Ich bin ein alter Soldat, ich kann meine Gedanken nicht einkleiden, ich sage sie derb heraus, das ist, Kreuzdonnerwetter, das ist erhaben!"

„A... a... aber ddas Er... er... erhab... habne ist sehr t... t... teuer", antwortete der Alte, während der Bankier ihm warm die Hand schüttelte.

„Doch das ist, mein guter Grandet, mit Verlaub des Herrn Präsidenten," fuhr des Grassins fort, „eine rein geschäftliche Angelegenheit und braucht einen gewiegten Kaufmann. Da muß man sich doch auskennen mit den Rückwechseln, Vorschüssen, Zinsberechnungen. Ich muß in eignen Geschäften nach Paris und könnte es daher übernehmen, die..."

„Wir würden dann v... v... versuchen, uns b... b... beide über die relativen M... M... Möglichkeiten zu verständigen, und zwar ohne mich zu v... v... ver... verpflichten zu irgend etwas, was i... i... ich nicht tun m... m... möchte," sagte Grandet stotternd; „denn wissen Sie, der Herr Präsident verlangt natürlicherweise die Kosten seiner Reise von mir."

Der Alte stotterte diese letzten Worte nicht.

„Na aber," sagte Frau des Grassins, „das ist doch ein Vergnügen, in Paris zu sein. Ich für meinen Teil würde gern etwas zahlen, um hinreisen zu können."

Und sie gab ihrem Mann ein Zeichen, wie um ihn zu ermutigen, ihren Gegnern diesen Auftrag wegzufischen, koste es, was es wolle; darauf sah sie sehr ironisch zu den beiden Cruchots hin, die kläglich dreinschauten. Grandet aber ergriff den Bankier an einem Knopf seines Rockes und zog ihn in eine Ecke:

„Ich habe viel mehr Vertrauen zu Ihnen als zum

Präsidenten," sagte er zu ihm; „und es steckt noch etwas hinter dem Busch", fügte er hinzu und bewegte sein Geschwür. „Ich will mich auf Staatsrenten verlegen, ich will für einige tausend Franken Renten kaufen lassen und nicht mehr als achtzig Franken geben. Diese Geschichte fällt gegen Ende des Monats, sagt man? Sie kennen sich darin aus, nicht wahr?"

„Weiß Gott! Ich soll also einige tausend Franken Rente für Sie erstehen...?"

„Ist nicht viel für den Anfang. Halt noch! Ich will dies Spiel spielen, ohne daß man irgend etwas davon erfährt. Sie können einen Kauf für mich abschließen für Ende des Monats; aber sagen Sie nichts den Cruchots davon, das würde sie ärgern. Da Sie ja nach Paris gehen, können wir da gleichzeitig für meinen armen Neffen zusehen, welche Farbe Trumpf ist."

„Gut, abgemacht. Ich reise morgen mit der Post", sagte laut Herr des Grassins, „und ich werde mir Ihre letzten Instruktionen holen, um... um wieviel Uhr?"

„Um fünf Uhr, vor dem Essen", sagte der Winzer und rieb sich die Hände.

Die beiden Parteien standen sich noch einige Minuten gegenüber. Nach einer Pause sagte des Grassins und schlug Grandet auf die Schulter:

„Das ist fein, wenn man solche guten Verwandten hat."

„Ja, ja," antwortete Grandet, „ohne daß es so scheint, bin ich ein guter O...O...Onkel. Ich liebte meinen Bruder, und ich werde es auch beweisen, wenn... wenn... die K...K...Kosten nicht...“

„Wir wollen gehen, Grandet", sagte der Bankier zu ihm und unterbrach ihn glücklicherweise ehe er seinen Satz vollendete. „Wenn ich meine Abreise beschleunige, muß ich noch einige Sachen in Ordnung bringen."

„Gut, gut. Ich selbst will mich, d... d... dem zu Liebe, was Sie w... w... wissen, i... i... in mein Be... Be... Beratungszimmer, wie Präsident Cruchot sagt, z... z... zurückziehen."

Teufel! ich bin nicht mehr Herr von Bonfons, dachte trübselig der Präsident und bekam einen Gesichtsausdruck wie ein Richter, den ein Plädoyer verdrießt.

Die Häupter der beiden rivalisierenden Familien gingen zusammen fort. Sie dachten nicht mehr an den Verrat, den Grandet am Morgen gegen das weinbauende Land verübt hatte; sondern sie forschten sich gegenseitig aus, aber vergeblich, um herauszukriegen, was der andre über die wirklichen Absichten des Alten in dieser neuen Angelegenheit dachte.

„Kommen Sie mit uns zu Frau d'Orsonval?" sagte des Grassins zum Notar.

„Wir wollen später hingehen", antwortete der Präsident. „Wenn's meinem Onkel recht ist, habe ich Fräulein von Gribeaucourt versprochen, ihr auf einen Sprung guten Abend zu sagen, und wir gehen zuerst dahin."

„Dann auf Wiedersehen, meine Herren", sagte Frau des Grassins.

Kaum daß die des Grassins ein paar Schritt von den beiden Cruchots entfernt waren, sagte Adolph zu seinem Vater:

„Die haben 'ne schöne Stinkwut, was?"

„Halt doch den Mund, Junge," antwortete ihm seine Mutter, „sie können uns noch hören. Übrigens ist dein Ausdruck nicht geschmackvoll, rechter Studentenjargon."

„Na, lieber Onkel," rief der Richter aus, als er die des Grassins weit genug weg sah, „da habe ich damit angefangen, der Präsident von Bonfons zu sein und aufgehört ganz einfach als ein Cruchot."

„Ich hab' wohl gemerkt, daß dich das geärgert hat, aber der Wind blies für die des Grassins. Bist du dumm, mit all deinem Geist! Laß du sie nur sich einschiffen auf ein ‚Das-wird-sich-finden' vom alten Grandet hin und sei ganz ruhig, mein Junge: Eugenie wird deshalb doch deine Frau."

In wenigen Minuten verbreitete sich die Nachricht von dem hochherzigen Entschluß Grandets in drei Häusern zugleich, und es war in der ganzen Stadt von nichts anderm die Rede, als von dieser brüderlichen Aufopferung. Jedermann verzieh Grandet den Verkauf, den er unter Verachtung des Ehrenworts abgeschlossen hatte, das die Weinbergsbesitzer einander gegeben, und rühmte den Edelmut, den man ihm nicht zugetraut hatte. Es liegt im französischen Charakter, sich zu begeistern, sich zornig zu ereifern, sich leidenschaftlich einzusetzen für den Meteor des Augenblicks, für die Seifenblasen des Tages. Sollten die Kollektivwesen, die Völker kein Gedächtnis haben?

☆

ALS VATER GRANDET DIE HAUSTÜR VER-
schlossen hatte, rief er Nanon:
„Mach nicht den Hund los und geh nicht schlafen. Wir haben zusammen was zu tun. Um 11 Uhr
soll Cornoiller vor meiner Tür sein mit der Kutsche
von Froidfond. Paß ihm auf, damit er nicht
klopft, und sag ihm, er soll ganz sacht eintreten.
Die Polizeivorschriften verbieten nächtliche Ruhe-
störung. Außerdem braucht das Haus nicht zu
wissen, daß ich verreise."
Darauf stieg Grandet in sein Laboratorium, wo
Nanon ihn rumoren, stöbern, gehen und kommen
hörte, aber behutsam. Augenscheinlich wollte er
Frau und Tochter nicht wecken und vor allem ja
nicht die Aufmerksamkeit seines Neffen erregen,
den er geradezu verwünscht hatte, als er Licht in
seinem Zimmer bemerkte. Mitten in der Nacht
glaubte Eugenie, die sich ausschließlich mit ihrem
Vetter beschäftigte, den Klagelaut eines Sterben-
den zu hören, und für sie war dieser Sterbende
Charles; er hatte sie so bleich, so verzweifelt verlassen, vielleicht hatte er sich etwas angetan.
Schnell warf sie eine Art Pelerine mit Kapuze
um und wollte hinausgehen. Da jagte ihr ein heller Lichtschein, der durch die Ritzen ihrer Tür
drang, Furcht vor Feuer ein; aber gleich darauf
wurde sie beruhigt, als sie die schweren Schritte
von Nanon hörte und außer ihrer Stimme das Ge-
wieher von mehreren Pferden.
„Sollte mein Vater meinen Vetter entführen?"
sagte sie zu sich selbst und öffnete die Tür vorsichtig genug, sie am Knarren zu verhindern, aber
so, daß sie sehen konnte, was im Flur vor sich ging.
Plötzlich traf ihr Auge das ihres Vaters, dessen

Blick, obwohl er ganz ziellos und unbekümmert war, sie vor Schreck erstarren ließ. Der Alte und Nanon waren durch einen großen Knüttel verbunden, dessen Enden auf ihrer rechten Schulter ruhten und der ein Seil trug, an dem ein Tönnchen befestigt war, ähnlich denen, die Vater Grandet zu seinem Vergnügen in müßigen Augenblicken in seiner Werkstatt verfertigte.

„Heilige Jungfrau! drückt das, Herr!" sagte Nanon mit leiser Stimme.

„Jammer, daß es nur Zwei-Sous-Stücke sind", erwiderte der Alte. „Gib acht, daß du nicht den Leuchter umstößt."

Diese Szene wurde nur durch ein Talglicht erhellt, das zwischen zwei Stäbe des Treppengeländers gestellt war.

„Cornoiller," sagte Grandet zu seinem Waldhüter in partibus, „hast du deine Pistolen mit?"

„Nein, Herr! Donnerkiel, was gibt's denn für Ihre Zwei-Sous-Stücke zu fürchten?"

„Ach, nichts", sagte Vater Grandet.

„Außerdem fahren wir schnell", versetzte der Waldhüter. „Ihre Pächter haben die besten Pferde für Sie genommen."

„Gut, gut. Du hast ihnen nicht gesagt, wohin ich gehe?"

„Ich wußt's ja nicht."

„Gut. Ist der Wagen stark?"

„Der, gnädiger Herr? Na, ich glaub's, der kann dreitausend tragen. Was wiegen die denn, Ihre verdammten Fäßchen?"

„Donner," sagte Nanon, „ich weiß es als! Bald an die achtzehnhundert."

„Wirst du den Mund halten, Nanon. Du sagst

meiner Frau, ich bin aufs Land gegangen, ich würde zum Essen zurück sein. Fahr zu Cornoiller, müssen in Angers vor neun Uhr ankommen."

Der Wagen fuhr ab. Nanon verriegelte das große Tor, machte den Hund los, legte sich mit ihrer geschundenen Schulter zu Bett, und niemand im Viertel ahnte die Abreise Grandets, noch das Ziel seiner Fahrt. Der Alte war vollkommen verschwiegen. Kein Mensch sah je einen Sou in diesem Haus voll Gold. Als er am Morgen aus den Hafengesprächen erfahren hatte, daß infolge von zahlreichen Rüstungen in Nantes das Gold ums doppelte gestiegen war, und daß Spekulanten in Angers angekommen waren, um welches zu kaufen, konnte es der alte Winzer ermöglichen, dadurch, daß er sich bei seinen Pächtern Pferde lieh, sein Gold dort zu verkaufen und so die für den Rentenkauf nötige Summe in Wechseln vom Generalschatzmeister auf den Staatsschatz zurückzubringen, vermehrt um das Agio.

„Mein Vater ist fort", sagte Eugenie, die oben auf der Treppe alles gehört hatte. Das Schweigen im Haus war wiederhergestellt, und das ferne Rollen des Wagens, das nach und nach aufhörte, hallte schon nicht mehr durch das schlafende Saumur. In diesem Augenblick vernahm Eugenie mit dem Herzen, noch ehe sie ihn mit dem Ohr hörte, einen Klagelaut, der die Wände durchbrach und aus dem Zimmer ihres Vetters kam. Ein Lichtstreifen, fein wie die Schneide eines Säbels, drang durch die Spalte der Tür und durchschnitt horizontal das Geländer der alten Treppe.

„Er leidet", sagte Eugenie und erklomm zwei Stufen.

Ein zweites Stöhnen brachte sie bis zum Treppen-absatz des Zimmers. Die Tür war angelehnt, sie stieß sie auf. Charles schlief, den Kopf von außen an den alten Sessel gelehnt; seine Hand hatte die Feder fallen lassen und berührte fast den Boden. Die stoßweise Atmung, die durch die Körperlage des jungen Mannes bedingt war, erschreckte Eugenie, und sie ging rasch hinein.

„Er muß sehr müde geworden sein", sagte sie sich, als sie etwa zehn versiegelte Briefe sah. Sie las die Adressen darauf: An die Herren Farry, Breilmann & Co., Wagenmacher. – An Herrn Buisson, Schnei-dermeister usw.

Sicher hat er alle seine Angelegenheiten geordnet, um Frankreich bald verlassen zu können, dachte sie.

Ihre Augen fielen auf zwei offene Briefe. Die Worte, mit denen der eine begann, „Meine liebe Annette", riefen einen Schwindel bei ihr hervor. Ihr Herz klopfte, ihre Füße waren am Boden wie angenagelt.

Seine liebe Annette! Er liebt, er wird geliebt. Keine Hoffnung mehr ... Was schreibt er ihr?

Das waren die Gedanken, die ihr durch den Kopf und durchs Herz gingen. Sie las jene Worte über-all, selbst auf dem Fußboden, in Flammenschrift. Schon auf ihn verzichten müssen! Nein, ich will diesen Brief nicht lesen. Ich muß weggehen. Ob ich ihn doch lese?

Sie sah zu Charles hin, nahm sanft seinen Kopf, legte ihn auf die Lehne des Sessels, und er ließ es mit sich geschehen, wie ein Kind, das selbst im Schlaf seine Mutter erkennt, und ohne aufzu-wachen sich ihre Sorgfalt und ihre Küsse gefallen läßt. Wie eine Mutter hob sie die herabhängende Hand auf, und wie eine Mutter küßte sie leise sein Haar. „Liebe Annette!" Ein Dämon rief ihr diese Worte ins Ohr.

„Ich weiß, daß es vielleicht unrecht ist, aber ich muß diesen Brief lesen", sagte sie.

Eugenie wandte den Kopf ab, denn ihre vornehme Gesinnung schalt sie. Zum erstenmal in ihrem Leben standen sich das Gute und das Böse in ihrem Herzen gegenüber. Bis dahin hatte sie nie über eine Handlung zu erröten gebraucht. Die Leidenschaft, die Neugierde rissen sie fort. Bei jedem Satz hob sich ihr Herz höher, und die prickelnde Glut, die während dieser Lektüre sie in Erregung versetzte, ließ sie die Freuden der ersten Liebe noch süßer empfinden.

„Meine liebe Annette, nichts hätte uns trennen sollen, außer dem Unglück, das mich befallen hat und das keine menschliche Weisheit hatte voraussehen können. Mein Vater hat sich getötet, sein Vermögen und meines ist vollständig verloren. Ich bin Waise in einem Alter, in dem ich bei der Art meiner Erziehung noch als Kind gelten könnte; und ich muß mich nichtsdestoweniger als ein Mann aus dem Abgrund erheben, in den ich gestürzt bin. Ich habe eben einen Teil dieser Nacht dazu gebraucht, meine Berechnungen zu machen. Wenn ich Frankreich als Ehrenmann verlassen will, und das ist selbstverständlich, behalte ich nicht hundert Franken, um in Indien oder Amerika neu zu beginnen. Ja, meine arme Annette, ich gehe, mein Glück unter den mörderischen Klimaten zu suchen. Unter jenen Himmeln, hat man mir gesagt, ist das Glück sicher und schnell. Was ich in Paris sollte, wüßte ich nicht. Weder mein Herz noch mein Gesicht ist dazu geschaffen, die Beleidigungen, die Kälte, die Verachtung zu ertragen, die einen ruinierten Mann erwarten, den Sohn eines Bankrotteurs! Lieber Gott! Zwei Millionen Schulden!... Ich würde da in der ersten Woche im Duell getötet werden. So werde ich nicht dahin zurückkehren. Deine Liebe, die zärtlichste und hingebendste Liebe, die jemals ein menschliches Herz geadelt hat, könnte mich nicht hinziehen. Ach, meine Vielgeliebte, ich habe nicht genug Geld, um dahin zu gehen, wo Du bist, um einen letzten Kuß zu geben und zu empfangen, einen Kuß, aus dem ich die Kraft schöpfen würde, die für mein Unternehmen nötig ist..."

„Armer Charles, gut, daß ich es las. Ich habe Gold, ich werde es ihm geben", sagte Eugenie.

Sie setzte ihre Lektüre fort, nachdem sie sich die Tränen abgewischt hatte.

„Ich hatte nie zuvor an die Leiden der Armut gedacht. Wenn ich die zur Überfahrt unerläßlichen hundert Louis habe, werde ich nicht einen Sou übrig behalten, um mir eine Ladung auszurüsten. Aber nicht doch, ich werde weder hundert Louis noch einen Louis haben, ich weiß nicht, was mir an Geld bleibt nach der Regelung meiner Schulden in Paris. Wenn ich nichts behalte, werde ich ruhig nach Nantes gehen, ich werde mich dort als einfacher Matrose einschiffen und da unten anfangen, wie Männer von Energie angefangen haben, die in ihrer Jugend keinen Pfennig hatten und reich aus Indien zurückgekommen sind. Seit heute morgen fasse ich mein Schicksal kaltblütig ins Auge. Es ist für mich schrecklicher als für

jeden andern, für mich, der ich von einer Mutter verhätschelt wurde, die mich vergöttert hat, von dem besten der Väter geliebt wurde, und der ich bei meinem Eintritt in die Gesellschaft der Liebe einer Anna begegnet bin! Ich hatte nur die Blumen des Lebens kennengelernt: dies Glück konnte nicht dauern. Ich habe nichtsdestoweniger, meine liebe Annette, mehr Mut, als man einem sorglosen jungen Mann zutraut, noch dazu einem jungen Mann, der an die Liebkosungen der entzückendsten Frau von Paris gewöhnt ist, den die Freuden eines Heims gewiegt haben, in dem ihn alles anlächelte, und dessen Wünsche Gesetze waren für einen Vater — ach, mein Vater, Annette, er ist tot ... Nun wohl, ich habe über meine Lage nachgedacht und habe auch über die Deine nachgedacht. Ich bin viel älter geworden in vierundzwanzig Stunden. Liebe Anna, wenn Du, um mich bei Dir zu behalten, in Paris, auf alle Genüsse Deines Luxus verzichten würdest, auf Deine Garderobe, Deine Loge in der Oper, so würden wir doch noch nicht den Betrag der notwendigsten Ausgaben für mein nun einmal den Zerstreuungen gewidmetes Leben erreichen; und ich könnte solche Opfer nicht annehmen. Wir scheiden also heute für immer voneinander."
Er nimmt Abschied von ihr, Heilige Jungfrau! welch Glück!
Eugenie tat einen Freudensprung. Charles machte eine Bewegung; sie erstarrte vor Schreck; aber zum Glück für sie erwachte er nicht. Sie las weiter: „Wann werde ich zurückkommen? Ich weiß es nicht. Das Klima in Indien läßt einen Europäer schnell altern, zumal einen Europäer, der arbeitet.

Nehmen wir an, in zehn Jahren. In zehn Jahren wird Deine Tochter achtzehn Jahre alt sein, sie wird Deine Begleiterin sein, Deine Spionin. Die Welt würde grausam zu Dir sein, mehr vielleicht noch Deine Tochter. Wir kennen ja Beispiele von diesen Urteilen der Gesellschaft und von der Undankbarkeit der jungen Mädchen; ziehen wir Nutzen daraus. Bewahre auf dem Grund Deines Herzens, wie auch ich es bewahren werde, das Andenken an diese vier Jahre von Glück, und sei Deinem armen Freund treu, wenn Du kannst. Jedoch kann ich es nicht fordern, denn siehst Du, meine liebe Annette, ich muß mich meiner Lage anpassen, das Leben bürgerlich ansehen, eine möglichst richtige Bilanz ziehen. Daher muß ich an eine Heirat denken, die eine der Notwendigkeiten meiner neuen Existenz ist; und ich muß Dir gestehen, daß ich hier in Saumur bei meinem Onkel eine Kusine gefunden habe, deren Benehmen, Äußeres, Verstand und Herz Dir gefallen würden, und die wie mir scheint, außerdem . . .“
Er muß sehr müde gewesen sein, daß er aufgehört hat, ihr zu schreiben, sagte sich Eugenie, als sie sah, daß der Brief mitten in diesem Satz abbrach.
Sie rechtfertigte ihn. Aber war es nicht unmöglich, daß dieses unschuldige junge Mädchen die Kälte merken konnte, die sich in diesem Brief ausprägte. Den fromm, unwissend und rein erzogenen jungen Mädchen ist alles Liebe, sobald sie nur den Fuß in die von der Liebe verzauberten Gebiete setzen. Dort wandeln sie, umgeben von dem himmlischen Licht, das ihre Liebe ausstrahlt und das schimmernd über ihren Geliebten hinströmt; sie lassen ihn mit der Glut ihres eignen

Gefühls glühen und leihen ihm ihre schönen Gedanken. Die Irrtümer der Frau entspringen fast immer ihrem Glauben an das Gute oder ihrem Vertrauen auf das Wahre. Für Eugenie fanden diese Worte „Meine liebe Annette, meine Vielgeliebte" einen Widerhall in ihrem Herzen wie die süßeste Sprache der Liebe und sie umschmeichelten ihre Seele, wie in ihrer Kindheit die göttlichen Töne des Venite, adoremus von der Orgel aufgenommen, ihr Ohr umschmeichelt hatten. Außerdem sprachen ihr die Tränen, die noch Charles' Augen netzten, von allen edlen Gesinnungen des Herzens, durch die ein junges Mädchen verführt werden muß. Konnte sie wissen, daß, wenn Charles seinen Vater so sehr liebte und ihn so aufrichtig beweinte, diese Liebe weniger von der Güte seines Herzens als von der Güte seiner Eltern herkam? Indem Herr und Frau Guillaume Grandet alle Wünsche ihres Sohnes befriedigten, ihm alle Vergnügungen des Reichtums gewährten, hatten sie ihn verhindert, diese schrecklichen Berechnungen anzustellen, durch die in Paris die meisten Kinder sich versündigen, wenn sie angesichts der Pariser Freuden Wünsche hegen und Pläne fassen, die sie mit Bedauern fortwährend durch das Leben der Eltern aufgehoben und verzögert sehen. Die Verschwendung des Vaters ging also so weit, im Herzen seines Sohnes eine wirkliche kindliche Liebe ohne Hintergedanken zu säen. Dennoch war Charles ein Pariser Kind, durch die Pariser Sitten, durch Annette selbst daran gewöhnt, alles zu berechnen, er war schon ein Greis unter der Maske eines Jünglings. Er hatte die schreckliche Erziehung dieser Welt bekommen, in der an einem Abend in Gedanken und Worten mehr Verbrechen begangen werden, als die Justiz in den Schwurgerichten bestraft, wo Witzworte die größten Gedanken morden, wo man nur soweit für stark gilt, wie man den richtigen Blick hat, und den richtigen Blick haben, heißt da, an nichts glauben, weder an Gefühle noch an Menschen, nicht einmal an Ereignisse; man macht da künstliche Ereignisse. Dort muß man, um den richtigen Blick zu haben, jeden Morgen die Börse eines Freundes wägen, weltklug über allem zu stehen wissen, was geschieht; zunächst einmal nichts bewundern, weder Kunstwerke noch edle Taten, und als Beweggrund für alle Dinge den persönlichen Nutzen ansetzen. Nach tausend Torheiten hatte die große Dame, die schöne Annette, Charles genötigt, ernst zu denken; sie sprach ihm von seiner zukünftigen Stellung, indem sie ihm mit einer parfümierten Hand durch das Haar strich; indem sie ihm eine Locke zurechtlegte, ließ sie ihn das Leben berechnen; sie machte ihn weibisch und machte ihn materiell. Sie verdarb ihn nach zwei Seiten hin, aber diese Verderbtheit war elegant und fein und gehörte zum guten Ton.

„Sie sind ein Kindskopf, Charles", sagte sie zu ihm. „Ich werde viel Mühe haben, Sie zu lehren, die Welt zu kennen. Sie haben Herrn des Lupeaulx sehr schlecht behandelt. Ich weiß wohl, daß er gerade kein Ehrenmann ist, aber warten Sie, bis er ohne Macht ist, dann dürfen Sie ihn verachten, soviel Sie wollen. Wissen Sie, was Madame Campan zu uns gesagt hat? ‚Kinder, solange ein Mann im Ministerium ist, betet ihn an; ist er gestürzt, so helft noch, ihn auf den Schindanger zu zerren. Solange er Macht hat, ist er eine Art Gott; gestürzt, steht er noch unter dem in die Schleuse geworfenen Marat, weil er lebt, während Marat tot war.' Das Leben ist eine Folge von Berechnungen, die muß man studieren, man muß auf dem Laufenden sein, damit man sich immer in günstiger Position befindet."

Charles war zu sehr aufs Äußere gerichtet, zu dauernd glücklich durch seine Eltern, zu verwöhnt durch die Huldigungen der Gesellschaft, als daß er tiefe Gefühle hätte haben können. Das Gran Gold, das seine Mutter ihm ins Herz gesenkt hatte, war auf der Pariser Drahtziehbank auseinandergezogen worden; er hatte es für die Oberfläche gebraucht und mußte es abnutzen durch Reibung. Aber Charles war erst einundzwanzig Jahre alt. In diesem Alter scheint die Frische der Jugend unzertrennlich von der Reinheit des Herzens; die Stimme, der Blick, der Gesichtsausdruck scheinen in Übereinstimmung mit den Gefühlen. Daher zögert sogar der härteste Richter, der ungläubigste Anwalt, der unbeugsamste Wucherer an die Greisenhaftigkeit des Herzens, an die Verderbtheit der Berechnungen zu glauben, wenn die Augen noch klare Brunnen sind und die Stirn noch keine Falten trägt. Charles hatte nie Gelegenheit gehabt, die Grundsätze der Pariser Moral anzuwenden, und bis zu diesem Tag war er edel aus Unerfahrenheit. Aber ihm unbewußt war ihm die Selbstsucht eingeimpft worden. Die Samenkörner der Staatsklugheit für den Gebrauch des Parisers, die noch in seinem Herzen verdeckt lagen, mußten alsobald aufgehen, wenn er vom müßigen Zuschauer handelnde Person im Drama des wirklichen Lebens wurde. Fast alle jungen Mädchen vertrauen den süßen Versprechungen der Außenseite, und sollte Eugenie eine kluge Beobachterin sein können, wie es gewisse Mädchen in der Kleinstadt sind, sollte sie ihrem Vetter mißtrauen können, da doch bei ihr noch die Sitten, Worte und Handlungen mit den Gesinnungen des Herzens übereinstimmten? Ein für sie verhängnisvoller Zufall ließ sie die letzten Tränenströme einer wahren Empfindung trocknen, die dies junge Herz noch aufbrachte und sozusagen die letzten Seufzer des innern Gefühls hören. So ließ sie den Brief liegen, der nach ihrer Meinung voll von Liebe war, und betrachtete nach Herzenslust ihren eingeschlafenen Vetter; die jungen Hoffnungen des Lebens umspielten für sie noch seine Wangen; jetzt schwor sie sich, ihn immer zu lieben. Dann richtete sie ihren Blick auf den andern Brief, ohne dieser Indiskretion viel Gewicht beizulegen, und als sie zu lesen anfing, fand sie neue Beweise für die edlen Eigenschaften, die sie wie alle Frauen dem lieh, den sie erwählt hatte:

„Mein lieber Alphonse, wenn Du diesen Brief liest, habe ich keine Freunde mehr. Aber ich bekenne Dir, daß, wenn ich an den Kindern der Welt zweifle, die gewöhnt sind, mit diesem Namen Mißbrauch zu treiben, ich nicht an Deiner Freundschaft gezweifelt habe. Darum bitte ich Dich, meine Angelegenheiten zu ordnen, und rechne auf Dich, daß Du eine gehörige Summe aus dem allen, was ich besitze, herausschlägst. Du sollst jetzt meine Lage kennen lernen. Ich habe nichts mehr und will nach Indien abreisen. Ich habe soeben an alle die Personen geschrieben, denen ich Geld zu schulden glaube, und Du findest anbei deren Liste, die so genau ist, als ich sie aus dem Kopf machen konnte. Meine Bücher, Möbel, Wagen, Pferde usw. werden, denke ich, genügen, um meine Schulden zu bezahlen. Ich will für mich nur den wertlosen Kram zurückbehalten, der geeignet ist, den Anfang einer Warenladung zu bilden. Mein lieber Alphonse, ich werde Dir von hier für diesen Verkauf eine regelrechte Vollmacht schicken, für den Fall von Streitigkeiten. Alle meine Waffen sollst Du mir senden. Ferner sollst Du Briton für Dich behalten. Denn niemand würde den richtigen Preis für dies wundervolle Tier zahlen, und ich schenke ihn Dir lieber als den üblichen Ring, den ein Sterbender seinem Testamentsvollstrecker vermacht. Farry, Breitmann und Co. haben einen sehr bequemen Reisewagen für mich gebaut, aber noch nicht geliefert; erreiche von ihnen, daß sie ihn behalten, ohne eine Entschädigung von mir zu beanspruchen; wenn sie sich weigern, auf diesen Vorschlag einzugehen, vermeide alles, was unter den Umständen, in denen ich mich befinde, einen Makel auf meine ehrenhafte Gesinnung werfen könnte. Ich habe sechs Louis Spielschulden an den Insulaner, vergiß ja nicht, sie ihm..."

„Lieber Vetter", sagte Eugenie, ließ den Brief liegen und begab sich langsam in ihr Zimmer mit einer der angezündeten Kerzen.

Dort zog sie, nicht ohne ein lebhaftes Gefühl der Freude, die Schublade eines alten Eichenmöbels auf, eines der schönsten Werke der sogenannten Renaissancezeit, auf dem noch, halb verwischt, der berühmte königliche Salamander zu sehen war.

Sie nahm eine große Börse aus rotem Samt mit goldenen Quasten heraus, die mit stumpf gewordenen Goldfäden bestickt war, und aus dem Nachlaß ihrer Großmutter stammte. Und sie wog sehr stolz diese Börse in der Hand und freute sich, den vergessenen Betrag ihrer kleinen Barschaft festzustellen. Sie sonderte zuerst vierundzwanzig noch neue Portugiesen heraus, unter der Regierung von Johann V. 1725 geschlagen, die einen wirklichen Wechselwert von fünf Lissabonnern hatten, oder jede Münze von hundertachtundsechzig Franken vierundsechzig Centimes, wie ihr Vater ihr sagte, aber deren Konventionswert hundertachtzig Franken betrug, in Anbetracht der Seltenheit und Schönheit besagter Stücke, die wie Sonnen glänzten. Ferner fünf Genueser, oder Stücke von hundert Franken von Genua, eine andre seltene Münze, die beim Wechseln einen Wert von siebenundachtzig Franken hatte, aber von hundert Franken für Liebhaber von Goldmünzen. Sie hatte sie von dem alten Herrn de la Bertellière bekommen. Ferner drei spanische Gold-Quadrupel von Philipp V., 1729 geschlagen, Gaben von Frau Gentillet, die, wenn sie sie ihr schenkte, immer denselben Satz zu ihr sagte: „Dieser liebe Kanarienvogel hier, dieser kleine Gelbling, ist neunzig Franken wert. Hebe ihn gut auf, meine Kleine, er wird die Krone deines Schatzes sein." Ferner, was ihr Vater am meisten schätzte (das Gold dieser Stücke hatte dreiundzwanzig Karat und einen Bruchteil), hundert holländische Dukaten, im Jahr 1756 geprägt, die jeder fast dreizehn Franken wert waren. Ferner eine große Seltenheit, eine Art Medaillen, Kostbarkeiten für die Geizhälse, nämlich

drei Rupien mit dem Zeichen der Wage und fünf
Rupien mit dem Zeichen der Jungfrau, alles reines vierundzwanzigkarätiges Gold, das herrliche
Geld des Groß-Moguls, von dem jede Münze sie-
benunddreißig Franken vierzig Centimes dem Gewicht nach wert war, aber mindestens fünfzig
Franken für die Kenner, die gerne Goldstücke in
der Hand fühlen. Ferner den Napoleon von vierzig Franken, den sie am vorgestrigen Abend bekommen und achtlos in die rote Börse geworfen
hatte.

Dieser Schatz bestand aus neuen, jungfräulichen
Stücken, wirklichen Kunstgegenständen, nach denen sich der Vater manchmal erkundigte und die
er wieder ansehen wollte, um seiner Tochter die
wesentlichen Vorzüge daran im einzelnen zu erklären, wie die Schönheit des Münzrandes, den
Schimmer der Fläche, die reiche Ausschmückung
der Buchstaben, deren scharfe Kanten noch nicht
zerritzt waren. Aber sie dachte nicht an diese
Seltenheitswerte, nicht an das Steckenpferd ihres
Vaters, noch an die Gefahr, die sie lief, wenn sie
sich von einem Schatz entblößte, der ihrem Vater
teuer war; nein, sie dachte nur an ihren Vetter,
und kam schließlich, nach einigen Rechenfehlern,
zu dem Resultat, daß sie ungefähr fünftausend-
achthundert Franken dem nominellen Wert nach
besaß, die aber nach dem Konventionswert sich
für nahezu zweitausend Taler verkaufen ließen.
Beim Anblick ihrer Reichtümer klatschte sie vor
Begeisterung in die Hände wie ein Kind, das
seinem Übermaß von Freude in naiven Körper-
bewegungen Luft machen muß. So hatten Vater
wie Tochter ihr Vermögen gezählt: Grandet, um

sein Gold zu verkaufen, Eugenie, um ihres in ein Meer von Liebe zu werfen. Sie legte die Stücke in die alte Börse zurück, nahm sie und ging ohne zu zögern nach oben. Die heimliche Not ihres Vetters ließ sie die Nacht und die Schicklichkeit vergessen und sie war stark durch ihr Gewissen, durch ihre Opferfreudigkeit und ihr Glück. Im Augenblick, als sie auf der Türschwelle erschien, in der einen Hand das Licht, in der andern ihre Börse, erwachte Charles, sah seine Kusine und blieb sprachlos vor Überraschung. Eugenie kam heran, setzte den Leuchter auf den Tisch und sagte mit bewegter Stimme:

„Lieber Vetter, ich muß Sie um Verzeihung bitten für ein großes Unrecht, das ich gegen Sie begangen habe; aber Gott wird mir die Sünde vergeben, wenn Sie sie vergessen wollen."

„Was ist's denn?" sagte Charles und rieb sich die Augen.

„Ich habe diese beiden Briefe gelesen."

Charles wurde rot.

„Wie das zugegangen ist?" fuhr sie fort. „Warum ich herauf gekommen bin? Wahrhaftig, jetzt weiß ich es selbst nicht mehr. Aber ich fühle mich versucht, nicht allzusehr zu bereuen, daß ich diese Briefe gelesen habe, weil sie mich Ihr Herz kennen lehrten, Ihre Seele und..."

„Und was?" fragte Charles.

„Und Ihre Pläne, die Notwendigkeit für Sie, eine Summe..."

„Liebe Kusine..."

„Scht! Scht! nicht so laut, wir wollen niemanden aufwecken. Hier", sagte sie und öffnete ihre Börse, „die Ersparnisse eines armen Mädchens, das nichts braucht. Charles, nehmen Sie sie an. Heut morgen wußte ich noch nicht, was Geld ist. Sie haben es mich gelehrt, es ist nichts als ein Mittel, das ist alles. Ein Vetter ist fast ein Bruder, Sie dürfen wohl von der Börse Ihrer Schwester borgen."

Eugenie, die ebenso Frau war wie junges Mädchen, hatte Weigerungen nicht vorhergesehen; aber ihr Vetter blieb stumm.

— „Ach Gott, Sie weisen es zurück?" fragte Eugenie, deren Herz hörbar klopfte mitten in diesem tiefen Schweigen.

Das Zögern ihres Vettern demütigte sie; aber die Notlage in der er sich befand kam ihr noch lebhafter zum Bewußtsein, und sie fiel auf die Knie. „Ich werde nicht eher wieder aufstehen, als bis Sie dies Gold genommen haben", sagte sie. „Lieber Vetter, um Gottes willen, eine Antwort! — damit ich weiß, ob Sie mich so achten, ob Sie hochherzig sind, ob ..."

Als er diesen Aufschrei einer edlen Verzweiflung vernahm, ließ Charles Tränen auf die Hände seiner Kusine fallen und umfaßte sie, um sie am Knien zu verhindern. Als sie diese heißen Tränen fühlte, sprang Eugenie nach ihrer Börse und schüttete sie ihm auf den Tisch aus.

„Und nun, ja, nicht wahr?" sagte sie, weinend vor Freude. „Seien Sie unbesorgt, Vetter, Sie werden reich werden. Dies Gold wird Ihnen Glück bringen; eines Tages werden Sie es mir zurückgeben; übrigens tun wir uns zusammen; mit einem Wort, ich will auf alle Bedingungen eingehen, die Sie mir auferlegen. Jedoch dürfen Sie dieser Gabe nicht zu viel Wert beimessen."

Charles konnte endlich seinen Gefühlen Ausdruck
geben.

„Ja, Eugenie, ich müßte eine sehr kleine Seele
sein, wenn ich es nicht annehmen würde. Jedoch Gleiches für Gleiches, Vertrauen gegen Vertrauen!"

„Was meinen Sie?" sagte sie erschreckt.

„Hören Sie, liebe Kusine, ich habe da..."
Er unterbrach sich, um ihr einen viereckigen
Kasten auf seiner Kommode zu zeigen, der in
einer Lederhülle steckte.

„Ich habe da, sehen Sie, einen Gegenstand, der
mir so kostbar ist wie mein Leben. Dieser Kasten ist ein Geschenk meiner Mutter. Seit heut
morgen dachte ich, daß sie, wenn sie aus dem
Grab heraufsteigen könnte, selbst das Gold verkaufen würde, das ihre Liebe an diesem Necessaire verschwenderisch anbringen ließ; aber wenn
ich es täte, würde mir diese Handlung wie eine
Entweihung vorkommen."
Eugenie drückte krampfhaft die Hand ihres Vetters bei diesen letzten Worten.

„Nein", sagte er nach einer kurzen Pause, während der alle beide sich mit einen feuchten Blick
ansahen, „nein, ich will es weder zu Schaden noch
in Gefahr bringen auf meinen Reisen. Liebe Eugenie, Sie sollen es aufheben. Niemals hat ein
Freund eine heiligere Sache einem Freund anvertraut. Urteilen Sie selbst darüber."
Er nahm den Kasten, zog ihn aus seinem Leder-
bezug, öffnete ihn und zeigte traurig seiner stau-
nenden Kusine ein Necessaire, bei dem die Arbeit dem Gold einen weit höheren Wert gab, als
es seinem Gewicht nach hatte.

„Was Sie bewundern, ist nichts", sagte er und drückte auf eine Feder, die einen doppelten Boden aufspringen ließ. „Das ist es, was für mich die ganze Welt aufwiegt."

Er nahm zwei Porträts heraus, zwei Meisterwerke von Frau von Mirbel, in reichem Perlenrahmen.

„Oh, die schöne Frau! Ist das nicht die Dame, der Sie geschrie..."

„Nein", sagte er lächelnd. „Diese Frau ist meine Mutter, und das hier ist mein Vater, die Ihre Tante und Ihr Onkel sind. Eugenie, ich möchte Sie auf den Knien anflehen, mir diesen Schatz zu hüten. Wenn ich umkommen sollte und Ihr kleines Vermögen verlieren, wird Sie dies Gold schadlos halten; und Ihnen allein kann ich diese beiden Bilder überlassen, Sie sind würdig, sie aufzubewahren. Aber vernichten Sie sie, damit nach Ihnen, sie nicht in andre Hände fallen."

Eugenie schwieg.

„Nun, ja, nicht wahr?" setzte er mit Anmut hinzu.

Als sie die Worte hörte, die ihr Vetter soeben gesagt hatte, warf sie ihm den ersten Blick der liebenden Frau zu, einen der Blicke, in denen fast ebensoviel Koketterie wie Tiefe liegt; er ergriff ihre Hand und küßte sie.

„Engel von Reinheit! zwischen uns, nicht wahr, soll das Geld nie etwas bedeuten. Das Gefühl, das erst etwas daraus macht, soll von jetzt ab alles sein."

„Sie ähneln Ihrer Mutter. Hatte sie auch eine so sanfte Stimme wie sie?"

„Oh, eine viel sanftere..."

„Ja, für Sie", sagte sie und schlug die Augen

nieder. „Jetzt, Charles, legen Sie sich schlafen, ich will es, Sie sind müde. Auf Morgen."

Sie befreite sanft ihre Hand aus denen ihres Vetters, der sie zurückgeleitete und ihr leuchtete. Als sie beide auf der Schwelle ihrer Tür waren, sagte er:

„Ach, warum bin ich ruiniert?"

„Pah! mein Vater ist reich, glaube ich", antwortete sie.

„Armes Kind", sagte Charles und setzte einen Fuß in das Zimmer und lehnte den Rücken an die Wand, „dann hätte er nicht meinen sterben lassen, dann würde er Sie nicht solchen Mangel leiden lassen, mit einem Wort, dann würde er anders leben."

„Aber er besitzt Froidfond."

„Und was ist Froidfond wert?"

„Ich weiß nicht, aber er besitzt Noyers."

„Irgendeine unbedeutende Farm."

„Er hat Weinberge und Wiesen."

„Lappalien", sagte Charles geringschätzig. „Wenn Ihr Vater nur achtzigtausend Franken Rente hätte, würden Sie dieses kalte und kahle Zimmer bewohnen?" fügte er hinzu und setzte den linken Fuß vor. „Da werden also meine Schätze liegen", sagte er und deutete auf die alte Truhe, um seinen Gedanken zu verschleiern.

„Gehen Sie schlafen", sagte sie und hinderte ihn, in ein Zimmer einzutreten, das nicht aufgeräumt war.

Charles zog sich zurück und sie sagten sich durch ein gegenseitiges Lächeln Gute Nacht.

☆

ALLE BEIDE SCHLIEFEN SIE MIT DEMSEL-
ben Traum ein, und Charles begann von da an,
ein paar Rosen auf seine Trauer zu streuen. Am
nächsten Morgen fand Frau Grandet ihre Tochter vor dem Frühstück in Charles' Gesellschaft
auf und ab gehen. Der junge Mann war noch traurig, wie es ein Unglücklicher, aus allen Himmeln
Gestürzter, wie man sagen könnte, inmitten seines Kummers sein mußte, nachdem er die Tiefe
des Abgrunds, in den er gefallen war, ausgemes-
sen und die ganze Schwere seines künftigen Lebens empfunden hatte.

„Der Vater wird nicht zum Essen zurückkommen", sagte Eugenie, als sie die Unruhe sah, die
sich auf dem Gesicht ihrer Mutter malte.

Es war leicht, im Benehmen und dem Gesichtsausdruck von Eugenie und in der besondern Sanft-
heit, die ihre Stimme annahm, eine Übereinstimmung der Gedanken zwichen ihr und ihrem Vetter zu bemerken. Ihre Seelen hatten sich feurig
vermählt, vielleicht noch ehe sie die Stärke der
Gefühle wohl geprüft hatten, durch die sie zueinander geführt wurden. Charles blieb im Saal,
wo man seine Schwermut achtete. Alle drei Frauen
hatten zu tun. Da Grandet seine Geschäfte hatte
liegen lassen, kamen ziemlich viel Leute an, der
Dachdecker, der Bleiarbeiter, der Maurer, die Erd-
arbeiter, der Zimmermann, die Meier, die Pächter, die einen, um Aufträge über Reparaturen abzuschließen, die andern, um Pacht zu zahlen oder
Geld zu empfangen. Frau Grandet und Eugenie
mußten daher kommen und gehen und auf die
endlosen Reden der Arbeiter und Landleute antworten. Nanon nahm die Abgaben in ihrer Küche

in Empfang. Sie wartete immer auf die Befehle ihres Herrn, um zu wissen, was für das Haus behalten und was auf dem Markt verkauft werden sollte. Es war die Gewohnheit des Alten, wie die einer großen Zahl von Landjunkern, seinen schlechten Wein zu trinken und seine angestoßenen Früchte zu essen. Gegen fünf Uhr abends kam Grandet aus Angers zurück; er hatte vierzehntausend Franken von seinem Gold mitgenommen und brachte in seiner Brieftasche königliche Schatzanweisungen zurück, die ihm Zinsen gaben bis zu dem Tag, wo er seine Renten bezahlen mußte. Er hatte Cornoiller in Angers gelassen, um die halblahmen Pferde zu pflegen und sie langsam zurückzuführen, nachdem sie sich gut ausgeruht hatten. „Ich komme aus Angers zurück, liebe Frau," sagte er, „ich habe Hunger."

Nanon rief ihm aus der Küche zu:

„Haben Sie etwa seit gestern nichts gegessen?"

„Nein, nichts", antwortete der Alte.

Nanon brachte die Suppe herein. Des Grassins kam, um die Aufträge seines Klienten zu hören, gerade als die Familie bei Tisch saß. Der alte Grandet hatte seinen Neffen noch nicht einmal wahrgenommen.

„Essen Sie ruhig weiter, Grandet", sagte der Bankier. „Wir können dabei reden. Wissen Sie, was das Gold in Angers wert ist, wo Leute hingekommen sind, um es für Nantes zu kaufen? ich werde welches hinschicken."

„Schicken Sie keins hin," antwortete der Alte, „es ist schon genug da. Wir sind zu gute Freunde, als daß ich Ihnen nicht einen Zeitverlust ersparen sollte."

174

„Aber für Gold bekommt man da dreizehn Franken fünfzig Centimes."

„Sagen Sie, bekam."

„Zum Teufel, wo kann es denn hergekommen sein?"

„Ich bin in dieser Nacht nach Angers gefahren", antwortete ihm Grandet mit leiser Stimme.

Der Bankier zuckte überrascht zusammen; dann begann eine geflüsterte Unterhaltung zwischen den beiden, während welcher des Grassins und Grandet mehrmals zu Charles hinsahen. Wahrscheinlich im Moment, wo der ehemalige Böttcher dem Bankier sagte, er solle ihm Renten im Betrag von hunderttausend Franken kaufen, entfuhr des Grassins wieder eine Bewegung des Staunens.

„Herr Grandet," sagte er zu Charles, „ich reise nach Paris, und falls Sie Aufträge für mich haben..."

„Nein, keine, ich danke Ihnen", antwortete Charles.

„Bedanke dich ein bißchen mehr, Neffe. Herr des Grassins geht hin, um die Angelegenheit des Hauses Guillaume Grandet zu ordnen."

„Gäbe es denn da noch irgendwelche Hoffnung?" fragte Charles.

„Aber", rief der Böttcher mit gut gespieltem Stolz aus, „bist du nicht mein Neffe? Deine Ehre ist meine Ehre. Heißt du nicht Grandet?"

Charles stand auf, umfaßte den Vater Grandet, küßte ihn, erbleichte und ging hinaus. Eugenie sah ihren Vater mit Bewunderung an.

„Also adieu, mein guter des Grassins, viel Erfolg, und machen Sie mir die Leute da gut kirre."

175

Die beiden Diplomaten drückten sich die Hand;
der ehemalige Böttcher geleitete den Bankier bis
zur Tür. Nachdem er sie geschlossen hatte, kam
er zurück und sagte zu Nanon, wobei er sich in
seinen Sessel fallen ließ:

„Bring mir den Cassis."

Aber zu aufgeregt, um auf seinem Platz zu bleiben, stand er auf, sah das Porträt von Herrn de
la Bertellière an und begann zu singen, wobei er
machte, was Nanon Tanzschritte nannte:

„Bei der französischen Garde
Hatt' ich einen guten Papa."

Nanon, Frau Grandet und Eugenie sahen sich
gegenseitig schweigend an. Die Freude des Winzers erschreckte sie immer, wenn sie ihren Höhepunkt erreichte. Der Abend wurde bald beschlossen. Erstens wollte Vater Grandet zeitig zu Bett,
und bei ihm mußten alle schlafen gehen, wenn
er sich niederlegte; so wie, wenn August der Starke
trank, Polen berauscht war. Dann waren Nanon,
Charles und Eugenie nicht weniger müde als der
Hausherr. Und Frau Grandet schlief, aß, trank,
ging aus, ganz nach dem Wunsch ihres Mannes.
Aber noch während der zwei Verdauungsstunden
gab der Böttcher, übermütiger als man ihn je gesehen hatte, besonders viele von seinen eigentümlichen Kernsprüchen zum besten, von denen einer
seine ganze Stimmung beleuchtete. Er trank seinen Likör aus, sah das Glas an und sagte:

„Kaum hat man die Lippen an das Glas gesetzt,
so ist es schon leer. Das ist unser Schicksal. Man
kann nicht sein und gewesen sein. Die Taler können nicht rollen und in deiner Börse bleiben, sonst
wäre das Leben zu schön."

Er war fröhlich und milde. Als Nanon mit ihrem Spinnrad kam, sagte er zu ihr:

„Du mußt müde sein, laß deinen Hanf."

„Ach was!... wozu, ich würde mich langweilen", sagte die Magd.

„Arme Nanon, willst du einen Cassis?"

„Ach, zum Likör sage ich nicht nein; Madame macht ihn viel besser als die Apotheker. Was die verkaufen, ist das reine Gift."

„Sie tun zuviel Zucker rein, dann schmeckt er nach nichts", sagte der Alte.

Am nächsten Morgen bot die Familie, die um acht Uhr zum Frühstück versammelt war, das Bild von wirklicher inniger Vertraulichkeit. Das Unglück hatte schnell Frau Grandet, Eugenie und Charles in Beziehung gebracht; selbst Nanon sympathisierte mit ihnen, ohne es zu wissen. Alle vier begannen eine Familie zu bilden. Und der alte Winzer war, infolge seiner befriedigten Habgier und der Gewißheit, den Stutzer bald abreisen zu sehen, ohne daß er ihm mehr zu bezahlen brauchte als seine Reise bis Nantes, fast gleichgültig gegen seine Anwesenheit im Hause. Er ließ den beiden Kindern, so nannte er Charles und Eugenie, Freiheit, sich zu benehmen wie sie wollten, unter den Augen von Frau Grandet, zu der er übrigens volles Vertrauen in Punkten der öffentlichen und religiösen Moral hatte. Das Abstecken seiner Wiesen und Gräben an der Straße, das Pflanzen seiner Pappeln an der Loire und die Winterarbeiten in seinen Weingärten und in Froidfond beschäftigten ihn ausschließlich. Jetzt begann für Eugenie der Frühling der Liebe. Seit der nächtlichen Szene, da sie dem Vetter ihren Schatz gegeben hatte, war ihr Herz dem Schatz nachgefolgt; beide trugen sie dasselbe Geheimnis mit sich herum, sie sahen sich gegenseitig mit verständnisinnigen Blicken an, was ihre Gefühle vertiefte und sie gemeinschaftlicher, inniger werden ließ, da sie nun beide sozusagen außerhalb des gewöhnlichen Lebens standen. Rechtfertigte nicht zudem die Verwandtschaft einen besondern sanften Ton der Stimme, eine Herzlichkeit der Blicke? Und Eugenie wollte so gern die Kümmernisse ihres Vetters mit den kindlichen Freuden einer jungen Liebe einlullen. Gibt es doch anmutige Ähnlichkeiten zwischen den ersten Stadien der Liebe und den ersten Stadien des Lebens. Man wiegt ja ein Kind mit sanften Melodien und liebreichen Blicken ein. Man erzählt ihm ja wunderbare Geschichten, die ihm die Zukunft vergolden. Seinethalben entfaltet ja unaufhörlich die Hoffnung ihre strahlenden Flügel, und vergießt es nicht abwechselnd Tränen der Freude und des Kummers? Zankt es sich nicht um Kleinigkeiten, um die Kiesel, mit denen es sich ein unbeständiges Haus zu bauen versucht, um die Blumensträuße, so schnell vergessen wie abgepflückt? Ist es nicht begierig, die Zeit zu erfassen, vorwärtszustürmen im Leben? Die Liebe ist eine zweite Umbildung. Die Kindheit und die Liebe waren ein und dasselbe für Eugenie und Charles; es war die erste Leidenschaft mit all ihren Kindereien, um so wohltuender für ihre Herzen, als sie von Schwermut umhüllt waren. Dadurch, daß diese Liebe sich bei ihrer Geburt in Tränenschleiern regte, befand sie sich nur um so mehr im Einklang mit der kleinstädtischen Einfachheit dieses verfallenen Hauses. Wenn er einige Worte mit seiner Kusine

am Rand des Ziehbrunnens in diesem stummen
Hof wechselte, wenn sie in dem Gärtchen auf einer
bemoosten Bank bis zur Stunde des Sonnenunter-
gangs sitzen blieben, um sich eifrig tausend Wichtig-
keiten zu sagen, oder wenn sie in die schweigende
Ruhe, die zwischen dem Bollwerk und dem Haus
herrschte, eingesponnen waren, wie man es unter
den Bogengängen einer Kirche ist, dann begriff
Charles die Heiligkeit der Liebe. Denn bei seiner
großen Dame, seiner lieben Annette, hatte er von
der Liebe nur die stürmischen Unruhen kennengelernt. Er gab in diesen Augenblicken die Pariser kokette, eitle, blendende Leidenschaft zugun-
sten einer reinen und wahren Liebe auf. Er liebte
dieses Haus, dessen Sitten ihm nicht mehr so
lächerlich vorkamen. Er ging schon früh am Morgen herunter, um mit Eugenie ein paar Minuten
zu plaudern, bevor Grandet die Lebensmittel herausgab, und wenn die Schritte des Alten auf der
Treppe zu hören waren, flüchtete er in den Garten. Das kleine Verbrechen dieses allmorgend-
lichen Stelldicheins, das selbst Eugeniens Mutter
verheimlicht wurde und bei dem Nanon tat, als
merke sie es nicht, gab der unschuldigsten Liebe
von der Welt den feurigen Reiz der verbotenen
Freuden. Wenn dann nach dem Frühstück der
Vater Grandet ausgegangen war, um nach seinen
Weinbergen und seinen Betrieben zu sehen, blieb
Charles bei Mutter und Tochter und empfand un-
geahnte Glücksgefühle, wenn er ihnen den Fa-
den zum Abwickeln hielt, ihnen beim Arbeiten
zusah und ihrem Plaudern zuhörte. Die Einfachheit dieses fast mönchischen Lebens, die ihm die
Schönheit dieser Seelen enthüllte, denen die große

Welt unbekannt war, machte lebhaften Eindruck
auf ihn. Er hatte solche Sitten in Frankreich für
unmöglich gehalten und höchstens noch in Deutsch-
land ihr Vorhandensein zugegeben, aber auch mehr
als Dichtung wie in den Romanen von Auguste La-
fontaine. Bald wurde Eugenie für ihn das Ideal
von Goethes Gretchen ohne ihren Fehltritt. Und
so wurde von Tag zu Tag durch seine Blicke, seine
Worte das arme Mädchen mehr fortgerissen, das
sich entzückt der Strömung der Liebe überließ und
nach ihrer Glückseligkeit griff wie ein Schwim-
mer nach dem Zweig der Weide greift, um sich
aus dem Fluß zu ziehen und sich am Ufer auszu-
ruhen. Doch trübte schon der Kummer über die
herannahende Trennung die fröhlichen Stunden
dieser flüchtigen Tage. Jeden Tag erinnerte sie
irgendeine kleine Begebenheit an das herannahende
Scheiden. So wurde drei Tage nach des Grassins'
Abreise Charles von Grandet zum Gericht der ersten Instanz geführt, mit der Feierlichkeit, die
Kleinstädter solchen Handlungen beilegen, um
dort einen Verzicht auf die Erbschaft seines Vaters zu unterschreiben. Schrecklich dies Ausschla-
gen der Erbschaft, es war wie eine Art Abfall vom
Hause. Dann ging er zum Notar Cruchot, um zwei
Vollmachten ausstellen zu lassen, eine für des
Grassins, die andre für den Freund, der sein Mo-
biliar verkaufen sollte. Dann mußte er die nötigen Formalitäten erfüllen, um einen Paß fürs Aus-
land zu erhalten. Endlich, als die einfachen Trauerkleider ankamen, die er aus Paris bestellt hatte,
ließ er einen Schneider von Saumur kommen und
verkaufte ihm seine unnötige Garderobe. Diese Handlung gefiel dem alten Grandet ausnehmend gut.

„Ja, du bist der rechte Mann, der sich einschiffen und sein Glück machen will", sagte er zu ihm, als er ihn in einem Überrock von grobem schwarzen Tuch sah. „Gut, sehr gut."

„Ich bitte Sie, zu glauben," antwortete ihm Charles, „daß ich mich sehr wohl meiner Lage anzupassen weiß."

„Was ist denn das da?" sagte der Alte und seine Augen wurden lebhaft beim Anblick einer Handvoll Gold, das Charles ihm zeigte.

„Ich habe meine Knöpfe und meine Ringe, alle die Überflüssigkeiten, die ich besitze und die einen Wert haben könnten, zusammengesucht; aber da ich niemanden in Saumur kenne, wollte ich Sie heute früh bitten mir . . ."

„Dies abzukaufen?" unterbrach ihn Grandet.

„Nein, Onkel, mir einen ehrlichen Mann zu nennen, der . . ."

„Gib es mir, Neffe, ich werde es oben für dich abschätzen und dir dann auf ein Centime genau sagen, was es wert ist. — Schmuck-Gold," sagte er und sah sich eine lange Kette genau an, „achtzehn- bis neunzehnkarätig."

Der Alte streckte seine breite Hand aus und trug den Haufen Gold weg.

„Liebe Kusine," sagte Charles, „erlauben Sie mir, Ihnen diese beiden Knöpfe zu schenken, mit denen Sie Bänder um Ihre Handgelenke befestigen mögen. Ein derartiges Armband ist augenblicklich sehr modern."

„Ich nehme sie ohne zu zögern an, lieber Vetter", sagte sie und warf ihm einen Blick des Einverständnisses zu.

„Liebe Tante, das hier ist der Fingerhut meiner

Mutter, ich habe ihn sorgfältig in meinem Reise-
necessaire aufgehoben", sagte Charles und überreichte Frau Grandet einen hübschen goldenen
Fingerhut, den sie sich seit zehn Jahren wünschte.
„Ich kann Ihnen nicht genug danken, lieber Neffe", sagte die alte Mutter, deren Augen sich mit
Tränen füllten. „Abends und morgens werde ich
bei meinen Gebeten als inständigstes von allen für
Sie das Gebet der Reisenden sprechen. Wenn ich
sterbe, soll Eugenie Ihnen das Kleinod aufbe-
wahren."

„Es ist neunhundertneunundachtzig Franken fünf-
undsiebzig Centimes wert, Neffe", sagte Grandet
in der Tür. „Aber um dir die Mühe zu sparen, es
zu verkaufen, will ich es dir in Geld auszahlen...
in ‚Livres'."

Der Ausdruck in ‚Livres' bezeichnet im Küsten-
strich der Loire, daß die Sechs-Franken-Taler für
sechs Franken angenommen werden müssen, ohne
Abzug.

„Ich wagte nicht, Ihnen diesen Vorschlag zu machen," antwortete Charles, „aber es widerstrebte
mir, meine Schmucksachen in der Stadt, wo Sie
wohnen, zu verschachern. Man soll seine schmutzige Wäsche in der Familie waschen, sagte Napoleon. Ich danke Ihnen daher für Ihre Gefälligkeit."

Grandet kratzte sich hinterm Ohr, und es entstand eine kleine Pause.

„Mein lieber Onkel," fuhr Charles fort und sah
ihn unruhig an, wie wenn er fürchtete, sein Zart-
gefühl zu verletzen, „meine Kusine und meine
Tante waren so freundlich, ein kleines Andenken
von mir nicht zurückzuweisen. Würden Sie die

Güte haben, Manschettenknöpfe von mir anzunehmen, die für mich überflüssig geworden sind; sie sollen Sie an einen armen Jungen erinnern, der fern von Ihnen, sicherlich an die denken wird, die von jetzt ab seine ganze Familie sind."

„Aber, aber, mein Junge, solltest dich nicht so berauben... Was hast du bekommen, liebe Frau", sagte er und wandte sich gierig zu ihr. „Ah, einen goldenen Fingerhut, und du, Töchterchen? Sieh an, Diamantagraffen. — Gut, ich nehme deine Knöpfe an, mein Junge", fuhr er fort, und drückte Charles die Hand. „Aber du mußt mir erlauben, dir deine... ja... deine Überfahrt nach Indien zu bezahlen. Ja, ich will dir die Überfahrt bezahlen. Um so mehr, siehst du, mein Junge, als ich beim Abschätzen deines Schmucks nur das rohe Gold gerechnet habe, vielleicht kann man noch etwas für die Arbeit bekommen. Also, wie ich gesagt habe. Ich werde dir fünfzehnhundert Franken geben... in Livres; Cruchot muß sie mir leihen, denn hier habe ich nicht einen roten Heller, wenigstens nicht, solange Perrotet, der mit der Pacht in Rückstand ist, sie mir nicht zahlt. Ach ja, ich werde mal nach ihm sehen gehn."

Er nahm seinen Hut, zog die Handschuhe an und ging fort.

„Sie reisen wirklich?" sagte Eugenie und warf ihm einen von Traurigkeit und Bewunderung gemischten Blick zu.

„Es muß sein", sagte er und senkte den Kopf. Seit einigen Tagen waren Haltung, Benehmen und Sprache von Charles zwar die eines im tiefsten bekümmerten Menschen, der aber, da er ungeheure Verpflichtungen auf sich ruhen fühlt, neuen

Mut aus seinem Unglück schöpft. Er seufzte nicht mehr, er war Mann geworden. Und Eugeniens gute Meinung vom Charakter ihres Vetters erreichte ihren Höhepunkt, als sie ihn in seinen schwarzen Trauerkleidern aus grobem Tuch herabkommen sah, die ganz zu seinem bleichen Gesicht und seiner düstern Haltung stimmten. An diesem Tag hatten auch die beiden Frauen Trauer angelegt und mit Charles einem Requiem beigewohnt, das in der Pfarrkirche für die Seele des entschlafenen Guillaume Grandet zelebriert wurde.

Beim zweiten Frühstück bekam Charles Briefe aus Paris und las sie:

„Wie steht's, Vetter, sind Sie mit Ihren Geschäften zufrieden?" sagte Eugenie mit leiser Stimme.

„Stelle doch niemals solche Fragen, Kind", bemerkte Grandet. „Teufel auch, ich spreche mit dir nicht von meinen Geschäften. Warum steckst du die Nase in die deines Vetters? Laß doch den Jungen in Ruh."

„Oh, ich habe keine Geheimnisse", sagte Charles.

„Ta, ta, ta, ta, Neffe, du weist, daß man im Geschäftsleben seine Zunge im Zaum halten muß."

Als die beiden Liebenden allein im Garten waren, sagte Charles zu Eugenie, indem er sie auf die alte Bank zog, wo sie sich unter den Nußbaum setzten:

„Ich hatte mit Recht eine gute Meinung von Alphonse, er hat sich fabelhaft bewährt. Er hat meine Geschäfte mit Klugheit und Rechtlichkeit geführt. Ich habe keine Schulden mehr in Paris, alle meine Möbel sind vorteilhaft verkauft worden, und er teilt mir mit, daß er für dreitausend Franken,

die übriggeblieben waren, auf den Rat eines See-
kapitäns eine Warenladung für mich gekauft hat,
die aus europäischen Raritäten besteht, mit denen
man in Indien einen großen Verdienst erzielen
kann. Er hat meine Frachtgüter nach Nantes ge-
sandt, wo ein Schiff mit Ladung für Java liegt.
In fünf Tagen, Eugenie, müssen wir uns Lebewohl sagen, für immer vielleicht, mindestens für
lange Zeit. Meine Ladung und zehntausend Franken, die mir zwei Freunde schicken, wird ein
sehr kleiner Anfang sein. Ich kann vor mehreren
Jahren nicht an meine Rückkehr denken. Meine
liebe Kusine, machen Sie Ihr Leben nicht von
meinem abhängig, ich kann umkommen, vielleicht bietet sich Ihnen eine reiche Heirat…"
„Haben Sie mich lieb?" sagte sie.
„O ja, sehr", antwortete er mit einer Aufrichtigkeit im Ton, die gleiche Aufrichtigkeit im Gefühl erkennen ließ.
„Ich werde warten, Charles. Gott, mein Vater ist
an seinem Fenster", sagte sie und stieß ihren Vetter zurück, der sich genähert hatte, um sie zu
umarmen.
Sie flüchtete in den Hauseingang, wohin ihr Charles folgte; als sie ihn sah, wich sie bis zum Fuß
der Treppe zurück und öffnete die Klapptür,
dann, ohne recht zu wissen, wohin sie ging, kam
Eugenie bis zur Kammer von Nanon, der dunkel-
sten Stelle des Ganges, da ergriff Charles, der ihr
nachging, ihre Hand, drückte sie an sein Herz,
faßte Eugenie um die Taille und zog sie sanft
an sich. Sie widerstand nicht länger, sie empfing
und gab den reinsten, zartesten, aber auch den
ewig sie bindenden Kuß.

„Liebe Eugenie, ein Vetter ist besser als ein Bruder, er kann dich heiraten."

„Und so sei es!" rief Nanon und öffnete die Tür ihrer Kammer.

Die beiden Liebenden flohen erschreckt in den Saal, wo Eugenie ihre Arbeit wieder vornahm und Charles die Gebete der Jungfrau im Gebetbuch von Frau Grandet zu lesen anfing.

„Na," sagte Nanon, „wir sagen ja alle mal unsere Gebete."

Seitdem Charles seine Abreise angekündigt hatte, war Grandet eifrig bemüht, ihn glauben zu machen, daß er großes Interesse für ihn hätte; er zeigte sich freigebig in allem, was ihn nichts kostete, wollte ihm einen Packer verschaffen, fand aber, daß dieser Mann zu viel für seine Kisten verlangte; darauf wollte er sie durchaus selbst anfertigen und verwendete dabei seine alten Bretter; er stand in der Frühe auf, um die dünnen Bretter abzuhobeln, zusammenzupassen, zu glätten, zu nageln und machte sehr schöne Kisten daraus, in die er alle Habseligkeiten von Charles verpackte; er übernahm es, sie per Schiff die Loire herunterzuschicken, zu versichern und zu rechter Zeit nach Nantes zu expedieren.

Seit dem im Hausgang geraubten Kuß entflohen die Stunden für Eugenie mit erschreckender Schnelligkeit. Manchmal wollte sie ihrem Vetter folgen. Wer die uns am meisten fesselnde von allen Leidenschaften kennt, die täglich an Dauer einbüßt durch das Alter, die Zeit, eine tödliche Krankheit, durch irgendeines der menschlichen Verhängnisse, der wird die Qualen Eugeniens verstehen. Sie weinte oft, wenn sie in dem Garten auf und ab ging, der ihr jetzt zu eng war, wie der Hof, wie das Haus, wie die Stadt; sie schwang sich schon im voraus hin, über die weite Unendlichkeit der Meere. Und dann war der Abend der Abreise da. Am Morgen war, als Grandet und Nanon abwesend waren, das kostbare Kästchen mit den beiden Porträts feierlich in dem einzigen verschließbaren Fach der alten Truhe untergebracht worden, in dem auch die jetzt leere Börse lag. Die Einbettung dieses Schatzes ging nicht ohne eine große Zahl von Küssen und Tränen vor sich. Als Eugenie den Schlüssel an ihrer Brust verwahrte, hatte sie nicht den Mut, Charles zu verwehren, diese Stelle zu küssen.

„Er wird nie, nie diesen Platz verlassen, mein Freund."

„Gut, dann ist auch mein Herz stets da mit ihm vereint."

„Ach, Charles, es ist nicht recht", sagte sie mit sanftem Vorwurf.

„Sind wir denn nicht verheiratet?" antwortete er, „ich habe dein Wort, nimm meins."

„Dein auf ewig", klang es zweimal von beiden Seiten.

Kein Versprechen von der Welt war reiner; Eugeniens Herzensreinheit hatte für den Augenblick Charles Liebe geheiligt. Am nächsten Morgen war das Frühstück traurig. Trotz dem goldgestickten Schlafrock und dem Jeanetten-Kreuze, Geschenken von Charles, hatte Nanon, die ihre Gefühle frei ausdrücken durfte, Tränen im Auge.

„Der arme liebe junge Herr, der aufs Meer geht... möge Gott ihn geleiten."

Um halb elf Uhr machte sich die Familie auf den

Weg, Charles zur Postkutsche nach Nantes zu begleiten. Nanon hatte den Hund losgemacht, die Haustür verschlossen und trug die Handtasche von Charles. Alle Kaufleute der alten Straße standen unter ihren Ladentüren, um dieses Geleit vorbeikommen zu sehen, dem sich auf dem Marktplatz der Notar Cruchot anschloß.

„Weine nur ja nicht, Eugenie", sagte ihre Mutter.

„Lieber Neffe," sagte Grandet unter der Tür des Postgasthofes und küßte Charles auf beide Wangen, „reise arm ab, komm reich zurück, dann wirst du die Ehre deines Vaters gerettet finden. Ich verbürge mich dafür, ich, Grandet, denn alsdann hängt es nur von dir ab, daß . . ."

„Ach, lieber Onkel, Sie mildern die Bitterkeit meiner Abreise. Das ist das schönste Geschenk, das Sie mir machen konnten."

Da er die Worte des alten Böttchers, den er unterbrach, nicht verstanden hatte, benetzte Charles das lohfarbene Gesicht seines Onkels mit Tränen der Dankbarkeit, während Eugenie mit aller Kraft die Hand ihres Vetters und die ihres Vaters drückte. Nur der Notar lächelte und bewunderte die Schlauheit Grandets, denn nur er hatte den Alten wohl verstanden. Die vier Saumuraner blieben umgeben von einer Anzahl von Leuten bei der Postkutsche bis sie abfuhr; dann, als sie auf der Brücke verschwunden war und nur noch in der Ferne rollte, sagte der Winzer:

„Gute Reise."

Zum Glück war Notar Cruchot der einzige, der diesen Ausruf hörte. Eugenie und die Mutter waren an eine Stelle des Kai gegangen, von wo aus sie noch die Kutsche sehen konnten; sie winkten mit ihren weißen Taschentüchern und Charles ließ als Antwort auf dies Zeichen seines flattern.

„Mutter, ich möchte für einen Augenblick die Allmacht Gottes haben", sagte Eugenie im Augenblick, wo sie Charles Taschentuch nicht mehr sah.

☆

UM DEN LAUF DER EREIGNISSE, DIE IM Schoß der Familie Grandet vor sich gingen, nicht zu unterbrechen, müssen wir im voraus einen Blick auf die Operationen werfen, die der Alte in Paris durch Vermittlung von des Grassins ausführte. Einen Monat nach der Abreise des Bankiers besaß Grandet hunderttausend Franken Staatsrenten, die zu achtzig Franken netto gekauft waren. Die Aufschlüsse, die nach seinem Tod durch sein Inventarium gegeben wurden, haben nie das geringste Licht auf die Mittel werfen können, die ihm sein Mißtrauen eingab, um die Stücke gegen die Eintragung ins Staatsschuldbuch selbst einzutauschen. Notar Cruchot dachte, daß Nanon ohne es zu wissen, das treue Werkzeug beim Transport der Renten gewesen ist. Etwa in dieser Zeit war die Magd fünf Tage abwesend, unter dem Vorwand, in Froidfond etwas in Ordnung zu bringen, als wenn es dem Alten ähnlich sähe, irgend etwas in Unordnung geraten zu lassen. Was die Geschäfte des Hauses Guillaume Grandet anging, so wurde alles, was der Böttcher vorausgesehen hatte, Wirklichkeit.

Bei der Bank von Frankreich gibt es bekanntlich die genauesten Aufzeichnungen über die großen Vermögen in Paris und in den Provinzen. Die

Namen von des Grassins und Felix Grandet in Saumur waren da bekannt und genossen die Achtung, die Finanzgrößen gezollt wird, die sich auf ungeheuren hypothekenfreien Landbesitz stützen. Die Ankunft des Bankiers von Saumur, der, wie man sagte, beauftragt war, ehrenhalber das Haus Grandet in Paris zu liquidieren, genügte daher, um der abgeschiedenen Seele des Kaufmanns die Schande der Wechselproteste zu ersparen. Die Abnahme der gerichtlichen Siegel ging in Gegenwart der Gläubiger vor sich, und der Notar der Familie schritt zu einer regelrechten Aufnahme des Nachlasses. Bald darauf versammelte des Grassins die Gläubiger, die einstimmig zum Liquidator den Bankier von Saumur erwählten, zusammen mit François Keller, dem Chef eines reichen Hauses, einen der Hauptinteressenten, und sie mit allen nötigen Vollmachten ausstatteten, um die Ehre der Familie zugleich mit den Schuldforderungen zu retten. Der Kredit Grandets von Saumur, die Hoffnung, die er im Herzen der Gläubiger durch des Grassins wecken ließ, erleichterten die Verträge; es fand sich nicht ein Störriger unter den Gläubigern. Niemand dachte daran, seinen Wechsel auf Gewinn- und Verlustkonto zu buchen und jeder sagte sich:

„Grandet von Saumur wird bezahlen."

Sechs Monate verflossen. Die Pariser steckten die im Umlauf befindlichen Wechsel wieder ein und hoben sie in der Tiefe ihrer Brieftaschen auf. Das erste Resultat, das der Böttcher erreichen wollte. Neun Monate nach der ersten Versammlung verteilten die beiden Liquidatoren siebenundvierzig Prozent an jeden Gläubiger. Diese

Summe kam durch den Verkauf der Werte, Besitztümer und aller irgendwie dem verstorbenen Guillaume Grandet gehörigen Sachen heraus, der mit der peinlichsten Genauigkeit durchgeführt worden war. Die allerstrengste Rechtlichkeit herrschte bei dieser Liquidation. Die Gläubiger erkannten gern das bewundernswerte unbestreitbare Ehrgefühl der Grandets an. Als diese Lobeserhebungen eine angemessene Zeitlang gedauert hatten, verlangten die Gläubiger den Rest ihres Geldes. Sie mußten einen gemeinsamen Brief an Grandet schreiben.

„Da wären wir auf dem Punkt", sagte der frühere Böttcher und warf den Brief ins Feuer.

„Geduld, meine Freundchen."

Als Antwort auf die Vorschläge in diesem Brief verlangte Grandet, daß bei einem Notar sämtliche vorhandene Schuldforderungen auf den Nachlaß seines Bruders hinterlegt würden, zusammen mit einer Quittung über die schon geleisteten Zahlungen, unter dem Vorwand, daß dadurch die Abrechnungen ins Reine gebracht und der Stand des Nachlasses genau dargelegt werden könne. Diese Hinterlegung stieß auf tausend Schwierigkeiten. Im allgemeinen ist der Gläubiger eine Art Besessener. Heute ist er bereit, abzuschließen, morgen will er mit Feuer und Schwert losgehen; noch später ist er übergutmütig. Heute ist seine Frau guter Laune, sein jüngster Sprößling hat Zähne gekriegt, alles geht gut zu Hause, da will er nicht einen Sous verlieren; morgen regnet es, er kann nicht ausgehen, er ist melancholisch, er sagt ja zu allen Vorschlägen, die ein Geschäft zum Abschluß bringen können; übermorgen will er Garantien, am Ende des Monats droht er mit dem Gerichtsvollzieher, mit dem Henker. Der Gläubiger ähnelt dem Sperling in freier Luft, dem die Kinder versuchen sollen, Salz auf den Schwanz zu streuen; der Gläubiger umgekehrt wendet das Bild auf seinen Wechsel an, von dem er nichts zu fassen kriegt. Grandet hatte die atmosphärischen Verschiedenheiten von Gläubigern beobachtet, und die seines Bruders entsprachen samt und sonders seinen Berechnungen. Die einen wurden wütend und widersetzten sich schlechtweg der Hinterlegung.

„Schön, das geht ja trefflich", sagte Grandet und rieb sich die Hände, wenn er die Briefe las, die ihm hierüber des Grassins schrieb.

Ein paar andre gaben die Zustimmung zu der besagten Hinterlegung nur unter der Bedingung, daß ihre Rechte ausdrücklich anerkannt würden, daß sie auf keins verzichten würden und sich sogar das vorbehielten, den Bankrott erklären zu lassen. Neuer Briefwechsel, der damit endete, daß Grandet von Saumur auf alle gemachten Vorbehalte einging. Infolge dieser Nachgiebigkeit bestimmten die langmütigern Gläubiger die hartnäckigen, Vernunft anzunehmen. Die Hinterlegung fand unter einiger Mißstimmung statt.

„Der Alte", sagte man zu des Grassins, „führt Sie und uns an der Nase herum."

Dreiundzwanzig Monate nach dem Tode Guillaume Grandets hatten viele Kaufleute im Drang des Pariser Geschäftslebens ihre Ausstände Grandet vergessen oder, wenn sie daran dachten, sagten sie sich:

„Ich fange an zu glauben, daß die siebenundvierzig

Prozent alles bleiben werden, was ich da herauskriege."

Der Böttcher hatte auf die Macht der Zeit gerechnet, die, wie er sagte, eine verteufelt gute Helferin ist. Am Ende des dritten Jahres schrieb des Grassins an Grandet, daß er die Gläubiger so weit habe, ihm für zehn Prozent der restlichen Schuld des Hauses Grandet, im Betrag von zwei Millionen vierhunderttausend Franken, die Wechsel auszuliefern. Grandet antwortete, daß ja der Notar und der Wechselmakler, deren schreckliche Bankrotte den Tod seines Bruders verschuldet hätten, noch lebten, sie für ihre Person konnten ja gut geworden sein, und man müßte sie in Bewegung setzen, um noch etwas herauszuschlagen und den Betrag des Defizits zu vermindern. Am Ende des vierten Jahres war das Defizit recht und schlecht auf die Summe von zwölfhunderttausend Franken festgesetzt worden. Es hatte Besprechungen gegeben, die sich sechs Monate lang hinzogen, zwischen den Liquidatoren und den Gläubigern, zwischen Grandet und den Liquidatoren. Endlich, lebhaft gedrängt sich zu entschließen, antwortete Grandet den beiden Liquidatoren, ungefähr im neunten Monat dieses Jahres, daß sein Neffe, der in Indien reich geworden war, ihm seine Absicht angezeigt hätte, die Schulden seines Vaters vollständig zu bezahlen, daß er es nicht auf sich nehmen könne, sie zu saldieren, ohne ihn befragt zu haben; er wartete auf eine Antwort. Um die Mitte des fünften Jahres wurden die Gläubiger immer noch durch das Wort „vollständig" in Schach gehalten, das von Zeit zu Zeit von dem großartigen Böttcher hingeworfen wurde, der sich ins Fäustchen lachte und nie ohne ein schlaues Lächeln und einen Lieblingsfluch sagte: Die Pariser!... Den Gläubigern aber blühte ein Schicksal, das unerhört war in den Annalen der Handelswelt. Sie werden sich noch in derselben Lage, in die Grandet sie gebracht hat, zu dem Zeitpunkt befinden, zu dem die Ereignisse dieser Geschichte sie wieder auf den Schauplatz der Handlung rufen. Als die Renten auf hundertundfünfzehn standen, verkaufte der alte Grandet und zog aus Paris ungefähr zwei Millionen vierhunderttausend Franken in Gold ein, die in seinem Fäßchen sich mit den sechshunderttausend Franken angehäufter Zinsen trafen, die ihm seine Staatsschuldscheine eingebracht hatten. Des Grassins blieb in Paris aus folgenden Gründen: erstens war er Abgeordneter geworden, zweitens hatte er als alter Familienvater, den aber das langweilige Saumuraner Leben umbrachte, sich sterblich verliebt in Florine, eine der hübschesten Schauspielerinnen am Theater de Madame, und der Quartiermeister kam bei dem Bankier wieder zum Durchbruch. Es ist unnötig, über seine Aufführung zu reden; in Saumur wurde er als durch und durch unmoralisch beurteilt. Seine Frau war heilfroh, daß sie in Gütertrennung lebte und genug Verstand hatte, um das Haus in Saumur zu halten, dessen Geschäfte unter ihrem Namen fortgeführt wurden; so konnte sie die Lücken ausfüllen, die Herrn des Grassins Torheiten in ihr Vermögen gerissen hatten. Die Cruchotisten übertrieben so geschickt die heikle Lage der quasi Witwe, daß sie ihre Tochter sehr schlecht verheiratete und auf eine Verbindung ihres Sohnes

194

mit Eugenie Grandet verzichten mußte. Adolph ging zu des Grassins nach Paris und soll dort ein großer Taugenichts geworden sein. Die Cruchots triumphierten.

„Ihr Mann muß den Verstand verloren haben", sagte Grandet, als er Frau des Grassins eine Summe gegen Sicherheiten lieh. „Sie tun mir sehr leid, Sie sind eine nette kleine Frau."

„Ach," antwortete die arme Dame, „wer hätte gedacht, daß am Tage, da er von Ihnen wegging, um nach Paris zu reisen, er in sein Unglück rennen würde?"

„Der Himmel ist mein Zeuge, gnädige Frau, daß ich bis zum letzten Moment alles getan habe, um ihn an der Reise zu verhindern. Der Herr Präsident wollte mit aller Gewalt an seine Stelle treten; aber wenn er so sehr darauf drang, hinzugehen, so wissen wir jetzt, warum."

Auf diese Weise hatte Grandet keinerlei Verpflichtungen gegen die des Grassins.

☆

IN JEDER LEBENSLAGE HABEN DIE FRAUEN mehr Grund zum Kummer als der Mann und leiden mehr als er. Der Mann hat Kraft und kann sich nach seinen Fähigkeiten betätigen; er handelt, er geht vorwärts, er ist beschäftigt, er macht Pläne, er denkt an die Zukunft, und findet darin Trost. So machte es Charles. Aber die Frau bleibt zurück, verharrt angesichts des Kummers, von dem sie nichts ablenkt, sie steigt in die Tiefe des Abgrunds herab, die er vor ihr auftut, mißt sie aus und füllt sie oft mit ihren Wünschen und

Tränen an. So machte es Eugenie. Sie schritt den Weg ihres Schicksals. Zu fühlen, zu lieben, zu leiden, sich hinzugeben wird immer der Text des Frauenlebens sein. Eugenie sollte ganz Frau sein, ohne das, was die Frau tröstet. Ihr Glück, das aufgeschossen war wie auf der Mauer gesäte Nelken, um das wundervolle Wort von Bossuet zu gebrauchen, sollte nicht eines Tages ihre Hände füllen. Leiden lassen nie auf sich warten, und für sie kamen sie sehr bald. Am Morgen nach Charles Abreise hatte das Haus Grandet für jedermann wieder seine alten Züge, außer für Eugenie, die es plötzlich sehr leer fand. Ohne daß ihr Vater es wußte, sollte nach ihrem Willen Charles' Zimmer in dem Zustand bleiben, in dem er es verlassen hatte; Frau Grandet und Nanon machten sich bereitwillig zu Mitschuldigen dieses *status quo*. „Wer weiß, ob er nicht eher als wir glauben zurückkommt", sagte sie.

„Ach, ich wünschte, er wäre da," antwortete Nanon, „ich habe mich so an ihn gewöhnt. Er war ein sehr freundlicher, sehr guter Herr, beinah so hübsch und lockig wie ein Mädchen."

Eugenie sah Nanon an.

„Heilige Jungfrau, Fräulein, Sie machen Augen, daß Sie Ihre Seele in Verdammnis stürzen, sehen Sie doch nicht so in die Welt."

Seit diesem Tag nahm die Schönheit von Fräulein Grandet einen neuen Ausdruck an. Die schweren Liebesgedanken, von denen ihre Seele langsam ausgefüllt wurde, die Würde der geliebten Frau gaben ihren Zügen eine Art Leuchtkraft, die die Maler als Heiligenschein darstellen. Ehe ihr Vetter dagewesen war, konnte Eugenie mit der heiligen

Jungfrau vor der Empfängnis verglichen werden; nach seiner Abreise ähnelte sie der Jungfrau Mutter: die Empfängnis der Liebe hatte sich in ihr vollzogen. Diese beiden so verschiedenen Marien, die so gut von einigen spanischen Malern dargestellt sind, gehören zu den herrlichsten Gestalten in der reichen Fülle des Christentums. Auf dem Rückweg von der Messe, in die sie am Morgen nach Charles' Abreise gegangen war und in die sie täglich zu gehen gelobt hatte, kaufte sie beim Buchhändler der Stadt eine Weltkarte, die sie neben ihrem Spiegel annagelte, um ihrem Vetter auf seiner Fahrt nach Indien folgen zu können, um sich ein wenig abends und morgens auf das Schiff zu begeben, das ihn dorthin führte, um ihn zu sehen, tausend Fragen an ihn zu stellen, um ihm zu sagen: Geht's dir gut? Leidest du auch nicht? Denkst du wohl an mich, wenn du den Polarstern siehst, dessen Schönheit und Bedeutung du mir erklärt hast?

Dann des Morgens blieb sie nachdenklich unter dem Nußbaum sitzen, auf der Holzbank, die von Würmern zernagt und von grauem Moos bewachsen war, wo sie sich soviel törichte liebe Dinge gesagt, wo sie Luftschlösser für ihren kleinen Haushalt gebaut hatten. Sie dachte an die Zukunft und betrachtete das kleine Stück Himmel, auf das die Mauern ihr den Blick gestatteten, oder das alte Mauerstück und das Dach, unter dem Charles Zimmer lag. Mit einem Wort: es war die einsame Liebe, die wahre Liebe, die ausharrt, die sich in alle Gedanken einschleicht und ihren Kern bildet, oder wie unsre Väter gesagt hätten, den Lebensstoff. Wenn die sogenannten Freunde des alten

Grandet kamen, um ihr Abendspielchen zu machen, war sie heiter, verstellte sie sich; aber während des ganzen Morgens plauderte sie von Charles mit ihrer Mutter und Nanon. Nanon verstand wohl, daß sie mit den Leiden ihres jungen Fräuleins mitfühlen könnte, ohne ihre Pflichten gegen ihren alten Herrn zu versäumen, daher sagte sie zu Eugenie: „Wenn ich einen Mann gehabt hätte, dann wäre ich ihm ... in die Hölle gefolgt. Ich hätte ihm ... was ... also ich hätte mich für ihn umgebracht; aber ... nichts zu machen. Ich werde sterben, ohne zu wissen, was das Leben eigentlich ist. Aber glauben Sie, Fräulein, daß der alte Cornoiller, der trotzdem ein guter Kerl ist, an meiner Schürze hängt, wegen meiner Renten, genau wie die Leute, die hierher kommen, um den Schatz des Herrn zu beriechen, Ihnen den Hof machen. Das merke ich, weil ich eine feine Nase habe, wenn ich auch ein plumper Turm bin; na, und Fräulein, das macht mir Vergnügen, obwohl's keine Liebe ist."
So vergingen zwei Monate. Das häusliche Leben, das früher so einförmig war, wurde jetzt durch die ungeheure Wichtigkeit ihres Geheimnisses belebt, das diese drei Frauen noch inniger verband. Für sie weilte und verkehrte Charles immer noch unter den angegrauten Balken des Saales. Morgens und abends öffnete Eugenie das Necessaire und betrachtete das Bild ihrer Tante. An einem Sonntag morgen wurde sie von ihrer Mutter überrascht, gerade als sie sich bemühte, Charles' Züge in denen des Porträts wiederzufinden. So wurde Frau Grandet in das schreckliche Geheimnis des Austauschs eingeweiht, den der Abgereiste mit Eugeniens Schatz vorgenommen hatte.

„Du hast ihm alles gegeben?" sagte die Mutter erschreckt. „Was wirst du denn zum Vater am Neujahrstag sagen, wenn er dein Gold sehen will?" Eugeniens Augen wurden starr, und die beiden Frauen verbrachten den halben Morgen in einer tödlichen Angst. Sie waren in solcher Aufregung, daß sie das Hochamt versäumten und nur zur Soldatenmesse gingen. In drei Tagen war das Jahr 1819 zu Ende. In drei Tagen mußte etwas Schreckliches geschehen, eine bürgerliche Tragödie beginnen, ohne Gift, ohne Dolch, ohne Blutvergießen; aber für die handelnden Personen grausamer als alle Dramen, die sich in der berühmten Familie der Atriden abgespielt haben. „Was soll aus uns werden", sagte Frau Grandet und legte ihre Strickarbeit in den Schoß.

Die arme Mutter litt seit zwei Monaten unter solcher inneren Unruhe, daß die wollenen Pulswärmer, die sie im Winter brauchte, noch nicht fertig waren. Diese häusliche scheinbare Kleinigkeit hatte traurige Folgen für sie. Ohne die Pulswärmer wurde sie von der Kälte in verhängnisvoller Weise gepackt mitten in einem Schweißausbruch, der durch einen furchtbaren Zornanfall ihres Mannes verursacht war.

„Ich dächte, wenn du mir dein Geheimnis anvertraut hättest, mein armes Kind, hätten wir Zeit gehabt, nach Paris an Herrn des Grassins zu schreiben. Er hätte uns ähnliche Goldstücke wie deine schicken können, und wenn auch Grandet sie gut kennt, vielleicht..."

„Aber wo hätten wir soviel Geld hergenommen?"

„Ich hätte meinen Grundbesitz verpfändet. Übrigens hätte Herr des Grassins uns wohl..."

„Es ist keine Zeit mehr", unterbrach Eugenie mit dumpfer aufgeregter Stimme ihre Mutter. „Morgen früh müssen wir ihm doch zum neuen Jahr in seinem Zimmer Glück wünschen?"

„Ach Kind, soll ich nicht am Ende zu den Cruchots gehen?"

„Nein, nein, das würde mich ihnen ausliefern, und wir würden von ihnen abhängig. Außerdem, ich habe meinen Entschluß gefaßt. Ich habe recht getan, ich bereue nichts. Gott wird mir beistehen. Sein heiliger Wille geschehe. Ach, wenn du seinen Brief gelesen hättest, würdest du auch nur an ihn gedacht haben, liebe Mutter."

Am nächsten Morgen, dem 1. Januar 1820, gab die brennende Sorge, deren Beute Mutter und Tochter waren, ihnen die natürlichste Entschuldigung ein, um nicht feierlich in Grandets Zimmer zu gehen. Der Winter 1819/20 war einer der härtesten seit Jahren; der Schnee verschüttete die Dächer.

Frau Grandet rief ihrem Mann zu, sobald sie hörte, daß er sich in seinem Zimmer rührte:

„Grandet, laß doch von Nanon ein bißchen Feuer bei mir anmachen; die Kälte ist so schlimm, daß ich unter meiner Decke erstarre. Ich bin jetzt in einem Alter, in dem ich mich schonen muß. Übrigens," fuhr sie nach einer kleinen Pause fort, „Eugenie soll sich hier anziehen. Das arme Kind könnte sich etwas holen, wenn es bei diesem Wetter in seinem Zimmer Toilette macht. Nachher wünschen wir dir dann ein gutes neues Jahr beim Feuer im Saal."

„Ta, ta, ta, ta, was für eine Rede! Wie du das Jahr anfängst, Frau Grandet, Du hast noch nie so viel gesprochen. Du hast doch nicht in Wein getauchtes Brot gegessen, sollt ich meinen."

Es herrschte einen Augenblick Schweigen.

„Na schön," fuhr der Alte fort, dem augenscheinlich der Vorschlag seiner Frau in seinen Kram paßte, „ich will tun, was Sie wünschen, Frau Grandet. Du bist wirklich eine gute Frau, und ich will nicht, daß dir schließlich noch in deinem Alter etwas zustößt, obwohl im allgemeinen die la Bertellières aus dauerhaftem Stoff gemacht sind. Was? nicht wahr?", rief er nach einer Pause. „Aber da wir was davon geerbt haben, verzeihe ich ihnen."

Und er hustete.

„Sie sind heute morgen lustig, Grandet", sagte die arme Frau ernst.

„Ich, ich bin immer lustig":

    „Lustig ist der Böttchersmann,
    Bringt ihm euern Bottich an."

fügte er hinzu und trat ganz angekleidet bei seiner Frau ein.

„Ja, in drei Teufelsnamen, es ist wahrhaftig tüchtig kalt. Wir werden gut frühstücken, liebe Frau. Des Grassins hat uns eine getrüffelte Gänseleberpastete geschickt, ich will sie von der Post holen. Er muß auch einen Doppel-Napoléon für Eugenie mitgeschickt haben", sagte ihr der Böttcher ins Ohr. „Ich habe kein Gold mehr, Frau, ich hatte zwar noch ein paar alte Stücke, dir darf ich das ja sagen; aber ich mußte sie ausgeben für Geschäfte."

Und zur Feier des ersten Tages im neuen Jahr küßte er sie auf die Stirn.

„Eugenie," rief die gute Mutter, „der Vater muß

mit dem rechten Fuß zuerst aufgestanden sein, er ist guter Laune heut früh. – Paß auf, wir kommen so davon."

„Was hat denn der Herr nur?" sagte Nanon, als sie bei ihrer Frau eintrat, um Feuer anzumachen. „Eben hat er zu mir gesagt: ‚Guten Morgen, gutes Neujahr, altes Tier. Mach Feuer bei meiner Frau, sie friert'. Machte ich ein dummes Gesicht, als ich sehe, daß er die Hand ausstreckt und mir ein Sechsfrankenstück gibt, das noch fast gar nicht abgeschabt ist. Hier, Madame, sehen Sie es mal an. Ach, der gute Mann. Er ist ein würdiger Mann, wirklich. Da gibts welche, die werden je älter, je härter; aber er, der ist so sanft wie unser Likör und wird immer besser. Er ist ein ganz vortrefflicher, ein sehr guter Mann ..."

Das Geheimnis von Grandets Fröhlichkeit lag in dem vollkommenen Gelingen seiner Spekulation. Herr des Grassins hatte, nach Abzug des Geldes, das ihm der Böttcher für Eskontierung von hundertfünfzigtausend Franken holländischer Wechsel schuldete, und des Zuschusses, den er ihm vorgestreckt hatte, um das für den Kauf der hunderttausend Franken Rente nötige Geld zusammenbringen, ihm durch die Post dreißigtausend Franken in Talern geschickt, den Rückstand von einem halben Jahr seiner Zinsen, und ihm die Hausse der staatlichen Renten mitgeteilt. Sie standen jetzt auf neunundachtzig, die angesehensten Kapitalisten kauften sie Ende Januar zu zweiundneunzig. Grandet gewann in zwei Monaten zwölf Prozent seines Kapitals und konnte von jetzt ab fünfzigtausend Franken alle halbe Jahr einkassieren, bei denen es keine Steuern, keine Reparaturen gab. Er begriff mit einem Wort die Rente, diese Geldanlage, gegen die sonst Provinzler eine unüberwindliche Abneigung haben, und sah sich, ehe fünf Jahre um waren, als Herrn eines Kapitals von sechs Millionen, das sich ohne Mühe vergrößert hatte und das zusammen mit dem territorialen Wert seiner Besitzungen ein riesiges Vermögen darstellte. Die sechs Franken, die er Nanon geschenkt hatte, waren vielleicht der Lohn für einen ungeheuren Dienst, den die Magd, ohne es zu wissen, ihrem Herrn geleistet hatte.

‚Na, na, wo läuft denn der alte Grandet hin, der rennt ja heut früh, als wenn's brennt‘, dachten die Kaufleute, die dabei waren, ihre Läden zu öffnen.

Als sie ihn dann vom Kai zurückkommen sahen, gefolgt von einem Gepäckträger der Paketfahrt, der auf einem Karren gefüllte Säcke vor sich herschob, sagte jemand:

„Das Wasser läuft immer ins Meer, der Alte nach seinen Talern.“

„Und die kriegt er von Paris, von Froidfond, von Holland“, sagte ein andrer.

„Er wird schließlich noch Saumur kaufen“, schrie ein dritter.

„Der macht sich nichts aus der Kälte, er ist immer beim Geschäft“, sagte eine Frau zu ihrem Mann.

„Na, Herr Grandet, wenn Ihnen das da unbequem ist,“ sagte ein Tuchhändler, sein nächster Nachbar, „will ichs Ihnen abnehmen.“

„Ach was, es sind Sous“, antwortete der Winzer.

„Von Silber“, sagte der Gepäckträger leise.

„Wenn du was von mir haben willst, leg dir'n

Schloß vor's Maul", sagte der Alte zum Gepäckträger, als er seine Haustür öffnete.

‚Ach, der alte Fuchs, ich hielt ihn für taub,‘ dachte
der Gepäckträger, ‚es scheint, wenn's friert, kann
er hören.‘

„Hier sind zwanzig Sous als dein Neujahrsgeschenk und nun still! pack dich!" sagte Grandet
zu ihm, „Nanon wird dir deine Karre zurückbrin-
gen. — Nanon, sind die Vöglein in der Messe?"

„Ja, Herr."

„Dann los, reg dich, an die Arbeit", rief er und
lud ihr die Säcke auf.

In einem Augenblick waren die Taler in sein
Zimmer gebracht, wo er sich einschloß.

„Wenn das Frühstück fertig ist, klopf an die
Wand. Bring die Karre zur Paketfahrt zurück."

Die Familie frühstückte erst um zehn Uhr.

„Hier unten wird der Vater nicht dein Geld sehen
wollen", sagte Frau Grandet zu ihrer Tochter,
als sie von der Messe heimkamen. „Sonst tust
du, als wenn du frierst. Dann werden wir Zeit
haben, deinen Schatz bis zu deinem Geburtstag
wieder anzufüllen …"

Grandet kam die Treppe herab und dachte dabei
daran, daß er seine Pariser Taler sofort in gutes
Gold umtauschen wollte und an seine wundervolle Spekulation in Staatsrenten. Er war entschlossen, alle seine Einkünfte so anzulegen, bis
die Renten den Kurs von hundert Franken erreicht hatten. Ein verhängnisvoller Gedankengang
für Eugenie! Gleich als er hereinkam, wünschten ihm beide Frauen ein glückliches Neujahr,
seine Tochter, indem sie ihm um den Hals fiel und
ihn liebkoste, seine Frau ernst und mit Würde.

„Ja, ja, mein Kind," sagte er und küßte seine
Tochter auf die Wangen, „ich arbeite für dich,
weißt du! — ich will dein Glück. Man muß Geld
haben, um glücklich zu sein. Ohne Geld, prost
die Mahlzeit! Da, hier ist ein ganz neuer Napoléon, ich habe ihn aus Paris kommen lassen. Denn,
bei allen Teufeln, hier hab ich kein Gran
Gold. Nur du allein hast Gold. Zeig mir dein
Gold, Töchterchen."

„Pah, es ist zu kalt, wir wollen frühstücken",
antwortete ihm Eugenie.

„Na schön, aber nachher, was? Es wird uns allen
verdauen helfen. Der brave des Grassins hat
uns das hier eigens geschickt", fuhr er fort;
„also eßt, meine Kinder, das kostet uns nichts.
Es geht ihm gut, dem des Grassins, ich bin zufrieden mit ihm. Dieser gedörrte Stockfisch lei-
stet Charles einen Dienst und obendrein gratis.
Er ordnet die Geschäfte des armen toten Grandet
sehr gut. Aah, aah," sagte er mit vollem Mund,
nach einer Pause, „das schmeckt gut. Iß doch
davon, Frau; das gibt Kraft mindestens für zwei
Tage."

„Ich hab keinen Hunger. Ich bin sehr schwächlich, wie du ja weißt."

„Ach was, du kannst dich vollpfropfen ohne
Furcht, daß dir der Bauch platzt; du bist eine la
Bertellière, eine Frau, die was aushält. Du bist
allerdings ein kleines gelbliches Krümchen, aber
ich habe Gelb gern.

Die Erwartung seiner schimpflichen, öffentlichen
Hinrichtung ist vielleicht weniger entsetzlich für
einen Verurteilten, als es für Frau Grandet und
für ihre Tochter die Erwartung der Dinge war,

die nach diesem Familienfrühstück kommen mußten. Je lustiger der alte Winzer sprach und aß, je mehr schnürte sich das Herz der beiden Frauen zusammen. Doch hatte die Tochter einen Halt in dieser Lage: sie schöpfte Kraft aus ihrer Liebe.

„Für ihn, für ihn, würde ich tausend Tode sterben", sagte sie zu sich selbst.

Bei diesem Gedanken warf sie ihrer Mutter flammende Blicke voll Mut zu.

„Räum das alles weg," sagte Grandet zu Nanon, als gegen elf Uhr das Frühstück beendet war, „aber laß den Tisch da. Wir können dann bequemer deinen kleinen Schatz betrachten", sagte er mit einem Blick auf Eugenie. „Kleinen –, meiner Treu, nein! Du besitzt nach dem eigentlichen Wert fünftausendneunhundertneunundfünfzig Franken, und vierzig dazu seit heute früh, das macht sechstausend Franken weniger einen. Na, schön, da will ich dir noch den Franken geben, um die Summe abzurunden, weil, siehst du, Töchterchen... Na, was hörst du uns zu? Marsch kehrt, Nanon, und geh an deine Arbeit." Nanon verschwand.

„Hör mal, Eugenie, du mußt mir dein Gold geben. Du wirst es nicht deinem Väterchen abschlagen, mein kleines Töchterchen, was?"

Die beiden Frauen blieben stumm.

„Ich selber hab kein Gold mehr. Ich hatte welches, aber ich hab es nicht mehr. Ich gebe dir sechstausend Franken in Livres dafür, und du wirst sie anlegen, wie ich es dir sagen werde. Du brauchst nicht mehr an dein Heiratsdutzend zu denken. Wenn ich dich verheirate, was bald sein wird, werde ich dir einen Zukünftigen schaffen, der dir das schönste Dutzend schenken wird, von dem man je hierzulande gesprochen hat. Also höre, Töchterchen; es bietet sich eine schöne Gelegenheit; du kannst deine sechstausend Franken bei der Regierung anlegen, und du hast alle sechs Monate fast zweihundert Franken Zinsen, und da gibts keine Steuern dabei oder Reparaturen oder Hagel, Frost, Ebbe und Flut oder sonst was, was die Einkünfte schmälert. Du willst dich vielleicht nicht von deinem Gold trennen? was, Töchterchen? Bring es mir trotzdem. Ich werde wieder Goldstücke für dich sammeln, Holländer, Portugiesen, Rupien des Moguls, Genueser; und mit denen, die ich dir zu den Festtagen schenke, wirst du in drei Jahren die Hälfte deines hübschen kleinen Goldschatzes wieder beisammen haben. Was sagst du, Töchterchen? Was läßt du den Kopf hängen? Also, los, geh ihn holen, den Kleinen. Du solltest mir die Augen küssen, weil ich dich so in die verborgenen Kräfte und Geheimnisse vom Leben und Tod der Taler einweihe. Wirklich, die Taler leben und rühren sich, wie Menschen: sie kommen und gehen, arbeiten in ihrem Schweiß, bringen was hervor."

Eugenie erhob sich, aber als sie ein paar Schritte zur Tür gemacht hatte, drehte sie sich heftig um, sah ihrem Vater ins Gesicht und sagte zu ihm: „Ich habe *mein* Gold nicht mehr."

„Du hast dein Gold nicht mehr", schrie Grandet und ging hoch wie ein Pferd, das zehn Schritte neben sich eine Kanone abfeuern hört.

„Nein, ich habe es nicht mehr."

„Du irrst dich, Eugenie."

„Nein."

„Beim Winzermesser meines Vaters!"

Wenn der Böttcher diesen Fluch ausstieß, zitterten die Wände.

„Guter Heiland! guter Gott! sehen Sie Madame an, sie wird kreideweiß", schrie Nanon.

„Grandet, dein Zorn wird mein Tod sein", sagte die arme Frau.

„Ta, ta, ta, ta, ihr sterbt alle nicht so schnell in eurer Familie. Eugenie, was hast du mit deinen Goldstücken gemacht?" schrie er und stürzte auf sie los.

„Herr Vater," sagte Eugenie, die neben Frau Grandet kniete, „meine Mutter leidet sehr . . . wie Sie sehen . . . töten Sie sie nicht."

Grandet bekam einen Schreck über die Blässe, die den eben noch so gelben Teint seiner Frau überzog.

„Nanon, hilf mir ins Bett gehen," sagte die Mutter mit schwacher Stimme, „ich sterbe . . ."

Sofort gab Nanon ihrer Herrin den Arm, dasselbe tat Eugenie, aber nur mit unendlicher Mühe konnten sie sie nach oben in ihr Zimmer bringen, denn bei jeder Stufe drohte sie ohnmächtig zu werden. Grandet blieb allein. Jedoch nach einigen Minuten stieg er sieben bis acht Stufen hinauf und schrie:

„Eugenie, wenn die Mutter im Bett ist, kommst du herunter."

„Ja, Vater."

Sie kam ohne zu zögern, nachdem sie ihre Mutter beruhigt hatte.

„Tochter," sagte Grandet zu ihr, „du wirst mir sagen, wo dein Schatz ist."

„Vater, wenn Sie mir Geschenke machen, über

die ich nicht völlig Herrin bin, nehmen Sie sie zurück", antwortete kaltblütig Eugenie, holte den Napoléon vom Kamin und hielt ihn hin.

Grandet riß den Napoléon an sich und ließ ihn in seine Tasche gleiten.

„Ich glaub's wohl, daß ich dir nichts mehr schenken werde. Nicht soviel!" sagte er und knipste mit dem Daumennagel gegen seinen Eckzahn. „Du verachtest also deinen Vater? Du hast kein Vertrauen zu ihm? Du weißt also nicht, was ein Vater ist? Wenn er nicht alles für dich ist, ist er nichts. Wo ist dein Gold?"

„Vater, ich liebe Sie und achte Sie trotz ihrem Zorn; aber in aller Bescheidenheit mache ich Sie darauf aufmerksam, daß ich zweiundzwanzig Jahre alt bin. Sie haben mir zu oft gesagt, daß ich mündig bin, als daß ich es nicht wissen sollte. Ich habe mit meinem Geld getan, was mir beliebte, und seien Sie sicher, daß es gut angelegt ist..."

„Wo?"

„Das ist ein unverbrüchliches Geheimnis. Haben Sie nicht Ihre Geheimnisse?"

„Bin ich nicht das Oberhaupt der Familie? Darf ich nicht meine Geschäfte haben?"

„Das ist auch mein Geschäft."

„Das muß ein übles Geschäft sein, wenn du es deinem Vater nicht sagen kannst, Fräulein Grandet."

„Es ist ein ausgezeichnetes Geschäft, und ich kann es meinem Vater nicht sagen."

„Wenigstens, wann hast du dein Gold weggegeben?"

Eugenie schüttelte den Kopf.

„Du hattest es noch zu deinem Geburtstag, was?"
Eugenie, die durch ihre Liebe so schlau geworden
war wie ihr Vater durch seine Habgier, wiederholte ihr Kopfschütteln.

„Aber hat man je einen solchen Eigensinn, einen
solchen Diebstahl gesehen?" sagte Grandet mit
crescendo-Stimme, die schließlich durchs ganze
Haus tönte. „Was! Hier in meinem eigenen Haus,
bei mir, soll jemand dein Gold genommen haben,
das einzige Gold, das es hier gab, und ich soll
nicht wissen, wer? Das Gold ist eine kostbare
Sache. Die anständigsten Mädchen können Fehl-
tritte begehen, ich weiß nicht, was, hingeben,
das kommt bei den Aristokraten vor so gut wie
bei den Bürgern; aber Gold hingeben! denn du
hast es doch jemandem gegeben, was?"
Eugenie blieb ungerührt.

„Hat man je eine solche Tochter gesehen! Bin ich
dein Vater oder nicht? Wenn du es angelegt
hast, hast du eine Quittung bekommen..."
„Stand es mir frei, ja oder nein, damit zu machen, was mir gut schien? Gehörte es mir?"
„Aber du bist ein Kind."
„Ein großjähriges."
Verblüfft von der Logik seiner Tochter, erbleichte
Grandet, stampfte mit den Füßen, fluchte; dann,
als er endlich die Sprache wiedergefunden hatte,
schrie er:
„Verwünschte Schlange von einer Tochter! du
schlechter Same, du weißt, daß ich dich lieb habe,
und du mißbrauchst es. Sie erdrosselt ihren Vater! Bei Gott, du wirst am Ende unser Vermögen
diesem Barfüßler in Safranschuhen vor die Füße
geworfen haben. Beim Winzermesser meines Va-

ters! Enterben kann ich dich ja nicht! aber ich verfluche dich, dich, deinen Vetter und deine Kinder. Du wirst sehen, daß nichts Gutes aus all dem herauskommt, hörst du? Wenn es Charles wäre, der... Aber nein, das ist nicht möglich. Was, dieser elende Windbeutel sollte mich ausgeplündert haben?"

Er sah seine Tochter an, die stumm und kalt blieb.

„Sie rührt sich nicht, sie zuckt nicht mit der Wimper, sie ist mehr Grandet als ich Grandet bin. Du hast doch wenigstens nicht dein Gold für nichts weggegeben. Was, sag doch?"

Eugenie warf ihrem Vater einen ironischen Blick zu, der ihn verletzte.

„Eugenie, du bist in meinem Haus, bei deinem Vater. Du mußt dich, wenn du hier bleiben willst, meinen Befehlen fügen. Die Priester befehlen dir, mir zu gehorchen."

Eugenie senkte den Kopf.

„Du kränkst mich in dem, was mir am teuersten ist," fuhr er fort, „und ich will dich nur sehen, wenn du dich mir fügst. Geh in dein Zimmer. Du wirst da bleiben, bis ich dir erlaube, herauszukommen. Nanon wird dir Brot und Wasser hineinbringen. Du hast mich verstanden. Marsch."

Eugenie brach in Tränen aus und flüchtete zu ihrer Mutter. Nachdem er ein paarmal rund um seinen verschneiten Garten gegangen war, ohne die Kälte zu bemerken, argwöhnte Grandet, daß seine Tochter bei seiner Frau wäre; und da es ihn reizte, sie bei der Übertretung seiner Befehle zu ertappen, erklomm er die Treppe mit der Behendigkeit einer Katze und erschien im Zimmer von

Frau Grandet, als sie gerade Eugeniens Kopf streichelte, die ihr Gesicht in den mütterlichen Schoß gelegt hatte.

„Tröste dich, mein armes Kind, der Vater wird sich beruhigen."

„Sie hat keinen Vater mehr", sagte der Böttcher. „Ist ein so ungehorsames Kind, wie das da, wahrhaftig von Ihnen und mir, Frau Grandet! Eine nette Erziehung und besonders eine sehr religiöse. Was? Du bist nicht in deinem Zimmer? Marsch, marsch ins Gefängnis, mein Fräulein."

„Wollen Sie mir meine Tochter rauben, Herr Grandet?" sagte Frau Grandet und wandte ihm ein vom Fieber gerötetes Gesicht zu.

„Wenn Sie sie behalten wollen, bringen Sie sie weg, räumen Sie mir alle beide das Haus. — Donner, wo ist das Gold? Was ist aus dem Gold geworden?"

Eugenie erhob sich, warf ihrem Vater einen stolzen Blick zu und ging in ihr Zimmer zurück, das der Alte abschloß.

„Nanon," rief er, „lösch das Feuer im Saal." Er setzte sich auf einen Sessel in eine Ecke am Kamin seiner Frau und sagte zu ihr:

„Sie hat es ohne Zweifel diesem verdammten Verführer Charles gegeben, der es nur auf unser Geld abgesehen hatte."

Frau Grandet fand bei der Gefahr, die ihrer Tochter drohte und in ihrer Liebe zu ihrem Kind so viel Kraft, daß sie dem Anschein nach kalt, stumm und taub blieb.

„Ich weiß nichts von alledem", antwortete sie und drehte sich im Bett nach der Wand zu, um nicht die funkelnden Blicke ihres Mannes ertragen zu müssen. „Ich leide so sehr infolge Ihrer Heftigkeit, daß, wenn mich meine Ahnung nicht täuscht, ich dies Lager, die Füße vorneweg, verlassen werde. Sie hätten mich in dieser Zeit schonen können, Grandet, die ich Ihnen doch niemals Kummer gemacht habe, denke ich wenigstens. Ihre Tochter hat Sie lieb; ich halte sie für unschuldig wie ein neugeborenes Kind; also tun Sie ihr nicht weh, nehmen Sie Ihren Befehl zurück. Die Kälte ist sehr streng, sie könnten schuld an einer ernsten Krankheit werden."

„Ich will sie weder sehen noch sprechen. Sie wird in ihrem Zimmer bei Wasser und Brot bleiben, bis sie ihren Vater zufriedenstellt. Zum Teufel! Ein Familienoberhaupt soll doch wohl wissen, wo das Gold in seinem Haus hinkommt. Sie besaß die einzigen Rupien vielleicht in ganz Frankreich, außerdem Genueser, holländische Dukaten..."

„Grandet, Eugenie ist unser einziges Kind, und selbst wenn sie sie ins Wasser geworfen hätte..."

„Ins Wasser!" schrie der Alte. „Ins Wasser! Sie sind toll, Frau Grandet. Was ich gesagt habe, dabei bleibt's, das wissen Sie. Wenn Sie Frieden im Haus haben wollen, so nehmen Sie Ihre Tochter ins Gebet, ziehen Sie ihr die Würmer aus der Nase; darauf verstehen sich Frauen untereinander besser als wir. Was sie auch immer getan hat, ich werde sie nicht fressen. Hat sie Furcht vor mir? Wenn sie ihren Vetter vom Kopf bis zu den Füßen vergoldet hat, er ist ja auf offnem Meer, nicht? Wir können nicht hinter ihm her rennen..."

„Nun also, Grandet..."

Mit geschärftem Blick infolge der nervosen Krise, in der sie sich befand, oder infolge des Unglücks ihrer Tochter, das ihre Liebe und Klugheit noch erhöht hatte, bemerkte Frau Grandet eine schreckliche Bewegung der Geschwulst ihres Mannes, im Moment, wo sie antworten wollte, daher änderte sie ihren Gedankengang, ohne ihren Ton zu ändern. „Nun also, Grandet, hab' ich mehr Macht als Sie über das Kind. Mir hat sie nichts gesagt, Sie ist von Ihrer Art."

„Donnerwetter, haben Sie heut aber ein Mundwerk! Ta, ta, ta, ta, Sie verhöhnen mich, glaub' ich. Sie stecken vielleicht unter einer Decke mit ihr."

Er sah seine Frau fest an.

„Wahrhaftig, Herr Grandet, wenn Sie mich töten wollen, brauchen Sie nur in diesem Ton fortzufahren. Ich sage es Ihnen, Grandet, und wenn es mir das Leben kostet, ich wiederhole es noch einmal: Sie sind im Unrecht gegen Ihre Tochter, die vernünftiger ist, als Sie sind. Das Geld gehört ihr, sie kann es nur zu einem guten Zweck gebraucht haben, und Gott allein hat das Recht, um unsre guten Werke zu wissen. Grandet, ich flehe Sie an — seien Sie wieder gut mit Eugenie. Dadurch würden Sie die Wirkung des Schlages mildern, den Sie mir durch Ihren Zorn beigebracht haben und mir vielleicht das Leben retten. Meine Tochter, Grandet, geben Sie mir meine Tochter zurück!"

„Ich reiße aus," sagte er, „mein Haus wird unerträglich. Mutter und Tochter halten große Reden und sprechen, wie wenn... burr! puh! Du hast mir ein grausames Neujahrsgeschenk gemacht, Eugenie", schrie er. „Jawohl, weine nur! Was du getan hast, darüber kriegst du noch Gewissensbisse, verstehst du mich? Was nützt es, daß du den Leib des Herrn sechsmal in drei Monaten ißt, wenn du heimlich das Gold deines Vaters einem Faulenzer gibst, der dein Herz verzehren wird, wenn du ihm sonst nichts mehr herzuschenken hast. Du wirst noch sehen, was dein Charles wert ist mit seinen Schuhen aus Saffian und seiner Miene Rührmichnichtan. Er hat weder Herz noch Gewissen, wenn er es wagt, den Schatz eines armen Mädchens ohne Zustimmung der Eltern wegzuschleppen."

Als die Haustür ins Schloß fiel, kam Eugenie aus ihrem Zimmer und ging zu ihrer Mutter.

„Du hast soviel Mut für deine Tochter bewiesen", sagte sie zu ihr.

„Siehst du mein Kind, wohin uns verbotene Dinge führen. — Du hast mich dazu gebracht, eine Lüge auszusprechen."

„Ach, ich will Gott bitten, nur mich dafür zu bestrafen."

„Ist's wahr," sagte Nanon und kam verstört angelaufen, „unser Fräulein soll den Rest ihrer Tage bei Wasser und Brot zubringen?"

„Was schadet das, Nanon", sagte Eugenie ruhig.

„Was! Zu denken, daß ich Butterbrot esse, während die Tochter des Hauses trocken Brot ißt ... nein! nein!"

„Kein Wort mehr darüber, Nanon", sagte Eugenie.

„Ich rühre keinen Bissen an, Sie werden's schon sehen."

Grandet aß allein zu Mittag, das erstemal seit vierundzwanzig Jahren.

„Nun sind Sie also Witwer, Herr", sagte Nanon zu ihm. „Das muß sehr unangenehm sein, wenn man Witwer ist mit zwei Frauen im Haus."

„Ich spreche nicht mit dir, du! Halt dein Maul oder ich jag' dich fort. Was hast du in deiner Pfanne, daß ich auf dem Herd brodeln höre?"

„Das ist Fett, das ich auslasse..."

„Es kommt Besuch heut abend, mach' Feuer an."

Die Cruchots, Frau des Grassins und ihr Sohn kamen gegen acht Uhr und waren sehr erstaunt, weder Frau Grandet noch ihre Tochter zu sehen.

„Meine Frau ist ein wenig unwohl; Eugenie ist bei ihr", antwortete der alte Winzer, dessen Gesicht keine Bewegung verriet.

Nach einer Stunde, die mit belanglosen Gesprächen hinging, kam Frau des Grassins herunter, die nach oben gegangen war, Frau Grandet zu besuchen, und jeder fragte sie:

„Wie geht es Frau Grandet?"

„Aber ganz und gar nicht gut", sagte sie. „Ihr Zustand scheint mir wirklich besorgniserregend. In ihrem Alter muß man die größte Vorsicht walten lassen, Papa Grandet."

„Das wird sich finden", antwortete der Winzer zerstreut.

Alle wünschten einen Guten Abend. Als die Cruchots auf der Straße waren, sagte Frau des Grassins zu ihnen:

„Es gibt irgend was Neues bei den Grandets. Die Mutter ist sehr krank, ohne es selbst zu wissen. Die Tochter hat rote Augen, wie jemand, der lange geweint hat. Sollten sie sie gegen ihren Willen verheiraten wollen?"

Als der Winzer zu Bett gegangen war, kam Nanon auf Strümpfen mit leisen Schritten zu Eugenie und brachte ihre eine in der Pfanne gemachte Pastete.

„Hier, Fräulein," sagte das gute Mädchen, „Cornoiller hat mir einen Hasen geschenkt. Sie essen so wenig, daß diese Pastete gut acht Tage für Sie vorhält; und durch die Sülze kann sie nicht verderben. So sitzen Sie wenigstens nicht bei trockenem Brot. Denn das ist gar nicht gesund."

„Arme Nanon", sagte Eugenie und drückte ihr die Hand.

„Ich habe sie sehr gut und sehr schmackhaft gemacht und e r hat nichts davon gemerkt. Den Speck, das Gewürz hab' ich alles von meinen sechs Franken gekauft, über die hab' ich doch zu bestimmen."

Dann lief die Magd fort, denn sie glaubte Grandet zu hören.

Während einiger Monate besuchte der Winzer stets zu verschiedenen Stunden des Tages seine Frau, ohne den Namen seiner Tochter auszusprechen, sie zu sehen oder die geringste Anspielung auf sie zu machen. Frau Grandet verließ das Zimmer nicht, und von Tag zu Tag verschlimmerte sich ihr Zustand. Nichts brachte den Böttcher zum Nachgeben. Er blieb unerschütterlich, rauh und kalt wie ein Fels von Granit. Er führte sein Leben fort, wie er es gewohnt war; aber er stotterte nicht mehr, sprach weniger und war in Geschäften schroffer als je zuvor. Manchmal unterlief ihm ein Irrtum in seinen Rechnungen.

„Irgend etwas ist bei den Grandets losgewesen", sagten die Cruchotisten und Grassinisten.

„Was ist denn im Haus Grandet passiert?" so lautete die Frage, die man sich durchweg in allen Abendgesellschaften in Saumur stellte.

Eugenie ging zu den Gottesdiensten unter der Bedeckung von Nanon. Wenn am Ausgang der Kirche Frau des Grassins ein paar Worte an sie richtete, antwortete sie ihr ausweichend und ohne ihre Neugierde zu befriedigen. Dennoch ließ sich nach Ablauf von zwei Monaten unmöglich weder vor den drei Cruchots noch vor Frau des Grassins das Geheimnis der Haft Eugeniens verbergen. Es kam eine Zeit, wo die Vorwände fehlten, ihre beständige Abwesenheit zu entschuldigen. Ohne daß man sagen konnte, durch wen das Geheimnis verraten worden war, wußte plötzlich die ganze Stadt, daß seit dem Neujahrstage Fräulein Grandet auf Befehl ihres Vaters bei Wasser und Brot in ihrem Zimmer ohne Feuer eingeschlossen gehalten wurde; daß Nanon ihr Leckerbissen kochte und sie ihr nachts brachte; und man wußte sogar, daß das junge Mädchen selbst ihre Mutter nur sehen und pflegen konnte, solange der Vater von Hause fort war. Daraufhin wurde das Benehmen Grandets sehr streng verurteilt. Die ganze Stadt tat ihn sozusagen in Acht und Bann, erinnerte sich an seine Verrätereien und seine Härten und wandte sich von ihm ab. Wenn er vorüberging, zeigte man auf ihn und tuschelte. Wenn die Tochter die gewundene Straße herabkam, um zur Messe oder zur Vesper zu gehen, in Begleitung von Nanon, stellten sich alle Einwohner ans Fenster und beobachteten mit Neugier die Haltung der reichen Erbin und ihr Gesicht, auf dem sich eine engelhafte Schwermut und Sanftmut malte. Ihre Haft, der Unwille ihres Vaters bedeuteten nichts für sie. Sie hatte ja doch ihre Weltkarte vor Augen, die kleine Bank, den Garten, das Mauerstück und schmeckte immer von neuem auf ihren Lippen den Honig, den die Küsse der Liebe da gelassen hatten. Sie wußte eine Zeitlang nichts von den Gesprächen in der Stadt über sie, ebensowenig wie ihr Vater darum wußte. Da sie vor Gott fromm und rein war, halfen ihr ein gutes Gewissen und die Liebe, geduldig die väterliche Wut und Rache zu ertragen. Aber vor einem tiefern Schmerz mußten alle andern Schmerzen schweigen. Ihre Mutter, dieses sanfte und liebreiche Wesen, das sich durch den Glanz verschönte, den ihre Seele auf dem Wege zum Grab ausstrahlte, ihre Mutter siechte von Tag zu Tag mehr dahin. Oft machte sich Eugenie Vorwürfe, die unschuldige Ursache der schlimmen schleichenden Krankheit geworden zu sein, die ihre Mutter verzehrte. Diese Gewissensbisse, die zwar von ihrer Mutter beschwichtigt wurden, verknüpften Eugenie nur noch fester mit ihrer Liebe. Alle Morgen, sobald ihr Vater ausgegangen war, kam sie zum Bett ihrer Mutter, und dahin brachte ihr Nanon ihr Frühstück. Und die arme Eugenie, die bei ihrer eigenen Betrübnis noch so unter den Leiden ihrer Mutter litt, wies Nanon auf deren Gesicht mit einer stummen Bewegung hin, weinte und wagte nicht, von ihrem Vetter zu sprechen. Frau Grandet mußte als erste fragen:

„Wo ist e r denn? Warum schreibt e r nicht?"
Mutter und Tochter hatten keine Ahnung von den Entfernungen.

„Wir wollen an ihn denken, Mutter," antwortete Eugenie, „aber nicht von ihm sprechen. Du leidest ja, dein Leiden ist wichtiger als alles."
Alles, das war e r.

„Kinder," sagte Frau Grandet, „ich sehne mich

nicht nach dem Leben. Gott hat mir Gunst erwiesen, weil er mich mit Freuden dem Ende meiner Leiden entgegensehen läßt."

Alle Worte dieser Frau waren heilig und christlich.

Wenn ihr Mann beim Verzehren seines Frühstücks in ihrem Zimmer auf und ab ging, hielt sie ihm in den ersten Monaten des Jahres immer dieselben Reden, die sie mit einer engelhaften Sanftmut wiederholte, aber auch mit der Festigkeit einer Frau, die beim herannahenden Tod den Mut findet, der ihr während ihres Lebens gefehlt hat.

„Grandet, ich danke Ihnen für Ihr Interesse an meiner Gesundheit," antwortete sie ihm, wenn er eine höchst banale Frage danach getan hatte, „aber wenn Sie die Bitterkeit meiner letzten Augenblicke mildern und meine Schmerzen erleichtern wollen, nehmen Sie unsre Tochter wieder in Liebe auf; zeigen Sie sich als Christ, Gatte und Vater."

Wenn Grandet diese Worte hörte, setzte er sich an das Bett seiner Frau, so wie ein Mann, der einen Platzregen kommen sieht und sich ruhig unter den Schutz eines Torwegs begibt: er hörte schweigend seine Frau an und antwortete nichts. Wenn sie ihn auf die rührendste, innigste, frömmste Weise angefleht hatte, sagte er nur:

„Du bist heut ein bißchen bläßlich, meine arme Frau."

Auf seiner ehernen Stirn, auf seinen zusammengepreßten Lippen schien geschrieben zu stehen, daß er seine Tochter vollständig vergessen hatte. Er wurde nicht einmal durch die Tränen gerührt, die bei seinen unbestimmten Antworten, die kaum in ihrem Wortlaut wechselten, über das bleiche Gesicht seiner Frau liefen.

„Möge Gott Ihnen verzeihen," sagte sie, „wie auch ich Ihnen verzeihe. Sie werden einmal Nachsicht nötig haben."

Seit der Krankheit seiner Frau hatte er nicht mehr gewagt, sein schreckliches „ta, ta, ta, ta" hören zu lassen, aber ebensowenig wurde sein Despotismus von diesem Engel an Sanftmut entwaffnet. Die Häßlichkeit dieser Frau verschwand immer mehr hinter dem Ausdruck ihrer seelischen Eigenschaften, die auf ihrem Gesicht aufzublühen begannen. Sie war ganz Seele. Der Geist des Gebets schien selbst die gröbsten Züge ihres Gesichts zu reinigen und zu mildern und ließ es von innen heraus leuchten. Wer hat nicht schon das Phänomen einer solchen Verwandlung auf heiligen Gesichtern beobachtet, auf denen zuletzt die Eigenschaften der Seele über die noch so ungestalteten Züge den Sieg davontrugen und ihnen die eigentümliche Beseelung verliehen, die dem Adel und der Reinheit erhabner Gedanken entspringt? Das Schauspiel dieser Umformung, die vollkommen wurde durch das Leid, das die irdischen Hüllen dieser Frau verzehrte, wirkte, wenn auch schwach, auf den alten Böttcher, dessen Sinn fest blieb. Wenn er jetzt nicht mehr geringschätzige Worte sagte, so verharrte er vorwiegend in unerschütterlichem Schweigen, wodurch er seine Überlegenheit als Familenvater rettete. Seiner getreuen Nanon kamen, wenn sie auf dem Markt erschien, plötzlich allerhand Schmähungen und Angriffe auf ihren Herrn zu Ohren; aber wenn die öffentliche Meinung den Vater Grandet frei heraus verdammte, so verteidigte ihn die Magd aus Stolz für das Haus.

„Na," sagte sie zu den Verleumdern des Alten, „werden wir nicht alle härter, wenn wir älter werden? Warum soll grad der Mann nicht ein bißchen verknöchern? Seid doch still mit euern Lügereien. Mein Fräulein lebt wie eine Königin. Wenn sie allein ist, na ja, das ist ihr Geschmack. Im übrigen hat meine Herrschaft ihre guten Gründe."

Schließlich, eines Abends, gegen Ende des Frühjahrs, vertraute Frau Grandet, die sich noch mehr durch den Kummer als durch die Krankheit verzehrte, da sie trotz ihrem Flehen Eugenie nicht mit dem Vater versöhnen konnte, ihre geheimen Schmerzen den Cruchots an.

„Ein Mädchen von dreiundzwanzig Jahren bei Wasser und Brot einsperren!" rief der Präsident von Bonfons aus, „noch dazu ohne Grund! Aber das bildet ja eine widerrechtliche Mißhandlung; sie kann Protest erheben dagegen und ebenso dagegen, daß . . ."

„Na, Neffe," sagte der Notar, „laß deinen Gerichtsjargon. — Beruhigen Sie sich, Frau Grandet, ich werde dafür sorgen, daß diese Gefangenschaft morgen zu Ende geht."

Als sie von sich sprechen hörte, kam Eugenie aus ihrem Zimmer.

„Meine Herren," sagte sie und näherte sich in stolzer Haltung, „ich bitte Sie, sich nicht mit dieser Angelegenheit zu befassen. Mein Vater ist Herr in seinem Haus. Solange ich in seinem Haus wohne, muß ich ihm gehorchen. Sein Benehmen braucht sich nicht um die Billigung oder Mißbilligung der Welt zu kümmern, er schuldet Gott allein Rechenschaft davon. Ich fordere von Ihrer

Freundschaft das tiefste Stillschweigen über diesen Punkt. Meinen Vater tadeln, hieße unserm eignen Ansehen zu nahe treten. Ich weiß Ihnen Dank, meine Herren, für das Interesse, das Sie mir bezeugen, aber Sie würden mich noch mehr verbinden, wenn Sie die beleidigenden Gerüchte zum Schweigen bringen wollten, die in der Stadt umlaufen und von denen mich ein Zufall unterrichtet hat."

„Sie hat recht", sagte Frau Grandet.

„Fräulein, das beste Mittel, die Welt am Klatschen zu verhindern, ist, Ihnen die Freiheit wiederzugeben", antwortete ihr respektvoll der alte Notar, der von der Schönheit überrascht war, die Eugenie durch ihre Zurückgezogenheit, Schwermut und Liebe gewonnen hatte.

„Ach ja, Kind, überlaß es Herrn Cruchot, diese Sache zu vermitteln, da er sich für den Erfolg verbürgt. Er kennt deinen Vater und weiß, wie man ihn nehmen muß. Wenn ich glücklich sein soll während der kurzen Zeit, die mir noch zu leben bleibt, müßt ihr, dein Vater und du, um jeden Preis ausgesöhnt sein."

Am nächsten Morgen machte der alte Grandet ein paar Runden durch seinen kleinen Garten nach einer Gewohnheit, die er seit der Haft Eugeniens angenommen hatte. Er wählte für diesen Spaziergang die Zeit, zu der sich Eugenie kämmte. Wenn der Alte beim großen Nußbaum ankam, verbarg er sich hinter dem Stamm des Baumes und blieb da einige Minuten, um die langen Haare seiner Tochter zu betrachten, und schwankte augenscheinlich hin und her in den Gedanken, die ihm die Halsstarrigkeit seines Wesens und der Wunsch, seine Tochter zu umarmen, eingaben.

Oft blieb er auf der kleinen Bank aus verfaultem Holz sitzen, wo Charles und Eugenie sich ewige Liebe geschworen hatten, während auch sie ihren Vater ansah, heimlich oder in ihrem Spiegel. Wenn er aufstand und seinen Spaziergang von neuem begann, setzte sie sich willfährig ans Fenster und betrachtete das Mauerstück, über das die schönsten Blumen herabhingen, wo zwischen den Rissen Frauenhaar hervorsproßte, Winden und eine fette Pflanze, gelb oder weiß, eine sogenannte Fetthenne, die sehr häufig in den Weingärten von Saumur und Tours vorkommt.

Der Notar Cruchot kam früh am Morgen und fand den alten Winzer an einem schönen Junitag auf der kleinen Bank sitzen, den Rücken an die Mitte der Mauer gelehnt, den Blick auf seine Tochter gerichtet.

„Was steht zu Diensten, Herr Notar?" fragte er, als er Cruchot sah.

„Ich komme in Geschäften."

„Sieh an! haben Sie etwas Gold gegen Taler für mich?"

„Nein, nein, es handelt sich nicht um Geld, sondern um ihre Tochter Eugenie. Alle Welt spricht von ihr und Ihnen."

„Was mischt man sich da hinein! Jeder ist Herr in seinem Haus."

„Zugegeben; jeder hat auch das Recht, Selbstmord zu begehen oder, was schlimmer ist, das Geld zum Fenster herauszuwerfen."

„Was soll das heißen?"

„Was! Nun, daß Ihre Frau sehr krank ist, mein Freund. Sie müssen sogar Herrn Bergerin konsultieren, sie ist in Lebensgefahr. Wenn sie stirbt, ohne die gehörige Pflege gehabt zu haben, würden Sie nicht ruhig sein, glaube ich."

„Ta, ta, ta, ta, Sie werden wissen, was meine Frau hat! Wenn die Ärzte einmal den Fuß ins Haus gesetzt haben, kommen sie fünf- oder sechsmal am Tag."

„Kurz und gut, Grandet, machen Sie, was Sie wollen. Wir sind alte Freunde; niemand in ganz Saumur nimmt ein größeres Interesse als ich an allem, was Sie betrifft; daher mußte ich Ihnen das sagen. Und jetzt, komme was da wolle, Sie sind großjährig, Sie wissen, wie Sie sich zu benehmen haben, damit gut. Außerdem ist das nicht das Geschäft, das mich herführt. Es handelt sich um etwas, was für Sie vielleicht noch ernster ist. Im Grunde haben Sie ja nicht Lust, Ihre Frau zu töten, sie ist Ihnen zu nützlich. Denken Sie doch an die Lage, in der Sie Ihrer Tochter gegenüber sein werden, wenn Frau Grandet sterben sollte. Ihre Tochter hat das Recht, die Teilung Ihres Vermögens von Ihnen zu fordern, Froidfond verkaufen zu lassen. Mit einem Wort, sie tritt den Nachlaß ihrer Mutter an, die Sie nicht beerben können."

Diese Worte waren ein Donnerschlag für den Alten, der in der Gesetzeskunde nicht so stark war, wie er es im Geschäftsleben sein konnte. Er hatte nie an eine Subhastation gedacht.

„Daher rate ich Ihnen, sie gut zu behandeln", schloß Cruchot.

„Aber wissen Sie, was sie getan hat, Cruchot?"

„Was denn?" sagte der Notar, voll Neugier, vom alten Grandet etwas anvertraut zu bekommen und den Grund des Streits zu erfahren.

„Sie hat ihr Gold verschenkt."

„Na, gehörte es ihr?"

„Das sagen sie mir alle!" sagte der Alte und ließ mit einer tragischen Bewegung die Arme hängen.

„Aber gehen Sie doch," fuhr Cruchot fort, „wegen einer Lappalie Hindernisse für die Konzessionen zu schaffen, die sie Ihnen beim Tode ihrer Mutter machen soll."

„Was, Sie nennen sechstausend Franken in Gold eine Lappalie?"

„Na, mein alter Freund, wissen Sie, was die Aufnahme des Inventars und die Teilung der Erbschaft Ihrer Frau kosten wird, wenn Eugenie sie fordert?"

„Was?"

„Zwei- oder drei- oder vierhunderttausend Franken vielleicht. Man muß doch subhastitieren und verkaufen, um den wirklichen Wert festzustellen, während, wenn Sie sich darüber verständigen..."

„Beim Winzermesser meines Vaters!" schrie der Winzer, setzte sich hin und wurde ganz blaß, „das wird sich noch finden, Cruchot!"

Nach einem Augenblick des Schweigens und der Todesangst sah der Alte den Notar an und sagte zu ihm:

„Das Leben ist sehr hart. Es bringt viele Schmerzen! Cruchot," fuhr er feierlich fort, „Sie wollen mich doch nicht täuschen, schwören Sie mir auf Ehrenwort, daß das, was Sie mir da vorschwatzen, rechtlich begründet ist! Zeigen Sie mir das Gesetzbuch, ich will das Gesetzbuch sehen."

„Armer Freund," antwortete der Notar, „versteh ich mein Handwerk nicht?"

„Es ist also wirklich wahr? Ich soll ausgeplündert

werden, verraten, getötet, verschlungen werden von meiner Tochter?"

„Sie ist die Erbin ihrer Mutter."

„Wozu gibt's Kinder auf der Welt! Ach, wie liebe ich meine Frau. Sie ist kräftig, zum Glück; sie ist eine la Bertellière."

„Sie kann keinen Monat mehr leben."

Der Alte schlug sich vor die Stirn, lief fort, kam zurück und mit einem schrecklichen Blick auf Cruchot sagte er:

„Was ist zu machen?"

„Eugenie könnte auf die Erbschaft ihrer Mutter ohne Vorbehalt verzichten. Sie wollen sie ja nicht enterben, nicht wahr? Aber wenn Sie eine derartige Konzession erlangen wollen, behandeln Sie sie nicht schlecht. Was ich Ihnen da sage, mein Alter, ist gegen mein eigenes Interesse. Denn was kriege ich zu tun?... Dagegen Liquidationen, Inventaraufnahmen, Verkäufe, Teilungen..."

„Ja doch, ja doch! Sprechen Sie nicht mehr davon, Cruchot! Sie machen meine Eingeweide beben! Haben Sie Gold bekommen?"

„Nein; aber ich habe ein paar alte Louis, etwa zehn Stück, die will ich Ihnen geben. Also, guter Freund, machen Sie Frieden mit Eugenie. Sehen Sie, ganz Saumur wirft Steine auf Sie."

„Die Affen!"

„Hören Sie, die Renten stehen auf neunundneunzig. Seien Sie doch endlich einmal im Leben zufrieden."

„Auf neunundneunzig, Cruchot?"

„Jawohl."

„Ei, ei! neunundneunzig", sagte der Alte und begleitete den alten Notar bis zur Gartentür. Zu aufgeregt durch das, was er eben gehört hatte, um zu Hause zu bleiben, stieg er alsdann zu seiner Frau hinauf und sagte zu ihr.

„Hör' mal, Mutter, du kannst den Tag mit deiner Tochter verbringen, ich gehe nach Froidfond. Seid vergnügt, ihr beide. Es ist unser Hochzeitstag, meine gute Frau. Nimm, hier sind zehn Taler für deinen Ruhealtar beim Fronleichnamsfest. Lange genug hast du einen aufstellen wollen, also leiste es dir! Amüsiert euch, seid fröhlich, laßt's euch wohl sein! Es lebe die Freude!"

Er warf zehn Sechsfrankentaler auf das Bett seiner Frau und nahm ihren Kopf, um sie auf die Stirn zu küssen.

„Gute Frau, es geht dir besser, nicht wahr?"

„Wie können Sie daran denken, in Ihrem Haus den Gott, der verzeiht, zu empfangen, während Ihre Tochter aus Ihrem Herzen verbannt bleibt?" sagte sie bewegt.

„Ta, ta, ta, ta," sagte der Vater mit einschmeichelnder Stimme, „das wird sich finden."

„Himmlische Güte! Eugenie," rief die Mutter und wurde rot vor Freude, „komm, umarme deinen Vater, er verzeiht dir."

Aber der Alte war verschwunden. Er lief, was er laufen konnte, in seine Weinberge und versuchte seine verwirrten Gedanken zu ordnen. Grandet begann zu diesem Zeitpunkt sein sechsundsiebzigstes Jahr. Hauptsächlich seit zwei Jahren hatte sich sein Geiz gesteigert, wie sich alle beharrlichen Leidenschaften des Menschen steigern. Ganz entsprechend einer Beobachtung, die man über die Geizhälse, die Streber, über alle die Leute gemacht hat, deren Leben einer beherrschenden Idee gewidmet ist, hatte sich seine Neigung in besonderm Maß an das Symbol seiner Leidenschaft geklammert. Der Anblick des Goldes, der Besitz des Goldes war seine fixe Idee geworden. Seine Veranlagung zur Herschsucht war im Maße seines Geizes gewachsen und die Herrschaft auch nur über den geringsten Teil seines Besitzes aufzugeben beim Tode seiner Frau, schien ihm eine Sache wider die Natur. Seiner Tochter sein Vermögen darlegen, sein gesamtes mobiles und immobiles Besitztum aufnehmen, um es zu versteigern...

„Das wäre, um sich den Hals abzuschneiden", sagte er ganz laut mitten in einem Weingarten, während er die Reben prüfte.

Endlich war er mit sich einig und ging nach Saumur zur Essenszeit zurück; er hatte beschlossen, Eugenie nachzugeben, sie zu versöhnen, ihr zu schmeicheln, damit er wie ein König sterben konnte, die Regierung über seine Millionen bis zum letzten Seufzer in der Hand. Gerade als der Alte, der zufällig seinen Hauptschlüssel mitgenommen hatte, auf Katzenpfoten die Treppe hinaufstieg, um zu seiner Frau zu gehen, hatte Eugenie das schöne Necessaire ans Bett ihrer Mutter gebracht. Alle beide machten sich in Grandets Abwesenheit das Vergnügen, Charles' Porträt anzusehen, indem sie das Bild seiner Mutter betrachteten:

„Das ist ganz und gar seine Stirn und sein Mund", sagte Eugenie im Moment, wo der Winzer die Tür aufmachte.

Beim Blick, den ihr Mann auf das Gold warf, schrie Frau Grandet auf:

„Gott sei uns gnädig!"

Der Alte sprang auf das Necessaire zu wie ein Tiger auf ein schlafendes Kind losstürzt.

„Was ist denn das da!" sagte er, riß den Schatz an sich und stellte sich ans Fenster. „Gutes Gold! Gold!" schrie er, „viel Gold! Das wiegt zwei Pfund. Ah, sieh! Charles hat dir das für deine schönen Münzen gegeben, was? Warum hast du mir das nicht gesagt? Das ist ein gutes Geschäft, Töchterchen! Du bist meine Tochter; da erkenne ich dich wieder." (Eugenie zitterte an allen Gliedern.) „Nicht wahr, das gehört Charles?" fragte der Alte.

„Ja, Vater, es gehört nicht mir. Dieser Gegenstand ist ein heilig anvertrautes Gut."

„Ta, ta, ta, ta! hat er dein Geld genommen, muß er dir deinen kleinen Schatz wiederherstellen."

„Vater!"

Der Alte wollte sein Messer nehmen, um ein goldenes Schildchen abspringen zu lassen und mußte das Necessaire auf einen Stuhl setzen. Eugenie stürzte vor, um es wieder an sich zu reißen; aber der Böttcher, der gleichzeitig seine Augen bei seiner Tochter und bei dem Kästchen hatte, stieß sie so heftig zurück, indem er den Arm ausstreckte, daß sie fast auf das Bett ihrer Mutter fiel.

„Grandet! Grandet!" schrie die Mutter und richtete sich im Bett auf.

Grandet hatte sein Messer herausgezogen und schickte sich an, das Gold abzuheben.

„Vater!" schrie Eugenie, warf sich auf die Knie, rutschte in dieser Stellung bis zu dem Alten und hob die Hände zu ihm auf. „Vater, im Namen aller Heiligen und der heiligen Jungfrau, im Namen von Christus, der am Kreuz gestorben ist, im Namen Ihrer ewigen Seligkeit, Vater, im Namen meines Lebens, rühren Sie es nicht an. Das Necessaire gehört weder Ihnen noch mir. Es gehört einem unglücklichen Verwandten, der es mir anvertraut hat, und ich muß es ihm unverletzt zurückgeben."

„Warum siehst du es an, wenn es ein dir anvertrautes Gut ist? Ansehen ist schlimmer als anrühren."

„Vater, verderben Sie es nicht, oder Sie entehren mich. Vater, hören Sie?"

„Grandet! Gnade!" sagte die Mutter.

„Vater", schrie Eugenie mit so durchdringender Stimme, daß Nanon erschreckt heraufkam. Eugenie sprang auf ein Messer zu, das in ihrer Reichweite lag und bewaffnete sich damit.

„Nanu?" sagte Grandet ruhig zu ihr und lächelte kaltblütig.

„Grandet, Grandet, Sie töten mich", sagte die Mutter.

„Vater, wenn Ihr Messer nur ein Stückchen von diesem Gold ritzt, durchbohre ich mich mit diesem hier. Sie haben schon meine Mutter todkrank gemacht, Sie werden noch Ihre Tochter töten. Nur zu! Wunde für Wunde!"

Grandet hielt sein Messer auf dem Necessaire und sah seine Tochter zögernd an.

„Wärst du wohl imstande, Eugenie?" sagte er.

„Ja, Grandet", sagte die Mutter.

„Sie wirds machen, wie sie's sagt", schrie Nanon. „Nehmen Sie doch Vernunft an, Herr, einmal in Ihrem Leben."

Der Böttcher sah eine Sekunde lang abwechselnd

das Gold und seine Tochter an. Frau Grandet
fiel in Ohnmacht.

„Da sehen Sie ja, bester Herr, Madame stirbt",
schrie Nanon.

„Hier, Tochter, zanken wir uns nicht um einen
Kasten. Nimm es doch!" schrie der Böttcher heftig und warf das Necessaire auf das Bett. „Du,
Nanon, hol Herrn Bergerin. Hör, Mutter," sagte
er und küßte die Hand seiner Frau, „es ist nichts,
komm: wir haben Frieden gemacht. Nicht wahr,
Töchterchen! Kein trockenes Brot mehr, du sollst
alles essen, was du willst. Ach, sie öffnet die
Augen! Na Mutter, Mütterchen, Muttchen, hör
doch! Da! sieh! ich umarme Eugenie. Sie liebt
Ihren Vetter, sie wird ihn heiraten, wenn sie will,
sie wird ihm sein kleines Kästchen aufheben. Aber
lebe noch lange, meine arme Frau! Komm, rühr
dich doch! Höre, du sollst den schönsten Ruhealtar haben, den es je in Saumur gegeben hat."

„Lieber Gott! daß Sie so Ihre Frau und Ihr
Kind behandeln können", sagte mit schwacher
Stimme Frau Grandet.

„Ich wills nie, nie mehr tun", schrie der Böttcher. „Du wirst's sehen, meine arme Frau."
Er lief in sein Arbeitszimmer und kam mit einer
Handvoll Louis zurück, die er über das Bett
streute.

„Nimm, Eugenie! Nimm Frau! die sind für euch",
sagte er und hielt die Goldstücke hin.

„Hör doch, sei wieder lustig, Frau! laß es dir
wohl sein, es soll dir an nichts fehlen, auch Eu-
genien nicht. Hier sind hundert Louisdor für sie.
Die wirst du nicht verschenken, Eugenie, diese
hier nicht, was?"

Frau Grandet und ihre Tochter sahen sich erstaunt an.

„Behalten Sie sie, Vater; wir brauchen nichts, außer Ihrer Liebe."

„Gut, sei's so", sagte er und steckte die Louis wieder ein. „Wir wollen als gute Freunde leben. Wir wollen alle in den Saal hinuntergehen und da Mittag essen, und alle Abende Lotto spielen, zu zwei Sous. Ihr sollt euern Spaß haben! Ja? Frau?"

„Ach, ich wollte es gern, wenn es Ihnen lieb ist," sagte die Sterbende, „aber ich kann nicht aufstehen."

„Arme Mutter," sagte der Böttcher, „du weißt nicht, wie lieb ich dich habe. Und dich, Tochter." Er drückte sie an sich und küßte sie.

„Oh, wie tut das gut, seine Tochter nach einem Streit zu küssen, mein Töchterchen. Da, siehst du, Mütterchen, wir sind ganz eins jetzt. Schließ das doch weg", sagte er zu Eugenie und zeigte auf das Kästchen. „Geh, fürchte nichts. Ich werde nicht mehr davon mit dir sprechen, nie mehr."

Herr Bergerin, der berühmteste Arzt von Saumur, kam bald. Nach der Untersuchung erklärte er Grandet mit Bestimmtheit, daß seine Frau sehr krank sei, aber daß große Gemütsruhe, liebevolle Behandlung und sorgsamste Pflege ihre Todesstunde bis gegen Ende des Herbstes hinausschieben könnten.

„Kostet das viel?" fragte der Alte, „braucht man Medizin?"

„Wenig Medizin, aber viel Pflege", erwiderte der Arzt, der ein Lächeln nicht unterdrücken konnte.

„Kurz und gut, Herr Bergerin," antwortete Grandet, „Sie sind ein Ehrenmann, nicht wahr? Ich verlasse mich auf Sie. Kommen Sie, meine Frau zu besuchen, ganz so oft, wie Sie es für richtig halten. Erhalten Sie mir meine gute Frau; ich habe sie sehr lieb, wissen Sie, ohne daß es so scheint, weil bei mir sich alles innerlich abspielt und mir dreifach das Herz zerreißt. Ich habe Sorgen. Die Sorge ist in mein Haus gekommen, mit dem Tod meines Bruders, für den ich in Paris Summen ausgebe — daß einem die Augen übergehen, kurz und gut! und das nimmt kein Ende. Adieu, Doktor. Wenn meine Frau zu retten ist, retten Sie sie, selbst wenn man hundert bis zweihundert Franken dafür ausgeben muß."

Trotz den glühenden Wünschen, die Grandet für die Gesundheit seiner Frau hegte, deren Nachlaßeröffnung schon einen Tod für ihn bedeutete; trotz der Willfährigkeit, die er bei jeder Gelegenheit für die geringsten Wünsche der erstaunten Mutter und Tochter an den Tag legte; trotz der zärtlichsten Pflege, an der es Eugenie nicht fehlen ließ, eilte Frau Grandet dem Tod entgegen. Jeden Tag wurde sie schwächer und siechte dahin, wie die meisten Frauen dahinsiechen, die in diesem Alter von einer Krankheit befallen werden. Sie war schwach, wie die Blätter der Bäume im Herbst. Himmelsstrahlen ließen sie aufleuchten, wie diese Blätter, wenn die Sonne durch sie fällt und sie vergoldet. Ihr Tod war ihres Lebens würdig; ein echt christlicher Tod; heißt das nicht, ein wundervoller Tod? Im Monat Oktober 1822 kamen in besonderem Maße ihre Tugenden, ihre engelhafte Geduld und ihre Liebe zu ihrer Tochter zum Ausdruck; sie verlosch ohne den geringsten Klagelaut. Ein makelloses Lamm, ging sie in den Himmel ein und ließ mit Bedauern hinieden nur die sanfte Gefährtin ihres freudlosen Lebens zurück, der ihre letzten Blicke tausendfaches Leid zu weissagen schienen. Sie zitterte, daß sie dieses Lamm, so weiß wie sie selbst, allein lassen mußte, mitten in einer selbstsüchtigen Welt, die ihm sein Vließ, seine Schätze rauben wollte.

„Kind," sagte sie, ehe sie ihr Leben aushauchte, „ein Glück gibt es nur im Himmel, auch du wirst es eines Tages wissen."

Am Tage nach diesem Todesfall fand Eugenie neue Gründe, ihr Herz an dies Haus zu hängen, wo sie geboren war, wo sie so viel gelitten hatte, wo ihre Mutter eben gestorben war. Sie konnte die Fensternische und den erhöhten Stuhl nicht ansehen, ohne Tränen zu vergießen. Sie glaubte, das Herz ihres alten Vaters verkannt zu haben, als sie sich von seiner zärtlichsten Fürsorge umgeben sah: er reichte ihr den Arm, wenn sie zum Frühstück herunterging; er sah sie mit beinah wohlwollender Miene ganze Stunden lang an; mit einem Wort, er wandte kein Auge von ihr, wie wenn sie von Gold gewesen wäre. Der alte Böttcher war so wenig er selbst, er zitterte dermaßen vor seiner Tochter, daß Nanon und die Cruchotisten, die seine Schwäche mit ansahen, sie seinem hohen Alter zuschrieben und auch ein Nachlassen seiner Fähigkeiten befürchteten. Aber am Tage, an dem die Familie Trauerkleider anlegte, kam nach dem Essen, bei dem Notar Cruchot zu Gast war, der allein das Geheimnis seines Klienten kannte, die Erklärung für das Benehmen des Alten zum Vorschein.

„Mein liebes Kind," sagte er zu Eugenie, sobald man den Tisch weggesetzt hatte und die Türen sorgfältig verschlossen waren, „du bist jetzt die Erbin deiner Mutter, und wir haben kleine Geschäfte zwischen uns beiden zu regeln. — Nicht wahr, Cruchot?"

„Jawohl."

„Ist es denn so nötig, sich heute damit zu beschäftigen, Vater?"

„Ja, ja, Töchterchen. Ich könnte es nicht länger aushalten, in der Ungewißheit, in der ich bin. Ich denke doch nicht, daß du deinen Vater betrüben möchtest."

„Aber, Vater . . ."

„Na, dann muß man das alles heut abend in Ordnung bringen."

„Was wollen Sie denn, daß ich tun soll?"

„Aber, Töchterchen, das ist nicht meine Sache. — Sagen Sie es ihr doch, Cruchot."

„Fräulein, Ihr Herr Vater möchte seine Güter weder teilen, noch verkaufen, noch ungeheure Abgaben für das bare Geld, das er etwa besitzt, bezahlen. Aus diesem Grund müßte er also davon Abstand nehmen, die Aufnahme seines ganzen Vermögens zu machen, daß sich heute ungeteilt zwischen Ihnen und Ihrem Herrn Vater befindet . . ."

„Cruchot, sind Sie dieser Sache ganz sicher, um so davon vor einem Kind zu sprechen?"

„Lassen Sie mich doch reden, Grandet."

„Ja, ja, mein Freund. Weder Sie noch meine Tochter wollen mich ausplündern, nicht wahr, Töchterchen?"

„Also, Herr Cruchot, was habe ich zu tun?" fragte Eugenie ungeduldig.

„Nun," sagte dar Notar, „es müßte dieser Akt unterzeichnet werden, durch den Sie auf die Erbschaft Ihrer Frau Mutter verzichten und Ihrem Vater den Nießbrauch der zwischen Ihnen ungeteilten Güter lassen würden, deren bloßes Eigentum er Ihnen zusichert..."

„Ich verstehe nichts von all dem, was Sie mir sagen", antwortete Eugenie. „Geben Sie mir den Akt und zeigen Sie mir die Stelle, wo ich unterschreiben muß."

Vater Grandet sah abwechselnd den Akt und seine Tochter, seine Tochter und den Akt an und empfand dabei eine so heftige Gemütsbewegung, daß er sich ein paar Schweißtropfen abtrocknete, die ihm auf die Stirn getreten waren.

„Töchterchen," sagte er, „wenn du, anstatt diesen Akt zu unterzeichnen, dessen Eintragung sehr teuer ist, ohne Vorbehalt auf die Erbschaft deiner Mutter verzichten wolltest und dich hierin auf mich verlassen für die Zukunft, so wäre mir das lieber. Ich würde Dir dann alle Monate eine hübsche große Rente von hundert Franken geben. Schau, Du könntest so viel Messen lesen lassen, als du nur magst für alle, für die du es willst... Was? hundert Franken monatlich, in Livres?"

„Ich will alles tun, was Sie wünschen, Vater."

„Fräulein," sagte der Notar, „es ist meine Pflicht, Sie darauf aufmerksam zu machen, daß Sie sich berauben..."

„Ach, lieber Gott!" sagte sie, „was macht mir das aus?"

„Ruhig, Cruchot! — Es ist gesagt, es ist gesagt!" schrie Grandet, nahm die Hand seiner Tochter und schlug damit in die seine. „Eugenie, du nimmst es nicht zurück, du bist ein rechtschaffenes Mädchen, was?"

„Aber! Vater ..."

Er küßte sie überschwenglich und erdrückte sie fast in seinen Armen.

„Komm, mein Kind, du schenkst deinem Vater das Leben; aber du gibst ihm wieder, was er dir geschenkt hat: wir sind quitt. So sollen sich Geschäfte abspielen. Das Leben ist ein Geschäft. Ich segne dich. Du bist eine tugendhafte Tochter, die ihren Papa sehr lieb hat. Tu jetzt, was du willst. — Auf morgen also, Cruchot", sagte er zu dem erschrockenen Notar. „Sehen Sie zu, den Akt der Verzichtleistung in der Gerichtskanzlei gut vorzubereiten."

Am nächsten Tag, gegen Mittag, wurde die Erklärung unterzeichnet, durch die Eugenie selbst ihre Beraubung vollzog. Jedoch hatte der alte Böttcher trotz seinem Worte am Ende des ersten Jahres noch nicht einen von den hundert Franken herausgerückt, die er seiner Tochter so feierlich versprochen hatte. Daher konnte er auch nicht umhin zu erröten, als Eugenie ihm im Scherz davon sprach; er stieg eifrig in sein Kabinett hinauf, kam zurück und hielt ihr ungefähr ein Drittel der Kleinodien hin, die er seinem Neffen abgenommen hatte.

„Nimm, Kleine," sagte er in einem Ton voller Ironie, „willst du das für deine zwölfhundert Franken haben?"

„Ach, Vater, wirklich? geben Sie sie mir?"

„Ich werde dir ebensoviel im nächsten Jahr bringen", sagte er und warf sie ihr in die Schürze. „So wirst du in kurzer Zeit alle Berlocken von

238

ihm besitzen", fügte er hinzu und rieb sich die
Hände, glücklich, daß er auf das Gefühl seiner
Tochter spekulieren konnte.

Immerhin fühlte der Greis, obwohl er noch rüstig
war, die Notwendigkeit, seine Tochter in die Geheimnisse des Haushalts einzuführen. Während
der zwei folgenden Jahre ließ er sie in seiner
Gegenwart die Einzelheiten im Hause bestimmen
und die Abgaben entgegennehmen. Er machte sie
langsam und der Reihe nach mit den Namen und
der Größe seiner Gehöfte und Farmen bekannt.
Um das dritte Jahr herum hatte er ihr so gut
seine Art und Weise zu geizen, eingeschult, sie
ihr so zur richtigen Gewohnheit gemacht, daß er
ihr ohne Furcht die Schlüssel der Speisekammer
überließ und sie zur Herrin im Hause einsetzte.

☆

FÜNF JAHRE VERSTRICHEN, OHNE DASS IRGEND
ein Ereignis in dem einförmigen Leben von Eugenie und ihrem Vater besonders hervortrat. Es waren immer dieselben Tätigkeiten, ausgeführt mit
der chronometrischen Regelmäßigkeit der Schläge
der alten Wanduhr. Die tiefe Schwermut von
Fräulein Grandet war für niemanden ein Geheimnis; aber wenn auch jeder die Ursache davon
ahnen konnte, so hatte doch niemals ein von ihr
ausgesprochenes Wort die Vermutungen gerecht-
fertigt, die sich alle Gesellschaftskreise von Saumur
darüber bildeten, was das Herz der reichen Erbin
beschwerte. Ihre einzige Gesellschaft waren die
drei Cruchots und ein paar von deren Freunden,
die sie unauffällig im Hause eingeführt hatten.

Sie hatten ihr beigebracht, Whist zu spielen und kamen jeden Abend, um ihr Spielchen zu machen. Im Jahr 1827 war ihr Vater gezwungen, da er die Beschwerden seiner Gebrechlichkeit spürte, sie in die Geheimnisse seines territorialen Vermögens einzuführen und sagte ihr, sie solle sich im Fall von Schwierigkeiten an den Notar Cruchot wenden, dessen Rechtlichkeit er kannte. Darauf wurde der Alte endlich gegen Ende dieses Jahres, in seinem zweiundachtzigsten, von einer Lähmung befallen, die schnelle Fortschritte machte. Grandet wurde von Herrn Bergerin aufgegeben. Beim Gedanken daran, daß sie bald in der Welt allein stehen würde, hielt sich Eugenie sozusagen noch näher zum Vater und schloß dies letzte Band der Zuneigung noch fester. In ihrem Gedankenkreis, wie in dem aller liebenden Frauen, war die Liebe ihre ganze Welt, und Charles war nicht da. Wundervoll war sie in ihren Sorgen und Aufmerksamkeiten für ihren alten Vater, dessen Fähigkeiten anfingen nachzulassen, aber dessen Geiz sich instinktiv erhielt. Und auch der Tod dieses Mannes stach nicht von seinem Leben ab. Am frühen Morgen ließ er sich zwischen den Kamin seines Zimmers und die Tür seines Kabinetts rollen, das sicher voll Gold war. Dort blieb er bewegungslos, aber mit Ängstlichkeit sah er bald die an, die ihn besuchten, bald die eisenbeschlagene Tür. Er ließ sich über das geringste Geräusch, das er hörte, Rechenschaft ablegen, und zum großen Erstaunen des Notars hörte er seinen Hund im Hof gähnen. Er erwachte aus seiner scheinbaren Starrheit am Tage und in den Stunden, wo die Pächter empfangen, Abrechnungen mit den Maiern gemacht oder Quittungen ausgestellt werden mußten. Alsdann bewegte er seinen Rollstuhl, bis er sich gegenüber der Tür seines Kabinetts befand. Er ließ sie sich von seiner Tochter öffnen und wachte darüber, daß sie heimlich selbst die Säcke mit Silber aufeinander stellte und die Tür abschloß. Dann begab er sich an seinen Platz zurück, schweigsam, sobald sie ihm den kostbaren Schlüssel wiedergegeben hatte, der immer in der Tasche seiner Weste steckte und den er von Zeit zu Zeit befühlte. Inzwischen verdoppelte sein alter Freund, der Notar, im Bewußtsein, daß die reiche Erbin notwendigerweise seinen Neffen, den Präsidenten, heiraten würde, wenn Charles nicht wiederkehrte, seine Fürsorge und Aufmerksamkeiten: er kam alle Tage, um sich den Wünschen Grandets zur Verfügung zu stellen, ging in seinem Auftrag nach Froidfond, zu den Gütern, zu den Wiesen, zu den Weinbergen, verkaufte die Ernten und verwandelte alles in Gold und Silber, das sich heimlich mit den im Kabinett aufgestapelten Säcken vereinigte. Dann kamen die Tage des Todeskampfes, wo der kräftige Körperbau des Alten mit dem Untergang rang. Er wollte in der Ecke am Feuer sitzen bleiben, vor der Tür seines Kabinetts. Alle Decken, die man auf ihn legte, zog er eng an sich heran, rollte sie auf und sagte zu Nanon:

„Steck das fest, fest ein, damit man mich nicht bestiehlt.‟

Wenn er die Augen öffnete, in die sich sein ganzes Leben geflüchtet hatte, richtete er sie alsbald auf die Tur seines Kabinetts, wo seine Schätze verborgen lagen, wobei er zu seiner Tochter sagte:

„Sind sie drin? Sind sie drin?" mit einem Tonfall, der eine Art panischer Furcht verriet.

„Ja, Vater."

„Wache über das Gold! — Leg Gold vor mich hin."

Sie breitete ihm Louis auf den Tisch aus und so blieb er ganze Stunden, die Augen auf die Louis gerichtet, so wie ein Kind, das anfängt zu sehen, stumpfsinnig denselben Gegenstand anblickt; und wie ein Kind brachte er ein mühsames Lächeln hervor.

„Das erwärmt mich", sagte er manchmal, und auf seinem Gesicht erschien ein Ausdruck von Glückseligkeit.

Als der Pfarrer der Gemeinde kam, um ihm die letzte Ölung zu spenden, belebten sich seine Augen wieder, die seit einigen Stunden erloschen schienen, beim Anblick des Kreuzes, der Leuchter, des silbernen Weihwasserkessels, den er starr ansah und seine Geschwulst bewegte sich zum letztenmal. Als der Priester seinen Lippen das vergoldete Kruzifix näherte, um ihn das Abbild Christi küssen zu lassen, machte er eine schreckliche Gebärde, um es an sich zu reißen, und diese letzte Anstrengung kostete ihm das Leben. Er rief Eugenie, die er nicht sehen konnte, obwohl sie neben ihm niedergekniet war und seine schon kalte Hand in ihren Tränen badete:

„Vater, segnen Sie mich", bat sie.

„Sorge gut für alles! Du mußt mir darüber Rechnung ablegen da unten", sagte er und bewies durch seine letzten Worte, daß das Christentum die Religion der Geizhälse sein muß.

☆

EUGENIE GRANDET FAND SICH ALSO ALLEIN
auf der Welt in diesem Haus und hatte niemanden als Nanon, zu der sie mit der Gewißheit, gehört und verstanden zu werden, den Blick heben
konnte, Nanon, das einzige Wesen, von dem sie
um ihrer selbst willen geliebt wurde und mit
dem sie von ihrem Kummer sprechen konnte.
Die lange Nanon war ein Schutzengel für Eugenie, auch war sie nicht mehr eine Dienerin,
sondern eine bescheidne Freundin. Nach dem Tod
ihres Vaters erfuhr Eugenie durch den Notar Cruchot, daß sie dreihunderttausend Franken Rente
in Liegenschaften im Kreis von Saumur besaß,
sechs Millionen, die zu drei Prozent bei einem
Kurs von sechzig angelegt waren, und er stand
jetzt auf siebenundsiebzig. Ferner zwei Millionen
in Gold und hunderttausend Franken in Talern,
ohne die noch rückständigen Zinsen zu rechnen.
Die Gesamtschätzung ihres Besitzes belief sich auf
siebzehn Millionen.
‚Wo bleibt nur mein Vetter?‘ dachte sie.
Am Tag, da Notar Cruchot seiner Klientin den
Stand des Nachlasses nach Erledigung der Formalitäten und Abrechnungen übergeben hatte,
blieb Eugenie allein mit Nanon, sie saßen zu beiden Seiten des Kamins in diesem jetzt so leeren
Saal, wo alles Erinnerung war, vom erhöhten
Stuhl angefangen, auf den ihre Mutter sich setzte,
bis zu dem Glas, aus dem ihr Vetter getrunken
hatte.
„Nanon, wir sind allein.“
„Ja, Fraulein; und wüßte ich bloß, wo er ist, der
liebe Junge, würde ich zu Fuß hinlaufen und
ihn holen.“

„Das Meer liegt zwischen uns", sagte sie.

Während so die reiche Erbin in Gesellschaft ihrer alten Dienerin weinte, in diesem kalten und dunkeln Haus, das für sie die ganze Welt bedeutete, war von Nantes bis Orléans von nichts die Rede als von den siebzehn Millionen des Fräulein Grandet. Eine ihrer ersten Taten war, Nanon zwölftausend Franken Leibrente zu schenken, wodurch sie mit den sechstausend Franken, die sie schon besaß, eine reiche Partie wurde. Ehe ein Monat um war, vertauschte sie den Stand des Mädchens mit dem der Frau, unter dem Schutz von Anton Cornoiller, der zum Oberaufseher über die Güter und Weinberge von Fräulein Grandet ernannt wurde. Frau Cornoiller war ihren Altersgenossinnen ungemein überlegen. Obwohl sie neunundfünfzig Jahre alt war, schien sie nicht über vierzig zu sein. Ihre groben Züge hatten den Angriffen der Zeit standgehalten. Dank dem mönchischen Zuschnitt ihres Lebens spottete sie des Alters mit einer frischen Gesichtsfarbe, einer eisernen Gesundheit. Vielleicht hatte sie nie so hübsch ausgesehen, wie am Tag ihrer Hochzeit. Sie genoß die Vorteile ihrer Häßlichkeit, erschien groß, beleibt, kräftig und ihr unverwüstliches Gesicht zeigte einen Ausdruck von Glück, der manche Leute das Los von Cornoiller beneiden ließ.

„Sie hat einen guten Teint", sagte der Tuchhändler.

„Sie ist imstande, Kinder zu kriegen," sagte der Salzhändler, „sie hat sich wie in Salzlake gehalten, mit Verlaub zu sagen."

„Sie ist reich, und der Schlingel von Cornoiller tut einen guten Griff", sagte ein andrer Nachbar.

Als sie aus dem alten Haus herauskam und die gewundene Straße hinabschritt, um sich zur Pfarrkirche zu begeben, empfing Nanon, die bei der ganzen Nachbarschaft beliebt war, nur Glückwünsche. Als Hochzeitsgeschenk bekam sie von Eugenie drei Dutzend Bestecke. Cornoiller, der von einer solchen Großartigkeit überwältigt war, sprach von seiner Herrin mit Tränen in den Augen: er hätte sich für sie in Stücke hauen lassen. Als Vertrauensperson von Eugenie genoß Frau Cornoiller jetzt ein Glück, das für sie ebenso groß war, wie das, einen Mann zu haben. Endlich hatte sie eine Speisekammer zu öffnen und zu verschließen, morgens die Vorräte herauszugeben, wie es ihr verstorbener Herr gemacht hatte. Ferner hatte sie zwei Dienstboten zu regieren, eine Köchin und eine Kammerzofe, der es oblag, die Wäsche des Hauses auszubessern und die Kleider von Fräulein Grandet zu machen. Cornoiller vereinigte miteinander die Ämter des Aufsehers und Verwalters. Es braucht nicht erst gesagt zu werden, daß die von Nanon ausgesuchte Köchin und Kammerzofe wirkliche Perlen waren. So hatte Fräulein Grandet vier dienstbare Geister, deren Ergebenheit grenzenlos war. Und die Farmer merkten nichts vom Tod des Alten, so streng hatte er die Gebräuche und Gewohnheiten seiner Verwaltung festgelegt, die sorgfältig von Herrn und Frau Cornoiller fortgesetzt wurden.

Mit dreißig Jahren kannte Eugenie noch nichts von den Glückseligkeiten des Lebens. Ihre trübe und freudlose Kindheit war an der Seite einer Mutter verflossen, deren verkanntes, verwundetes Herz immer gelitten hatte. Als sie das Dasein mit

Freuden verließ, bedauerte sie die Tochter, daß sie leben mußte, und ließ in derem Herzen leise Gewissensbisse und ewige Klagen zurück. Die erste und einzige Liebe von Eugenie gab ihr Grund zur Schwermut. Nachdem sie ihren Geliebten ein paar Tage lang flüchtig gesehen hatte, hatte sie ihm ihr Herz zwischen zwei Küssen geschenkt, die verstohlen gegeben und genommen worden waren; dann war er abgereist und hatte eine ganze Welt zwischen sich und sie gelegt. Diese Liebe, die ihr Vater verfluchte, hatte ihr fast ihre Mutter gekostet und brachte ihr nur Schwermut, in die sich schwache Hoffnungen mischten. So hatte sie sich bis jetzt dem Glück entgegengeworfen, in dem sie ihre Kräfte verlor, ohne etwas gegen sie einzutauschen. Im psychischen Leben so gut wie im physischen gibt es eine Einatmung und eine Ausatmung: Die Seele hat das Bedürfnis, die Gefühle einer andern Seele zu absorbieren, sie sich zu assimilieren, um sie reicher wieder zurückzugeben. Ohne dies schöne menschliche Phänomen gibt es kein Leben im Herzen, ihm fehlt dann die Luft, es leidet und siecht dahin. Eugenie begann zu leiden. Für sie lag im Reichtum weder eine Macht noch ein Trost. Sie konnte nicht leben, außer durch die Liebe, durch die Religion, durch ihren Glauben an die Zukunft. Die Liebe machte ihr die Ewigkeit faßlich. Ihr Herz und das Evangelium zeigten ihr zwei Welten, auf die man warten mußte. Tag und Nacht tauchte sie unter im Schoß von zwei unendlichen Gedanken, die für sie vielleicht nur ein einziger waren. Sie zog sich in sich selbst zurück, liebte und glaubte sich geliebt. Seit sieben Jahren hatte ihre Leidenschaft

alles andre überflutet. Ihre Schätze waren nicht
Millionen, deren Erträgnisse sich anhäuften, sondern das Kästchen von Charles und die beiden
Porträts, die über ihrem Bett hingen, und die
von ihrem Vater zurückgekauften Kleinodien, die
voll Stolz auf einer Unterlage von Watte in einem
Fach der Truhe ausgebreitet waren; und der Fingerhut ihrer Tante, den ihre Mutter benutzt hatte
und den sie jeden Tag mit frommem Gefühl auf-
setzte, um an einer Stickerei zu arbeiten, einem
Penelopewerk, das nur unternommen war, um
dies Gold voll Erinnerungen an den Finger stek-
ken zu können. Es schien nicht wahrscheinlich,
daß Fräulein Grandet im Trauerjahr heiraten
würde. Ihre aufrichtige Pietät war bekannt.
Bei dieser Lage der Dinge begnügte sich die Familie Cruchot, deren Politik weise vom alten Abbé
geleitet wurde, damit, die Erbin zu umstellen, indem sie Eugenie mit der herzlichsten Fürsorge
umgaben. Ihr Saal füllte sich alle Abende mit
einer Gesellschaft, die aus den wärmsten und er-
gebensten Cruchotisten des Ortes bestand, die bestrebt waren, das Lob der Herrin des Hauses in
allen Tonarten zu singen. Sie hatte ihren ordent-
lichen Leibarzt, ihren Großalmosenpfleger, ihren
Kammerherrn, ihre erste Kammerfrau, ihren Premierminister, und vor allem ihren Kanzler, einen
Kanzler, der ihr alles bedeuten wollte. Wenn die
Erbin einen Schleppenträger gewünscht hätte,
hätte man ihr einen herbeigeschafft. Sie war eine
Königin und eine, der vor allen Königinnen am
emsigsten gelobhudelt wurde. Die Schmeichelei
geht niemals von großen Seelen aus, sie ist das
Erbteil kleiner Geister, denen es gelingt, sich noch

zu verkleinern, um besser in die Lebenssphäre der Person einzudringen, um die sie kreisen. Hinter der Schmeichelei steckt ein Interesse. Und den Personen, die allabendlich den Saal Fräulein Grandets füllten, die von ihnen Fräulein von Froidfond genannt wurde, gelang es daher erstaunlich gut, sie mit Lobsprüchen zu überhäufen. Diese übereinstimmenden Lobeserhebungen, so neu für Eugenie, machten sie zuerst erröten; aber unvermerkt, wie plump auch immer die Komplimente waren, gewöhnte sich ihr Ohr so gut daran, ihre Schönheit rühmen zu hören, daß, wenn irgendein Neuling sie häßlich gefunden hätte, ihr dieser Tadel sehr viel empfindlicher gewesen wäre, als acht Jahre früher. Schließlich kam sie dahin, diese Schmeicheleien zu lieben, die sie heimlich ihrem Idol zu Füßen legte. Sie gewöhnte sich also nach und nach daran, sich als Herrin behandeln zu lassen und ihren Hofstaat alle Abende vollständig zu sehen. Der Herr Präsident von Bonfons war der Held dieses kleinen Kreises, in dem sein Geist, seine Person, sein Wissen, seine Liebenswürdigkeit ohne Unterlaß gerühmt wurden. Der eine machte darauf aufmerksam, daß er seit sieben Jahren sein Vermögen vergrößert hatte; daß Bonfons mindestens zehntausend Franken Rente wert sei und wie alle Güter der Cruchots inmitten der weiten Domänen der Erbin läge.

„Wissen Sie eigentlich, Fräulein," sagte ein Stammgast, „daß die Cruchots vierzigtausend Franken Rente besitzen."

„Und ihre Betriebe!" versetzte eine alte Cruchotistin, Fräulein von Gribeaucourt. „Kürzlich ist ein Herr aus Paris gekommen, um Herrn Cruchot zweihunderttausend Franken für sein Bureau zu bieten. Er muß es verkaufen, wenn er zum Friedensrichter ernannt werden will."

„Er will Nachfolger des Herrn von Bonfons als Vorsitzender des Gerichtshofes werden und trifft seine Vorkehrungen," antwortete Frau d'Orsonval, „denn der Herr Präsident wird Senatspräsident und Chefpräsident des Obergerichts werden, er hat zu große Mittel, um nicht Karriere zu machen."

„Ja, er ist ein hervorragender Mann," sagte ein anderer, „finden Sie nicht auch, gnädiges Fräulein?"

Der Herr Präsident hatte versucht, sich der Rolle, die er spielen wollte, anzupassen. Trotz seinen vierzig Jahren, trotz seinem braunen und abstoßenden Gesicht, das vertrocknet aussah wie fast alle richterlichen Physiognomien, gab er sich als jungen Mann, schlenkerte mit einem Spazierstöckchen, schnupfte nicht mehr bei Fräulein von Froidfond, kam immer in einer weißen Krawatte und einem Hemd, dessen Jabot mit großen Falten ihm eine Familienähnlichkeit mit den Exemplaren vom Geschlecht der Truthennen gab. Er sprach vertraulich mit der schönen Erbin und nannte sie: Unsere liebe Eugenie. Kurzum, wenn man von der Anzahl der Personen absieht, das Lotto durch das Whist ersetzt, sich die Gesichter von Herrn und Frau Grandet fortdenkt, so war die Szene, mit der diese Geschichte anfing, fast dieselbe wie irgendeine der Vergangenheit. Die Meute verfolgte immer noch Eugenie und ihre Millionen, aber da die Meute zahlreicher war, bellte sie lauter und umstellte gesammelt ihre

Beute. Wenn Charles aus dem fernen Indien angekommen wäre, würde er wieder dieselben Gestalten und dieselben Interessen angetroffen haben. Frau des Grassins, zu der Eugenie voll Freundlichkeit und Güte war, blieb noch immer bestrebt, die Cruchots zu peinigen. Aber jetzt wie ehemals hätte Eugeniens Antlitz das Bild beherrscht; und wie ehemals wäre Charles dort der Herrscher gewesen. Jedoch es gab einen Fortschritt. Das Bukett, das ehemals Eugenie zu ihrem Geburtstag vom Präsidenten geschenkt bekam, stand jetzt auf der Tagesordnung. Alle Abende brachte er der reichen Erbin einen großen prächtigen Strauß, den Frau Cornoiller vor aller Augen in eine Vase stellte und ihn heimlich in eine Ecke des Hofes warf, sobald die Gäste gegangen waren.

Zu Beginn des Frühlings versuchte Frau des Grassins das Glück der Cruchotisten zu stören, indem sie Eugenie von dem Marquis von Froidfond sprach, dessen Haus sich wieder vom Ruin erholen könnte, wenn die Erbin ihm sein Gut mittels eines Heiratskontrakts zurückgeben wollte. Frau des Grassins sprach in hohen Tönen von der Pairschaft, vom Marquistitel, und da sie Eugeniens geringschätziges Lächeln für eine Zustimmung hielt, verkündete sie, daß es mit der Heirat des Präsidenten noch nicht so gut stünde, wie man glaubte.

„Obwohl Herr von Froidfond fünfzig Jahre alt ist," sagte sie, „sieht er nicht älter aus als Herr Cruchot; er ist allerdings Witwer und hat Kinder; aber er ist Marquis, er wird Pair von Frankreich werden; o heutzutage lassen sich Heiraten dieser Art suchen. Ich weiß es mit bestimmter

Gewißheit, daß Vater Grandet, als er alle seine Güter mit der Besitzung von Froidfond vereinigte, die Absicht hatte, sich den Froidfonds aufzupfropfen. Er hat es mir oft gesagt. Er war schlau, der Alte."

„Wie ist's möglich, Nanon", sagte eines Abends Eugenie beim Schlafengehen, „er hat mir nicht einmal in sieben Jahren geschrieben."

Während diese Dinge sich in Saumur abspielten, verdiente Charles in Indien viel Geld. Zunächst verkaufte sich seine Warenladung sehr günstig, er hatte in Kürze eine Summe von sechstausend Dollars beisammen. Die Äquatortaufe ließ ihn viele Vorurteile verlieren; er merkte, daß das beste Mittel, zu Reichtum zu kommen, in den tropischen Ländern so gut wie in Europa darin besteht, Menschen zu kaufen und zu verkaufen. Er ging also an die Küste von Afrika und begann den Negerhandel, wobei er mit seinem Menschenhandel den Vertrieb derjenigen Waren verband, die man am vorteilhaftesten auf den verschiedenen Märkten austauschen konnte, auf die ihn seine Interessen führten. Bei seinen Geschäften entfaltete er eine Emsigkeit, die ihm keinen freien Augenblick ließ. Er wurde von der Idee beherrscht, in Paris wieder in dem ganzen Glanz eines großen Vermögens zu erscheinen und eine noch glänzendere Stellung einzunehmen, als die war, die er verloren hatte. Unter dem Zwang, sich zwischen Menschen und Ländern zu tummeln und widersprechende Gebräuche zu beobachten, änderten sich seine Anschauungen, und er wurde skeptisch. Er hatte keine bestimmten Ansichten mehr über Recht und Unrecht, da er sah, daß in einem Land als Verbrechen behandelt wurde, was im andern Tugend war. In beständiger Berührung mit Gewinnsucht, wurde sein Herz kalt, eng und trocken. Das Blut der Grandets verleugnete sich nicht, er wurde hart und gierig. Er verkaufte Chinesen, Neger, Schwalbennester, Kinder, Artisten; er betrieb den Wucher im großen. Die Gewohnheit, die Zollrechte zu umgehen, machte ihn weniger gewissenhaft in bezug auf die Menschenrechte. So ging er nach St. Thomas, um zu geringem Preis die von Piraten gestohlenen Waren zu kaufen, und brachte sie zu den Plätzen, wo sie gesucht waren. Wenn das edle und reine Gesicht Eugeniens ihn auf seiner ersten Reise begleitet hatte, wie das Bild der heiligen Jungfrau, das die spanischen Seeleute auf ihren Schiffen anbringen, und wenn er seine ersten Erfolge dem magischen Einfluß der Gelübde und Gebete des sanften Mädchens zuschrieb, so löschten später die Negerinnen, die Mulatinnen, die Weißen, die Javanesinnen, die orientalischen Tänzerinnen, seine Orgien in allen Farben und seine Abenteuer in den verschiedenen Ländern, vollständig die Erinnerung an seine Kusine, Saumur, das Haus, die Bank, den im Gang geraubten Kuß aus. Er erinnerte sich nur noch des kleinen von alten Mauern umschlossenen Gartens, weil da sein verwegenes Schicksal begonnen hatte; aber er war seiner Familie abtrünnig geworden, sein Onkel war ein alter Hund, der ihn bei seinen Kleinodien bemogelt hatte; Eugenie hatte weder in seinem Herzen noch in seinem Gedächtnis einen Platz, sie hatte einen Platz in seinen Geschäften als Gläubigerin einer Summe von sechstausend Franken. Diese Lebensführung und Denkart erklären das Schweigen von Charles Grandet. In Indien, in St. Thomas, an der afrikanischen Küste, in Lissabon und in den Vereinigten Staaten hatte er, um seinen Namen nicht zu kompromittieren, das Pseudonym Sepherd angenommen. Carl Sepherd konnte ohne Gefahr sich überall unermüdlich, waghalsig, gierig zeigen, als ein Mann, der, da er entschlossen ist, reich zu werden, quibuscumque viis, sich beeilt, mit der Gemeinheit fertig zu werden, um den Rest seiner Tage als ehrlicher Mann zu verbringen. Nach diesem System erwarb er schnell ein glänzendes Vermögen. Und im Jahr 1827 langte er in Bordeaux auf der hübschen Brigg Marie-Caroline an, die einem royalistischen Handelshaus gehörte. Er besaß neunzehnhunderttausend Franken in drei wohlplombierten Tonnen Goldstaub, bei dem er noch sechs bis sieben Prozent zu gewinnen dachte, wenn er ihn in Paris ausmünzen ließ. Auf dem Schiff befand sich ebenfalls ein ordentlicher Kammerherr seiner Majestät des Königs Charles X., Herr d'Aubrion, ein munterer Greis, der die Torheit begangen hatte, eine begehrte Dame der Gesellschaft zu heiraten, deren Vermögen auf den Antillen lag. Um die Verschwendung von Frau d'Aubrion wieder gut zu machen, war er hingereist, um ihre Besitzungen zu verkaufen. Herr und Frau d'Aubrion, aus dem Hause d'Aubrion de Buch, dessen letzter Landeshauptmann vor 1789 gestorben war, waren auf etwa zwanzigtausend Franken Rente angewiesen und hatten eine ziemlich häßliche Tochter, die die Mutter ohne Mitgift verheiraten wollte, da ihr Vermögen kaum ausreichte, um in Paris zu

253

leben. Ein solches Unternehmen hätten alle Mitglieder der großen Welt für problematisch gehalten, trotz der Geschicklichkeit, die sie den Frauen der Gesellschaft zugestehen. Und auch Frau d'Aubrion selbst verzweifelte fast daran, wenn sie ihre Tochter ansah, sie wem auch immer aufbürden zu können, und wäre es selbst einem geradezu Adelstollen. Fräulein d'Aubrion war eine Jungfrau, lang wie eine Hopfenstange, sie war mager, schwächlich, hatte einen hochmütigen Mund, auf den eine zu lange und zu dicke Nase herabhing, die im normalen Zustand gelblich war, nach den Mahlzeiten aber knallrot wurde, eine Art von Verdauungsphänomen, das mitten in einem bleichen, langweiligen Gesicht noch unangenehmer berührte als in jedem andern. Mit einem Wort, sie war so, wie eine Mutter von achtunddreißig Jahren sie nur wünschen konnte, die selbst noch schön ist und noch Ansprüche macht. Aber als Gegengewicht gegen diese Nachteile hatte die Marquise d'Aubrion ihrer Tochter ein sehr distinguiertes Aussehen beigebracht, sie Gesundheitsvorschriften unterworfen, die die Nase vorläufig auf einer vernünftigen Fleischfarbe hielten, hatte sie die Kunst gelehrt, sich geschmackvoll zu kleiden, hatte sie mit guten Manieren ausgestattet, hatte ihr diese melancholischen Blicke gezeigt, die des Mannes Interesse wecken und ihn glauben machen, daß er hier den vergeblich gesuchten Engel findet; sie hatte ihr das Fußmanöver vorgemacht, den Fuß zur rechten Zeit vorzustellen und seine Kleinheit bewundern zu lassen, im Augenblick, wo die Nase die Frechheit hatte, zu erröten; mit einem Wort, sie hatte etwas ganz Befriedigendes aus ihrer Tochter gemacht. Mit Hilfe von langen Ärmeln, bauschenden Miedern, gepufften und sorgfältig garnierten Kleidern, einem Hochdruckkorsett hatte sie so merkwürdige weibliche Produkte erreicht, daß sie sie zur Belehrung der Mütter in einem Museum hätte ausstellen sollen. Charles befreundete sich sehr mit Frau d'Aubrion, die just sich mit ihm befreunden wollte. Manche Leute behaupten sogar, daß während der Überfahrt die schöne Frau d'Aubrion kein Mittel unbenutzt ließ, einen so reichen Schwiegersohn einzufangen. Als man in Bordeaux ausstieg, im Juni 1827, logierten Herr, Frau und Fräulein d'Aubrion und Charles im selben Hotel und reisten zusammen nach Paris ab. Das Palais der d'Aubrions war von Hypotheken überhäuft, Charles sollte es befreien. Die Mutter hatte ihm davon gesprochen, wie glücklich sie sein würde, ihr Erdgeschoß ihrem Schwiegersohn und ihrer Tochter abzutreten. Da sie nicht die Vorurteile Herrn d'Aubrions über den Adel teilte, hatte sie Charles Grandet versprochen, vom guten Charles X. eine königliche Verfügung zu erlangen, die ihn, Grandet, berechtigen würde, den Namen d'Aubrion anzunehmen, dessen Wappen zu führen und vermittels der Stiftung eines Majorats von sechsunddreißigtausend Franken Rente, d'Aubrions Nachfolger im Titel des Landeshauptmanns von Buch und Marquis d'Aubrion zu werden. Wenn sie ihre Vermögen zusammenlegten, in gutem Einvernehmen miteinander lebten, konnten sie mit Hilfe von Sinekuren etwas über hunderttausend Franken Rente im Palais d'Aubrion verzehren.

„Und wenn man hunderttausend Franken Rente

hat, einen Namen, eine Familie, wenn man zum
Hof gehört, denn ich werde dafür sorgen, daß Sie
zum Kammerherrn ernannt werden, so kann man
alles werden, was man will", sagte sie zu Charles.
„So können Sie werden, je nach Ihrem Wunsch,
Berichterstatter im Staatsrat, Statthalter, Gesandt-
schaftsrat, Gesandter. Charles X. liebt d'Aubrion
sehr, sie kennen sich seit ihrer Kindheit."
Berauscht vom Ehrgeiz unter dem Einfluß dieser
Frau hatte sich Charles während der Überfahrt
mit allen diesen Hoffnungen geschmeichelt, die
ihm eine geschickte Hand vorhielt als vertrauliche
Mitteilungen unter vier Augen. Die Geschäfte seines
Vaters glaubte er durch seinen Onkel in Ordnung
gebracht, und so sah er sich mit einem Schlag im
Faubourg Saint-Germain Anker werfen, wo damals
jeder hingelangen wollte und wo er im Schatten
der blauen Nase von Fräulein Mathilde als Graf
d'Aubrion erscheinen würde. Geblendet vom Er-
starken der Restauration, die er noch auf unsichern
Füßen verlassen hatte, hingerissen vom Glanz der
aristokratischen Pläne, blieb er in dem Rausch-
zustand, der auf dem Schiff begonnen hatte, noch
in Paris, wo er alles zu tun beschloß, um die
hohe Stellung zu erlangen, die ihm seine egoisti-
sche Schwiegermutter in Umrissen gezeigt hatte.
Seine Kusine war daher für ihn nichts mehr als
ein Punkt im Raum dieser glänzenden Perspek-
tive. Er sah Annette wieder. Als Frau von Welt
riet Annette ihrem alten Freund lebhaft dazu,
diese Verbindung einzugehen und versprach ihm
ihre Mithilfe bei seinen ehrgeizigen Unternehmungen. Annette war entzückt, Charles zu ver-
anlassen, ein häßliches und langweiliges Mäd-

chen zu heiraten, denn ihn hatte der Aufenthalt in Indien sehr verführerisch gemacht; sein Teint war gebräunt, sein Benehmen war entschieden und kühn geworden wie das von Leuten, die gewohnt sind, Entscheidungen zu fällen, zu herrschen, Erfolg zu haben. Charles atmete in Paris auf, als er sah, daß er dort eine Rolle spielen konnte. Als des Grassins von seiner Rückkehr, seiner bevorstehenden Heirat und seinem Vermögen erfuhr, suchte er ihn auf, um mit ihm über die dreihunderttausend Franken zu sprechen, mit denen er die Schulden seines Vaters tilgen könne. Er fand Charles in Unterhandlungen mit dem Juwelier, bei dem er den Schmuck zum Hochzeitsgeschenk für Fräulein d'Aubrion bestellt hatte, der ihm die Muster zeigte. Trotz den prächtigen Diamanten, die Charles aus Indien mitgebracht hatte, kostete die Arbeit daran, das Silberzeug und die kleinen und großen Juwelierarbeiten des jungen Haushalts, noch mehr als zweihunderttausend Franken. Charles empfing des Grassins, den er nicht wiedererkannte, mit der Impertinenz eines jungen Herrn der Gesellschaft, der in Indien vier Menschen in verschiedenen Duellen getötet hatte. Herr des Grassins war schon dreimal dagewesen. Charles hörte ihm teilnahmslos zu, dann antwortete er ihm, ohne ihn recht verstanden zu haben:

„Die Geschäfte meines Vaters sind nicht meine Geschäfte. Ich danke Ihnen verbindlich für die Mühewaltung, der Sie sich unterworfen haben, aus der ich aber leider keinen Nutzen ziehen kann. Ich habe nicht beinahe zwei Millionen im Schweiße meines Angesichts erworben, um sie den

Gläubigern meines Vaters an den Kopf zu werfen."

„Und wenn Ihr Herr Vater in ein paar Tagen bankrott erklärt wird?"

„Herr des Grassins, in ein paar Tagen werde ich Graf d'Aubrion heißen. Sie verstehen gewiß, daß mir das vollkommen gleichgültig sein würde. Im übrigen wissen Sie so gut wie ich, daß, wenn ein Mann hunderttausend Franken Rente hat, sein Vater niemals Bankrott gemacht hat", fügte er hinzu und drängte Herrn des Grassins höflich zur Tür hinaus.

Im Anfang August dieses Jahres saß Eugenie auf der kleinen Holzbank, wo ihr Vetter ihr ewige Liebe geschworen hatte und wo sie frühstückte, wenn das Wetter schön war. Das arme Mädchen genoß es in diesem Augenblick, an einem selten schönen strahlenden Morgen die großen und kleinen Ereignisse ihrer Liebe und die darauf folgenden Katastrophen an ihrem Gedächtnis vorbeiziehen zu lassen. Die Sonne beleuchtete das hübsche, ganz geborstene Mauerstück, das fast zusammenfiel, an das man aber nicht rühren durfte wegen der Marotte der Erbin, obwohl Cornoiller oft zu seiner Frau sagte, daß man eines Tages darunter verschüttet werden würde. In diesem Augenblick klopfte der Postbote und übergab Frau Cornoiller einen Brief, die in den Garten kam und schrie:

„Fräulein, ein Brief!"

Sie gab ihn ihrer Herrin mit den Worten:

„Ist's der, auf den Sie warten?"

Diese Worte hallten so stark im Herzen von Eugenie wider, wie sie in Wirklichkeit zwischen den Mauern des Hofes und des Gartens widerhallten. Paris! – Er ist von ihm! Er ist zurückgekommen.

Eugenie erbleichte und hielt den Brief einen Augenblick ungeöffnet. Sie bebte zu stark, um die Siegel aufbrechen und ihn lesen zu können. Die lange Nanon blieb vor ihr stehen, die Hände auf den Hüften und die Freude schien wie ein Rauch aus den Runzeln ihres braunen Gesichts aufzusteigen:

„Lesen Sie doch, Fräulein."

„Ach, Nanon, warum kommt er über Paris zurück, wenn er über Saumur abgereist ist?"

„Lesen Sie, dann werden Sie's wissen."

Eugenie öffnete zitternd die Siegel. Eine Anweisung auf das Haus Madame des Grassins und Corret in Saumur fiel heraus. Nanon hob sie auf.

„Meine liebe Kusine..."

Ich bin nicht mehr Eugenie, dachte sie; und ihr Herz schnürte sich zusammen.

„Sie..."

Er sagte zu mir: Du!

Sie legte die Arme übereinander, wagte nicht, den Brief weiter zu lesen, und ihre Augen füllten sich mit großen Tränen.

„Ist er tot?" fragte Nanon.

„Dann würde er nicht schreiben", sagte Eugenie.

Sie las den ganzen Brief, der so lautete:

„Meine liebe Kusine, Sie werden, denke ich, vom Erfolg meiner Unternehmungen mit Vergnügen hören. Sie haben mir Glück gebracht, ich bin reich geworden, ich habe die Ratschläge meines Onkels befolgt, dessen Tod sowie den meiner Tante ich durch Herrn des Grassins erfahren habe. Der Tod unserer Eltern liegt im Gang der Natur, und wir müssen ihnen folgen. Ich hoffe, daß Sie heute getröstet sind. Nichts widersteht dem Einfluß der

Zeit, ich bin ein Beweis dafür. Ja, meine liebe Kusine, zum Unglück für mich ist die Zeit der Illusionen vorüber. Was wollen Sie! Beim Durchqueren vieler Länder habe ich über das Leben nachgedacht. Ein Kind war ich bei meiner Abreise, als Mann bin ich zurückgekommen. Heute habe ich viele Sachen im Kopf, an die ich damals nicht gedacht habe. Sie sind frei, Kusine, und ich bin noch frei, nichts hindert, so scheint es, die Verwirklichung unserer kleinen Pläne; aber ich bin zu redlich gesonnen, als daß ich Ihnen den Stand meiner Angelegenheiten verbergen wollte. Ich habe nicht vergessen, daß ich mir nicht mehr gehöre; ich habe mich oft, bei meinen langen Seefahrten, an die kleine Bank aus Holz erinnert..."

Eugenie stand auf, wie wenn sie glühende Kohlen unter sich hätte und setzte sich auf eine der Stufen des Hofs.

„... an die kleine Bank aus Holz erinnert, wo wir geschworen haben, uns ewig zu lieben; an den Flur, den grauen Saal, mein Mansardenzimmer und an die Nacht, in der Sie mir durch Ihre zartfühlende Freundlichkeit mein Vorwärtskommen sehr erleichtert haben. Ja, diese Erinnerungen haben meinen Mut gestärkt, und ich habe mir gesagt, daß Sie immer an mich denken würden, wie ich oft an Sie dachte zu der zwischen uns festgesetzten Stunde. Haben Sie wohl die Wolken um neun Uhr angesehen? Ja, nicht wahr? Und so will ich nicht eine mir heilige Freundschaft verleugnen; nein, ich darf Sie nicht täuschen. Es handelt sich in diesem Augenblick um eine Verbindung für mich, die alle Ansprüche befriedigt, die ich an eine Ehe stelle. Die Liebe in der Ehe ist ein Hirngespinst. Heute sagt mir meine Lebenserfahrung, daß man alle gesellschaftlichen Forderungen erfüllen und alle von der Welt gewollten Rücksichten in Betracht ziehen muß, wenn man sich verheiratet. Nun besteht schon ein Altersunterschied zwischen uns, der sich vielleicht für Sie, meine liebe Kusine, in der Zukunft mehr geltend machen würde als für mich. Ich will nicht von Ihren ländlichen Sitten sprechen, noch von Ihrer Erziehung, noch von Ihren Lebensgewohnheiten, die durchaus nicht zum Pariser Leben passen und die zweifellos nicht mit meinen anderweitigen Plänen übereinstimmen. Ich habe die Absicht, meinen Haushalt auf großem Fuß zu führen, viel Leute bei mir zu sehen, und ich glaube mich zu erinnern, daß Sie ein stilles und ruhiges Leben lieben. Nein, ich will noch freimütiger sein und will Sie zum Schiedsrichter über meine Lage machen; es kommt Ihnen zu, sie zu kennen und Sie haben das Recht, sie zu beurteilen. Heute besitze ich vierundzwanzigtausend Franken Rente. Dieses Vermögen gestattet mir, mich mit der Familie d'Aubrion zu verbinden, deren Erbin, ein junges Mädchen von neunzehn Jahren, mir durch die Ehe ihren Namen verschafft, einen Titel, das Amt eines Titularkammerherrn Sr. Majestät und eine höchst glanzvolle Stellung. Ich will Ihnen gestehen, meine liebe Kusine, daß ich nicht im mindesten von der Welt Fräulein d'Aubrion liebe, aber durch die Verbindung mit ihr bereite ich meinen Kindern eine gesellschaftliche Stellung, die eines Tages unberechenbare Vorteile für sie haben wird. Von Tag zu Tag gewinnen die monarchistischen Ideen wieder mehr an Ansehen. Daher kann in ein paar Jahren mein Sohn, der ein Marquis d'Aubrion sein und ein Majorat von vierzigtausend Franken Rente haben wird, jede Stellung im Staat einnehmen, die er zu wählen wünscht. Wir müssen uns für unsre Kinder opfern. Sie sehen, Kusine, mit welcher Ehrlichkeit ich Ihnen den Zustand meines Herzens, meiner Hoffnungen und meines Vermögens auseinandersetze. Es ist möglich, daß Sie für Ihre Person unsere Kindereien nach siebenjähriger Abwesenheit vergessen haben; ich jedoch, ich habe weder Ihre Freundlichkeit noch meine Worte vergessen, ich erinnere mich an alle, selbst an die am leichtsinnigsten gegebenen, an die ein junger Mann, der weniger gewissenhaft wäre, dessen Herz weniger jung und rechtschaffen fühlte, nicht einmal mehr gedacht hätte. Und wenn ich Ihnen sage, daß ich nur an eine Vernunftheirat denke und daß ich mich noch auf unsere Kinderliebe besinne, heißt das nicht, daß ich mich völlig in Ihre Hand gebe, Sie zur Herrin meines Schicksals mache und Ihnen versichere, daß, soll ich auf meine ehrgeizigen Pläne verzichten, ich mich bereitwillig mit dem schlichten, harmlosen Glück begnüge, daß Sie mir in rührenden Bildern angeboten haben..."

,,— Tan ta ta. — Tan ta ti. — Tum ta ta. — Toûn! — Toûn ta ti. — Tin ta ta...", usw. hatte Charles Grandet nach der Melodie von Non piu andrai gesungen, während er unterschrieb:

,,Ihr ergebener Vetter

Charles."

Donnerwetter! Das nenn' ich Lebensart zeigen!
sagte er zu sich selbst.

Dann hatte er die Anweisung genommen und fol-
gendes hinzugefügt:

„p. s. Ich lege meinem Brief eine Anweisung auf
das Haus des Grassins über achttausend Franken
bei, zu Ihrer Verfügung, in Gold zahlbar, die
Zinsen und Kapital der Summe bilden, die Sie
die Güte hatten, mir zu leihen. Ich erwarte von
Bordeaux eine Kiste, in der sich ein paar Sachen
befinden, die Sie mir erlauben wollen, Ihnen als
Zeichen meiner ewigen Dankbarkeit zu verehren.
Sie können mit der Post mein Necessaire zurück-
senden, Hôtel d'Aubrion, rue Hillerin-Bertin."

„Mit der Post!" sagte Eugenie. „Eine Sache, für
die ich tausendmal mein Leben gelassen hätte."
Schreckliche und völlige Verzweiflung! Das Schiff
war gescheitert und ließ weder Tau noch Planke
auf dem weiten Ozean der Hoffnungen zurück.
Manche Frauen, sehen sie sich verlassen, gehen
hin und reißen ihren Geliebten aus den Armen
einer Nebenbuhlerin, töten sie und entfliehen ans
Ende der Welt, aufs Schafott oder ins Grab. Das,
ohne Zweifel, ist schön; der Beweggrund dieses
Verbrechens ist eine herrliche Leidenschaft, die
der menschlichen Gerechtigkeit Respekt einflößt.
Andre Frauen senken das Haupt und leiden
schweigend; sie tragen den Tod im Herzen und
ergeben sich in ihr Schicksal, weinen und verzeihen, beten und erinnern sich bis zum letzten
Seufzer. Das ist die Liebe, die wahre Liebe, die
Liebe der Engel, die stolze Liebe, die von ihrem
Schmerz lebt und an ihm stirbt. So war das Gefühl von Eugenie, als sie diesen entsetzlichen Brief

gelesen hatte. Sie hob ihre Blicke zum Himmel und dachte an die letzten Worte ihrer Mutter, die wie manche Sterbende, ein durchdringendes erleuchtetes Auge in die Zukunft gerichtet hatte. Und Eugenie ermaß in der Erinnerung an diesen Tod und an dieses prophetische Leben mit einem Blick ihr ganzes Schicksal. Sie konnte nichts tun, als ihre Flügel ausbreiten, sehnsüchtig zum Himmel und im Gebet leben bis zum Tag ihrer Erlösung.

„Meine Mutter hatte recht", sagte sie weinend. „Leiden und sterben."

Sie kam mit langsamen Schritten aus dem Garten in den Saal. Gegen ihre Gewohnheit ging sie nicht durch den Gang; aber sie fand Erinnerungen an ihren Vetter auch in diesem alten grauen Salon, auf dem Kamin, auf dem immer eine gewisse Untertasse stand, die sie jeden Morgen bei ihrem Frühstück benutzte, ebenso wie die Zuckerdose aus altem Sèvresporzellan. Dieser Vormittag sollte feierlich und voll von Ereignissen für sie sein. Nanon meldete ihr den Pfarrer der Gemeinde. Dieser Pfarrer, ein Verwandter der Cruchots, gehörte zur Partei des Präsidenten de Bonfons. Seit einigen Tagen hatte der alte Abbé beschlossen, in rein religiösem Sinn mit Fräulein Grandet von der Verpflichtung zu sprechen, die sie hatte, sich zu vermählen. Als sie ihren Seelsorger sah, glaubte Eugenie, daß er die tausend Franken holen wollte, die sie monatlich für die Armen gab und bat Nanon, sie zu bringen. Aber der Pfarrer setzte ein Lächeln auf:

„Heute komme ich, gnädiges Fräulein, um mit Ihnen über ein armes Mädchen zu sprechen, für das sich die ganze Stadt Saumur interessiert und das, mangels Barmherzigkeit mit sich selbst, nicht christlich lebt."

„Lieber Gott, Herr Pfarrer, Sie treffen mich in einem Augenblick an, wo es mir unmöglich ist, an meinen Nächsten zu denken; ich bin ganz mit mir selbst beschäftigt. Ich bin sehr unglücklich, ich habe keine andre Zuflucht als die Kirche; ihr Schoß ist weit genug, um alle unsere Schmerzen zu fassen, und ihre Liebe quillt reich genug, daß wir von ihr schöpfen können ohne Furcht, daß sie jemals versiegt."

„Wohlan, gnädiges Fräulein, wenn wir uns mit diesem Mädchen beschäftigen, beschäftigen wir uns mit Ihnen. Hören Sie zu. Wenn Sie Ihr Seelenheil erlangen wollen, können Sie nur zwei Wege beschreiten, entweder die Welt verlassen oder ihre Gesetze befolgen; entweder müssen Sie Ihrer irdischen Bestimmung oder Ihrer himmlischen Bestimmung gehorchen."

„Ach, Ihre Stimme spricht zu mir im Moment, da ich eine Stimme hören wollte. Ja, Gott schickt Sie her, Herr Pfarrer. Ich will der Welt Valet sagen und für Gott allein im Schweigen und in der Zurückgezogenheit leben."

„Es ist notwendig, meine Tochter, reiflich einen so gewaltsamen Schritt zu überlegen. Die Ehe ist ein Leben, der Schleier ist ein Tod."

„Ja, den Tod! den schnellen Tod! Herr Pfarrer", sagte sie mit erschreckender Lebhaftigkeit.

„Den Tod? Aber Sie haben große Verpflichtungen gegen die Gesellschaft zu erfüllen, Fräulein. Sind Sie denn nicht die Mutter der Armen, denen Sie Kleidung, Holz im Winter und Arbeit im Sommer geben? Ihr großes Vermögen ist ein Darlehen, das Sie zurückgeben müssen, und Sie haben es in heiliger Weise auch so angenommen. Sich in ein Kloster vergraben, das würde Egoismus sein; und als Mädchen alt werden, das dürfen Sie nicht. Erstens, könnten Sie Ihr ungeheures Vermögen allein verwalten? Sie würden es vielleicht verlieren. Sie würden sich tausend Prozesse zuziehen und in unentwirrbare Schwierigkeiten verstrickt werden. Glauben Sie Ihrem Seelsorger: ein Gatte ist Ihnen nützlich. Sie sollen das bewahren, was Ihnen Gott gegeben hat. Ich spreche zu Ihnen als zu einem geliebten Pfarrkind. Sie lieben Gott zu aufrichtig, um nicht Ihr Seelenheil auch inmitten der Welt zu erlangen, deren schönster Schmuck Sie sind und der Sie heilige Beispiele geben."

In diesem Augenblick ließ sich Frau des Grassins melden.

Sie wurde hergeführt von der Rache und einer großen Verzweiflung.

„Fräulein . . .", sagte sie. — „Ach, da ist der Herr Pfarrer. Ich bin still, ich wollte von Geschäften mit Ihnen reden, und ich sehe, daß Sie in wichtigen Unterhandlungen sind."

„Gnädige Frau," sagte der Pfarrer, „ich räume Ihnen das Feld."

„Ach, Herr Pfarrer," sagte Eugenie, „kommen Sie doch in ein paar Minuten wieder. Ihr Beistand ist mir in diesem Moment sehr nötig."

„Ach ja, mein armes Kind", sagte Frau des Grassins.

„Was meinen Sie?" fragten Fräulein Grandet und der Pfarrer.

„Weiß ich denn nicht von der Rückkehr Ihres

Vetters und seiner Heirat mit Fräulein d'Aubrion?
.... Eine Frau trägt doch nicht ihren Verstand in
der Tasche."

Eugenie wurde rot und verstummte; aber dann
beschloß sie, in Zukunft die kaltblütige Haltung
zur Schau zu tragen, die ihr Vater anzunehmen
gewußt hatte.

„Nun, gnädige Frau," antwortete sie ironisch, „ich
trage zweifellos meinen Verstand in der Tasche,
denn ich verstehe nichts. Sprechen Sie, sprechen
Sie vor dem Herrn Pfarrer, Sie wissen ja, daß
es mein Beichtvater ist."

„Nun gut, Fräulein, hier des Grassins' Schreiben.
Lesen Sie."

Eugenie las den folgenden Brief:

„Meine liebe Frau, Charles Grandet ist aus Indien
zurück, er ist seit einem Monat in Paris..."

— Einem Monat! dachte Eugenie und ließ die
Hand sinken. Nach einer Pause las sie weiter:

„Ich mußte zweimal antichambrieren, ehe ich mit
diesem zukünftigen Grafen d'Aubrion sprechen
konnte. Obgleich ganz Paris von seiner Heirat
spricht und das Aufgebot veröffentlicht ist, ..."

Er schreibt mir also im Augenblick, wo...? sagte
Eugenie zu sich selbst. Sie vollendete den Satz
nicht, sie rief nicht wie eine Pariserin: der Elende!
Aber auch unausgesprochen war ihre Verachtung
nicht weniger gründlich.

„... ist diese Heirat noch weit im Felde; der Marquis d'Aubrion wird seine Tochter nicht dem Sohn
eines Bankrotteurs geben. Ich kam zu ihm, um
ihm von der Mühe zu berichten, die sein Onkel
und ich uns mit den Geschäften seines Vaters gegeben haben, und von den geschickten Maßnah-

men, durch die wir die Gläubiger bis jetzt beruhigen konnten. Hat doch dieser kleine Frechdachs die Stirn, mir zu antworten, mir, der ich mich fünf Jahre lang in seinem Interesse und für seine Ehre Tag und Nacht aufgeopfert habe, daß die Geschäfte seines Vaters nicht seine Geschäfte wären. Ein Anwalt hätte das Recht, ihm dreißig- bis vierzigtausend Franken Honorar abzufordern, entsprechend einem Prozent von der Summe der Schulden. Aber Geduld, er schuldet nach Recht und Gesetz den Gläubigern zwölfhunderttausend Franken, und ich werde seinen Vater bankrott erklären lassen. Ich habe mich auf dieses Geschäft eingelassen auf das Wort dieses alten Krokodils von Grandet hin, und ich habe Versprechungen im Namen der Familie gemacht. Wenn der Graf d'Aubrion sich wenig um seine Ehre kümmert, so interessiert mich die meine sehr stark. Daher werde ich meine Lage den Gläubigern auseinandersetzen. Jedoch habe ich zuviel Hochachtung vor Fräulein Eugenie, mit der wir uns in glücklichern Zeiten zu verbinden hofften, als daß ich vorgehen möchte, ohne daß Du mit ihr über diese Angelegenheit gesprochen hast..."

Hier gab Eugenie den Brief kalt zurück, ohne ihn zu Ende zu lesen.

„Ich danke Ihnen," sagte sie zu Frau des Grassins; „das wird sich finden."

„In diesem Augenblick haben Sie ganz die Stimme Ihres verstorbenen Vaters", sagte Frau des Grassins.

„Madame, Sie haben uns achttausend Franken Gold auszuzahlen", sagte Nanon zu ihr.

„Richtig, tun Sie mir den Gefallen, mit mir zu kommen, Frau Cornoiller."

„Herr Pfarrer," sagte Eugenie mit einer edlen Kaltblütigkeit, die ihr der Gedanke gab, den sie aussprechen wollte, „wäre das eine Sünde, im Stand der Jungfräulichkeit während der Ehe zu bleiben?"

„Das ist eine Gewissensfrage, deren Lösung mir unbekannt ist. Wenn Sie wissen wollen, was in seinem Abriß De Matrimonio, der berühmte Sanchez, darüber denkt, kann ich es Ihnen morgen sagen."

Der Pfarrer ging. Fräulein Grandet stieg in das Kabinett ihres Vaters hinauf und verbrachte da den Tag allein, wollte auch nicht zur Essensstunde herabkommen, trotz den inständigen Bitten von Nanon. Sie erschien am Abend zur Zeit, da die Stammgäste ihres Kreises ankamen. Niemals war der Salon der Grandets so voll gewesen wie an diesem Abend. Die Neuigkeit von der Rückkehr und dem törichten Verrat von Charles war in der ganzen Stadt ausgesprengt worden. Aber wie scharf auch die Neugierde der Besucher auf der Lauer lag, sie wurde nicht befriedigt. Eugenie, die sich darauf gefaßt gemacht hatte, ließ in ihrem ruhigen Gesicht keine der inneren Qualen durchblicken, die sie erregten. Sie konnte ein lachendes Gesicht zur Schau tragen, wenn sie denen antwortete, die ihr durch betrübte Blicke oder Worte Teilnahme bezeugen wollten. Mit einem Wort, sie verstand es, ihr Unglück mit den Schleiern eines höflichen Tons zu bedecken. Gegen neun Uhr waren die Spiele zu Ende, und die Spieler verließen ihre Tische, zahlten sich aus und besprachen die letzten Stiche im Whist, während sie sich dem Kreis der Plaudernden anschlossen. Im

Augenblick, als sich die ganze Gesellschaft erhob, um den Salon zu verlassen, gab es einen Theatercoup, der in Saumur widerhallte, von da im Kreis und in den vier umliegenden Distrikten.

„Bleiben Sie noch, Herr Präsident", sagte Eugenie zu Herrn de Bonfons, als sie sah, daß er seinen Stock nahm.

Bei diesem Wort gab es niemanden im ganzen Saal, der sich nicht bewegt fühlte. Der Präsident erbleichte und mußte sich setzen.

„Dem Präsidenten die Millionen", sagte unterwegs Fräulein de Gribeaucourt.

„Das ist klar, der Präsident von Bonfons heiratet Fräulein Grandet", schrie Frau d'Orsonval.

„Das war der höchste Stich des Spiels", sagte der Abbé.

„Das war ein schöner ‚Schlemm'", sagte der Notar.

Jeder gab seine Bemerkung zum besten, machte seinen Witz, alle sahen sie die Erbin hoch auf ihren Millionen thronen wie auf einem Piedestal. Das Drama, das vor neun Jahren begonnen hatte, ging der Lösung entgegen. Im Angesicht von ganz Saumur den Präsidenten zum Bleiben auffordern, hieß das nicht verkünden, daß sie ihn zu ihrem Gatten machen wollte? In den kleinen Städten werden die herrschenden Gebräuche so streng befolgt, daß dort ein Bruch dieser Art das feierlichste Versprechen ausmacht.

„Herr Präsident," sagte Eugenie mit bewegter Stimme, als sie allein waren, „ich weiß, was Ihnen an mir gefällt. Schwören Sie mir, mir mein Leben lang meine Freiheit zu lassen, keins der Rechte von mir zu fordern, das die Ehe Ihnen über mich gibt, und meine Hand gehört Ihnen. Ach," fuhr sie fort, als sie sah, daß er auf die Knie fiel, „ich habe noch nicht alles gesagt. Ich will Sie nicht täuschen. Ich trage in meinem Herzen ein unauslöschliches Gefühl. Freundschaft wird das einzige Gefühl sein, das ich für meinen Mann hegen könnte: ich will ihn nicht kränken, aber auch den Gesetzen meines Herzens nicht zuwiderhandeln. Aber Sie können meine Hand und mein Vermögen nur um den Preis eines ungeheuren Dienstes erwerben."

„Sie werden mich zu allem bereit finden", sagte der Präsident.

„Hier sind fünfzehnhunderttausend Franken, Herr Präsident", sagte sie und zog aus ihrem Busen einen Depositenschein über hundert Aktien der Bank von Frankreich heraus. „Reisen Sie nach Paris, nicht morgen, nicht heut nacht, sondern in diesem Augenblick. Begeben Sie sich zu Herrn des Grassins; erfahren Sie von ihm die Namen aller Gläubiger meines Onkels, versammeln Sie sie, bezahlen Sie alles, was seine Erbfolge schuldig sein mag, Kapital und fünf Prozent Zinsen vom Tag der Schuld bis zu dem der Zurückzahlung; endlich wollen Sie so gut sein, darüber eine gemeinsame notariell beglaubigte Quittung in aller Form ausstellen zu lassen. Sie sind Richter, ich verlasse mich nur auf Sie in dieser Angelegenheit. Sie sind ein Mann ohne Falsch, ein Ehrenmann; ich schiffe mich ein, im Vertrauen auf Ihr Wort, um die Klippen des Lebens unter dem Schutz Ihres Namens zu umfahren. Wir wollen jeder gegen den andern wechselweise Nachsicht üben. Wir kennen uns seit so langer Zeit, wir sind beinah wie Verwandte, Sie werden mich nicht unglücklich machen wollen."

Der Präsident fiel der reichen Erbin zu Füßen und zitterte vor Freude und Angst.

„Ich werde Ihr Sklave sein", sagte er.

„Wenn Sie die Quittung haben," fuhr sie fort und warf einen kalten Blick auf ihn, „bringen Sie sie mit allen Schuldscheinen meinem Vetter Grandet, und übergeben Sie ihm diesen Brief. Bei Ihrer Rückkehr werde ich mein Wort halten."

Der Präsident verstand sehr wohl, daß er Fräulein Grandet einem Liebeskummer verdankte; um so mehr beeilte er sich, seine Aufträge mit der größten Schnelligkeit auszuführen, damit es nicht etwa zu einer Versöhnung zwischen den beiden Liebenden käme.

Als Herr von Bonfons gegangen war, ließ Eugenie sich in ihren Sessel fallen und brach in Tränen aus. Alles war vollendet. Der Präsident nahm die Post und war am nächsten Abend in Paris. Am Morgen des folgenden Tages ging er zu des Grassins. Der Richter rief die Gläubiger im Bureau des Notars zusammen, bei dem die Wechsel hinterlegt waren, und nicht einer versäumte, dem Ruf dorthin zu folgen. Obwohl es Gläubiger waren, muß man ihnen Gerechtigkeit widerfahren lassen: sie waren pünktlich. Dort bezahlte der Präsident von Bonfons im Namen von Fräulein Grandet ihnen Kapital und Zinsen der Schuld. Die Bezahlung der Zinsen war für die Pariser Handelswelt eines der erstaunlichsten Ereignisse der Zeit. Nachdem die Quittung ausgestellt war und des Grassins für seine Bemühungen mit einer Gabe von fünfzigtausend Franken, die Eugenie für ihn ausgesetzt hatte, bezahlt worden war, begab sich der Präsident zum Palais d'Aubrion, wo er Charles antraf, als er gerade in seine Gemächer zurückkam, von seinem Schwiegervater aus allen Himmeln gestürzt. Der alte Marquis hatte ihm soeben erklärt, daß seine Tochter ihm nicht eher gehören würde, als bis er mit allen Gläubigern von Guillaume Grandet abgeschlossen hätte.

Der Präsident übergab ihm zunächst folgenden Brief:

„Lieber Vetter, Herr Präsident von Bonfons hat es übernommen, Ihnen die Quittung über alle von meinem Onkel geschuldeten Beträge zu übergeben mit der, durch die ich anerkenne, sie von Ihnen empfangen zu haben. Man hat mir von Bankrott gesprochen! Ich habe gedacht, daß der Sohn eines Bankrotteurs vielleicht nicht Fräulein d'Aubrion heiraten könnte. Jawohl, Vetter, Sie haben meinen Verstand und meine Art und Weise richtig beurteilt: ich weiß zweifellos nichts von der Welt, kenne ihre Berechnungen und Gebräuche nicht und könnte Ihnen da nicht zu den Vergnügungen verhelfen, die Sie in ihr finden wollen. Seien Sie glücklich, gemäß den gesellschaftlichen Voraussetzungen, denen Sie unsre junge Liebe aufopfern. Um Ihr Glück zu vervollständigen, kann ich Ihnen wohl nicht mehr zum Geschenk bieten, als die Ehre Ihres Vaters. Leben Sie wohl, Sie werden immer eine treue Freundin haben in Ihrer Kusine

Eugenie.“

Der Präsident lächelte über den Ausruf, den dieser ehrgeizige Mensch im Moment, als er die authentische Urkunde empfing, nicht unterdrücken konnte.

„Wir verkündigen uns gegenseitig unsre Heiraten", sagte er zu ihm.

„Ach, Sie heiraten Eugenie? Schön, ich freue mich darüber. Sie ist ein gutes Mädchen. Aber," versetzte er, plötzlich von einem erleuchteten Gedanken durchzuckt, „ist sie denn reich?"

„Sie hatte", antwortete der Präsident in schalkhaftem Ton, „fast neunzehn Millionen vor vier Tagen; aber heute hat sie nur noch siebzehn."

Charles sah den Präsidenten mit verblüffter Miene an.

„Siebzehn ... Mill ..."

„Siebzehn Millionen, jawohl, Herr Grandet. Wir können zusammen, Fräulein Grandet und ich, wenn wir uns heiraten, siebenhundertfünfzigtausend Franken Rente verzehren."

„Mein lieber Vetter," sagte Charles und fand ein wenig Sicherheit wieder, „dann können wir ja einander förderlich sein."

„Einverstanden", sagte der Präsident. „Hier ist noch ein kleiner Kasten, den ich auch nur Ihnen übergeben soll", fügte er hinzu und stellte das Kästchen, in dem sich das Necessaire befand, auf einen Tisch.

„Hören Sie, lieber Freund," sagte die Frau Marquise d'Aubrion und kam herein, ohne Cruchot zu beachten, „machen Sie sich keine Sorge über das, was Ihnen soeben dieser gute d'Aubrion sagte, dem die Herzogin von Chaulieu den Kopf verdreht hat. Ich wiederhole es Ihnen, nichts wird Ihre Ehe verhindern ..."

„Nichts, gnädige Frau," antwortete Charles, „die drei Millionen, die mein Vater vormals schuldig gewesen ist, sind gestern bezahlt worden."

„Bar bezahlt?" sagte sie.

„Samt und sonders, Zinsen und Kapital; ich will das Andenken meines Vaters rehabilitieren."

„Was für eine Dummheit!" rief die Schwiegermutter aus. — „Wer ist dieser Herr", flüsterte sie ihrem Schwiegersohn ins Ohr, als sie den Cruchot bemerkte.

„Mein Sachwalter", antwortete er ihr leise.

Die Marquise grüßte den Präsidenten von Bonfons herablassend und ging hinaus.

„Wir fördern uns schon", sagte der Präsident und nahm seinen Hut. „Adieu, Vetter."

„Er macht sich über mich lustig, dieser Kakadu von Saumur. Ich hätte Lust, ihm sechs Zoll Eisen in den Leib zu rennen."

Der Präsident war abgereist. Drei Tage später veröffentlichte Herr von Bonfons seine Heirat mit Eugenie. Nach sechs Monaten wurde er zum Landesgerichtspräsidenten in Angers ernannt. Ehe sie Saumur verließ, hatte Eugenie das Gold der Schmucksachen, die solange ihrem Herzen teuer gewesen waren, einschmelzen lassen und stiftete es, ebenso wie die achttausend Franken von ihrem Vetter, für eine goldene Monstranz, die sie der Pfarrkirche schenkte, in der sie sooft zu Gott für ihn gebetet hatte. Sie teilte übrigens ihre Zeit zwischen Angers und Saumur. Ihr Mann, der bei einer politischen Gelegenheit seinen Diensteifer bewiesen hatte, wurde Senatspräsident am Obergericht und schließlich nach Ablauf einiger Jahre Chefpräsident des Obergerichts. Er wartete ungeduldig auf die allgemeine Neuwahl, um einen Sitz in der Deputiertenkammer zu erhalten. Ihn gelüstete schon nach der Pairschaft und dann...

„Und dann wird der König sein Vetter?" sagte Nanon, die lange Nanon, Frau Cornoiller, Bürgerin von Saumur, der ihre Herrin die hohen Würden, zu denen sie berufen waren, verkündete.

Jedoch es gelang dem Herrn Präsidenten von Bonfons (er hatte endlich seinen Vatersnamen Cruchot abgestoßen) nicht, seine ehrgeizigen Pläne zu verwirklichen. Er starb acht Tage, nachdem er zum Abgeordneten von Saumur gewählt worden war. Gott, der alles sieht und nie zu Unrecht straft, bestrafte ihn zweifellos für seine Berechnungen und für die juristische Geschicklichkeit, mit der er, accurante Cruchot, seinen Heiratskontrakt aufgesetzt hatte, nach welchem sich die beiden Ehegatten, im Falle sie keine Kinder hätten, gegenseitig die Gesamtheit ihrer mobilen und immobilen Güter schenken, ohne irgend etwas davon auszunehmen oder sich vorzubehalten, als volles Eigentum, wobei sie sogar von der Formalität einer Bestandaufnahme Abstand nehmen, ohne daß gegen die besagte Unterlassung der Bestandaufnahme von ihren Erben und Rechtsnachfolgern Einspruch erhoben werden könne, unter der Voraussetzung, daß die besagte Schenkung... usw. Diese Klausel kann die ungemeine Rücksichtnahme erklären, die der Präsident beständig für den Willen und die Einsamkeit von Frau von Bonfons an den Tag legte. Die Frauen führten den Präsidenten als Muster eines zartfühlenden Mannes an, bedauerten ihn und gingen oft so weit, den Kummer und die Leidenschaft Eugeniens anzuklagen, aber so, wie sie es verstehen, eine Frau anzuklagen, in der Form der — allergrausamsten — Schonung.

„Die Frau Präsidentin von Bonfons muß wohl sehr leidend sein, um ihren Mann allein zu lassen. Arme, kleine Frau. Wird sie denn nicht bald wieder gesund? Was hat sie nur, ein Magenleiden? einen Krebs? Warum sucht sie keine Ärzte auf? Sie wird seit einiger Zeit so gelb; sie müßte berühmte Pariser Ärzte konsultieren. Wie kann sie nur sich kein Kind wünschen? Sie liebt ihren Mann sehr, sagt man: warum ihm dann keinen Erben schenken, bei seiner Stellung. Das ist doch aber schrecklich! und wenn das von einer Laune herkäme, so wäre es sehr verdammungswürdig... der arme Präsident!"

Mit dem feinen Takt begabt, den der Einsame durch das beständige Nachgrübeln in sich ausbildet und vermöge des scharfen Blicks, mit dem er die Dinge auffaßt, die in seinen Gesichtskreis fallen, wußte Eugenie, die durch das Unglück und ihre ganze Erziehung gewöhnt war, alles zu erraten, daß der Präsident ihren Tod wünschte, um im alleinigen Besitz dieses ungeheuren Vermögens zu sein, das noch durch die Erbschaft seines Onkels, des Notars, und seinen Onkels, des Abbés, vergrößert worden war, die es Gott gefallen hatte, abzurufen. Die arme Einsiedlerin bemitleidete den Präsidenten. Die Vorsehung rächte sie für die Berechnungen und die gemeine Gleichgültigkeit eines Gatten, der als die stärkste aller Garantien die hoffnungslose Leidenschaft respektierte, von der sich Eugenie nährte. Einem Kind das Leben schenken, hieß ja die Hoffnungen der Selbstsucht, die Freuden des Ehrgeizes töten, von denen der Präsident träumte. Gott aber warf Massen von Gold seiner Gefangenen hin, der das

Gold gleichgültig war und die nur nach dem Himmel verlangte, die fromm und gut in heiligen Gedanken lebte und den Unglücklichen unaufhörlich im geheimen half. Frau von Bonfons wurde Witwe mit dreiunddreißig Jahren, reich an achthunderttausend Franken Rente, noch schön, aber wie eine Frau nahe den vierzig schön ist. Ihr Gesicht ist bleich, gefaßt und ruhig. Ihre Rede ist freundlich und gesammelt, ihr Benehmen einfach. Sie besitzt den ganzen Adel des Schmerzes, die Heiligkeit eines Menschen, der seine Seele nicht in der Berührung mit der Welt befleckt hat, aber auch die Schroffheit des alten Mädchens, und die kleinlichen Gewohnheiten, die die enge Lebensweise in der Provinz mit sich bringt. Trotz ihren achthunderttausend Franken Rente lebt sie, wie die arme Eugenie Grandet gelebt hat, macht in ihrem Zimmer nur an den Tagen Feuer, an denen früher ihr Vater erlaubt hatte, das Feuer im Saal anzuzünden, und löscht es gemäß dem Programm, das in ihren jungen Jahren in Kraft war. Sie ist immer gekleidet wie ihre Mutter es war. Das Haus in Saumur, das Haus ohne Sonne, ohne Wärme, das ohne Unterlaß beschattete und schwermütige Haus, ist das Abbild ihres Lebens. Sie häuft sorgfältig ihre Einkünfte an und würde vielleicht knauserig erscheinen, wenn sie nicht die Verleumdung durch einen edlen Gebrauch ihres Vermögens widerlegte. Fromme und barmherzige Gründungen, ein Altersheim und christliche Kinderschulen, eine reich ausgestattete öffentliche Bibliothek legen alljährlich Zeugnis ab gegen den Geiz, den ihr manche Leute vorwerfen. Die Kirchen von Saumur verdanken ihr einige Verschö-

nerungen. Frau von Bonfons, die man zum Scherz
‚Fräulein‘ nennt, flößt allgemein eine fromme
Scheu ein. Dieses edle Herz, das nur für die zar-
testen Empfindungen schlug, sollte nach den
Berechnungen des menschlichen Eigennutzes be-
urteilt werden. Das Geld sollte seine kalten Far-
ben auf dies heiligmäßige Leben werfen und
Mißtrauen statt Liebe eine Frau ernten, die ganz
Liebe war.

„Niemand als du hat mich lieb“, sagte sie zu
Nanon.

Die Hand dieser Frau heilt die geheimen Wun-
den aller Familien. Eugenie geht in den Himmel
ein, von einem Geleitzug von Wohltaten begleitet. Die Größe ihrer Seele besiegte die Kleinlich-
keit ihrer Erziehung und die Gebräuche ihrer
Jugend. Das ist die Geschichte einer Frau, die
mitten in dieser Welt nicht von dieser Welt ist;
die dazu geschaffen, eine herrliche Gattin und
Mutter zu sein, weder Gatten, noch Kinder, noch
Familie besitzt. Seit einigen Tagen ist von einer
neuen Heirat für sie die Rede.

Die Leute von Saumur beschäftigen sich mit ihr
und dem Herrn Marquis von Froidfond, dessen
Familie anfängt, die reiche Witwe zu umstellen,
wie es ehemals die Cruchots gemacht hatten. Nanon und Cornoiller, sagt man, sind von der Partei
des Marquis; aber nichts ist unrichtiger. Weder
die lange Nanon noch Cornoiller haben Geist genug, um die Verderbtheit der Welt zu verstehen.

☆

NACHWORT

Honoré de Balzac wurde am 20. Mai 1799 in Frankreichs Mitte geboren, in der alten festen Stadt Tours, an der blanken Loire, dem Herzstrom der französischen Geschichte, in dem die düsteren oder die heiteren, die immer hochmütigen und unheimlichen Schlösser der Könige sich spiegeln. Der große Erzähler François Rabelais war durch Tours' Gassen gewandelt, mönchisch, wortgewaltig und schlechten Rufes. Wo war die Welt der Ahnen zu finden, ihr prallgefressener, vollgesoffener, verhurter Leib, ihre fromme Sonne, von der sie noch glaubten, daß sie ihretwegen scheine, ihr naher Himmel voller Engel? In ‚Gargantua und Pantagruel' war auch das Ganze bewahrt, die ganze Welt, der ganze Mensch des Mittelalters. Balzac hatte die Witterung für die Historie und die Lust an der Tradition. Was hatte sich nicht alles innerhalb der Mauern und im blühenden Land draußen ereignet! Römer, Goten, Araber, Franken, Karl Martell, Normannen, Karl VII., Ludwig IX. hatten in Tours gehaust, geherrscht, gewütet, den Totentanz getanzt, das französische Parlament hatte hier die verworrenen, verhaderten Verhältnisse des Staates zu regeln, ehrenwerte und schicksalsblinde Konzile den Willen Gottes zu ergründen versucht, während der einfache Mann sich immer um sein Brot mühte, in einem unbegreiflichen Vertrauen Kinder zeugte und sich fürchtete.

Honorés Vater leitete das Proviantamt einer Division der französischen Armee. Er war nicht viel mehr als ein Zahlmeister, gering geschätzt von den in den Tod vernarrten Offizieren, aber von Amts wegen in große Geschäfte verstrickt, ein Spekulant der Kriegskasse. Die Mutter war einundzwanzig Jahre alt. Die Welt enttäuschte sie; auch mochte sie ihre Kinder nicht und ließ sie von einer Amme betreuen und in Heimen aufwachsen. Sein Leben lang suchte Balzac die mütterliche Frau, erhob sie zur Muse, zu der er aufblicken wollte, die ihn milde bergen und beseligen sollte. Das Leben des größten Romanciers verlief romanhaft: die Liebe, nach der er sich sehnte, das Irrlicht der Solidität, der reifen

Frauenschönheit, der Gattentreue, der gepflegten Häuslichkeit ließ den leidenschaftlichen Bewohner von Paris, für den die Barbarei hinter den Stadttoren begann, ließ den fronenden Schriftsteller, der sich monatelang in seine Arbeitsklause wie in ein Zuchthaus einschloß, ließ den Schöpfer eines unerbittlichen Werkes, das für ihn viel, viel wirklicher war als alle Scheinwelt vor der Tür, in wilder Fahrt und Zeitvergeudung durch ganz Europa zu seinem Grab auf dem Friedhof Père Lachaise jagen.

1799 übernahm der General Napoleon Bonaparte die Regierungsgeschäfte in Frankreich und liquidierte die große Revolution. Die Aufklärung war geschehen, Voltaire, Rousseau und die Enzyklopädisten hatten gewirkt, die Bastille war gestürmt, die Tuilerien waren erobert, der König war hingerichtet, die Guillotine hatte gearbeitet, der Besitz hatte sich verschoben, er war vom Adel und der Kirche unter das Volk gekommen und beim Bürgertum hängengeblieben, das sich nun sorgenvoll, doch entschlossen anschickte, sich zu behaupten, das Errungene, das Erraffte gesetzlich zu sichern und zu mehren. Der Code Napoleon wurde die neue Bibel, und die Karrieren begannen. Frankreich stülpte die Welt um, die Civilisation française triumphierte, Napoleons Vögel, allgemein für Adler und nicht für Geier gehalten, kreisten über Europa, und seine Günstlinge usurpierten die alten morschen Throne. Als Balzac seine Pubertät erlebte, war der Kaiser gestürzt, die Galavorstellung zu Ende. Der Jüngling lebte in der enggassigen, nicht unlieblichen Provinzstadt Vendôme hinter Klostermauern, ein armer Zögling des überaus ernsten Schulordens der Oratorianer. Man kann heute im Hof des Königreiche und Republiken überlebenden Instituts sein Bildnis sehen, ein wildes Haupt, das hoffentlich die noch streng gehaltenen Schüler zu Träumen und Rebellion begeistert. Von Balzac aber heißt es, er sei ein bleicher, lesewütiger Knabe gewesen; indem er aber las, brach er aus der Enge seiner Jugend aus, und die Zukunft, die vor ihm lag, war sein Entschluß, berühmt zu werden.

Man hat der Epoche nach 1815 nachgesagt, daß ihr gefehlt habe, was die vorangegangene zu viel gehabt hatte, Energie. Regte sich die alte Kraft nicht nur anders, in anderen Gestalten und anderen Schichten? Es hatte sich als Irrtum erwiesen, Standarten nach Moskau zu tragen, und die Marseillaise war zum Choral des vierten Standes geworden, der

Arbeiter, deren erste industrielle Ausbeutung nun begann. Der repräsentative Typ war der Bürger, der Geschäftsmann, der Fabrikant. Für ihn mühten sich die Erfinder, Heer und Marine eroberten nur noch seine Märkte, er schlug seine Schlachten an der Börse und erlebte sein Waterloo vor dem Konkursgericht. Ludwig XVIII., Schützling des Wiener Kongresses, die Königstreuen, die heimgekehrten Emigranten, die geschlagenen Kaiserlichen, die Marschälle, die Pairs von Frankreich, die Verlierer der großen Revolution im Rock des Diplomaten und des Polizeiministers, später der schnell abwirtschaftende und rückschrittsgläubige Karl X. und Louis Philippe, bezeichnenderweise der Bürgerkönig genannt, sie alle, die oben bleiben, Ehre genießen, Macht ausüben, Geld horten oder verschwenden und bei jungen Leibern liegen wollten, waren nur Posten in der immer neu zu frisierenden Bilanz der mühsam bewahrten sozialen Balance und zu jeder Stunde abhängig von ihrem Soll und Haben. Wer nichts als Ehrgeiz besaß, begann am Rande der Gesellschaft, pirschte im Niemandsland der Bohème, war Journalist, Playboy, Zuhälter, Gigolo, Sekretär, Politiker, Advokat und endete als Regierungschef, Justizminister, Bankier oder im Bagno. „Das Gold enthält alle menschliche Macht", meint ganz verzückt Gobseck, der Wucherer, und der junge Glücksritter Rastignac betrachtet Paris vom Hügel seines berühmten Friedhofs Père Lachaise aus und ruft: „Nun wollen wir uns miteinander messen!"

Balzac, dessen Geschöpfe sie sind, hauste in einer Dachkammer, blickte wie Rastignac auf seine Stadt hinab, und all die Energie, die Leidenschaften, die Wünsche, die mit der Luft zu ihm aufstiegen, aller Glanz und alles Elend der Millionen sammelte sich in ihm zu einem Licht, das bis in unsere Tage leuchtet. Wie vor ihm der Abenteurer Casanova erhob sich auch der Dichter in den Adelsstand und nannte sich aus eigener Gnade Herr de Balzac, um einen Schild zu haben in einer Welt, die ungeheure Kräfte an den äußeren Schein wendet, der Böses tarnt. Vorher nannte er sich Lord R'Hoone und Horace de Saint-Aubin, gab sich stolze Namen, unter denen er Romane wie ‚Die letzte Fee' und ‚Annette und der Verbrecher' veröffentlichte, dazu eine Geschichte des Jesuitenordens und eine Tragödie ‚Cromwell' in Versen. Aber Paris wehrt sich gegen den Eroberer in der Mansarde, der sich, wenn die Gläubiger hinter ihm her sind, unter dem bescheidenen Namen Witwe Durand verbirgt. Mag er die Nächte durchwachen, Kaffeekannen und Tintenfässer leeren – Paris schweigt.

Für eine Weile wird selbst Balzac seinem Stern untreu. Da die auf das Papier gestellte Mär weder Geld noch Ruhm bringt, versucht er, nach seinen Phantasien zu handeln. Er stürzt sich kopfüber in die Geschäfte. Er wird Verleger und Buchdrucker, er erwirbt eine neue Erfindung für die Letterngießerei und will nach den Prinzipien des Frühkapitalismus durch die Arbeit anderer reich werden. Er treibt in den Konkurs, und die Schulden werden sein Schicksal, führen ihn auf seine Bahn zurück, und sind doch eine feste Kette, eine schwere Sträflingskugel an seinem Bein und schmieden ihn auf die Galeere der Literatur. Lebenslänglich. Manchmal versucht er auszubrechen, zu entfliehen, träumt von erfolgreichen Spekulationen, wieder vom Reichtum über Nacht, von geheimnisvollen Silberbergwerken, paradiesischen Plantagen, von Maschinen, die damals Utopie waren und heute laufen; aber schon ist er so unentrinnbar eingesponnen in die Wirklichkeit seines Werkes, daß er, der Schöpfer, sich nicht mehr mit Millionentransaktionen und Überseexpeditionen abgeben, nicht kostbare Zeit in der gewöhnlichen Welt verlieren kann. Er überläßt das Handeln, die Tat seinen Geschöpfen. Er ist stolz und eifersüchtig auf sie, und in den Stunden tiefer Depressionen beneidet er sie um das Leben, das er ihnen schenkt. Die Gestalten zehren von ihm, sie besorgen seine Geschäfte, sie agieren für ihn in Dramen, Tragödien und Komödien, sie töten die Feinde, die er unter den Säbel bekommen möchte, sie lieben die Mädchen mit den Goldaugen, die er begehrt. „Das Leben ist Leidenschaft", ruft er. Aber seine Leidenschaften, seine überstarken Triebe strömen nun auf das Papier, fließen in seine Bücher. Mit den ‚Königstreuen' hat er den ersten Band seiner ‚Menschlichen Komödie' geschrieben. Er ist hellsichtig. Er verkündet: „Ich bin auf dem Wege, ein Genie zu werden!"

Ein Genie und ein Opfer seines Genies! Paris, das sich seit eh und je mit Wollust jedem Kerl hingegeben hat, lädt ihn zu Tisch. Balzac kleidet sich als Löwe, er trägt einen Stock mit einem goldenen Knauf, er darf Herzoginnen umschwärmen und mit den Königen der Börse die jungen Freudenmädchen, die Ratten der Oper jagen. Aber Balzac bezahlt nicht wie die andern mit Dukaten, er begleicht die Rechnung mit seinem Blut. 1830, im ersten Jahr seines gesellschaftlichen Glanzes, preßt er sich elf Romane und Erzählungen ab, darunter die Meisterwerke ‚Das Haus zur ballspielenden Katze‘, ‚Ehefrieden‘, ‚Gobseck‘, ‚Das Lebenselexier‘. Im folgenden Jahr setzt er den Raubbau fort, schenkt den Zeitgenossen und der Welt ‚Das Chagrin-Leder‘, ‚Sarasine‘, ‚Jesus Christus in Flandern‘, ‚Das ungekannte Meisterwerk‘, ‚Catharina von Medici‘ und den Anfang der ‚Frau von dreißig Jahren‘. Wenn der Dandy aus den Salons der großen Welt in seine nun mit kostbaren alten Möbeln ausgestattete Klause nach Hause kommt, zieht er die Mönchskutte an, setzt sich an den Schreibtisch, arbeitet zehn, sechzehn Stunden am Tag, in der Nacht. Am Morgen kommt der Bote des Druckers und reißt dem Erschöpften die noch tintenfeuchten Seiten aus der Hand. Am Nachmittag bringt der Lehrling die Korrekturbogen, und Balzac berauscht sich am Geruch der frischen Druckerschwärze, wütet im Satz, blüht in neuerwachter Phantasie und schreibt ganze Kapitel um. Die Druckfahnen bieten das Bild eines Schlachtfeldes. Balzac, vom Sesselsitzen, vom guten, vom unmäßigen, vom allzu schnell und gierig genossenen Leben dick geworden, erhitzt sich wie eine der gerade in Mode gekommenen und das Zeit-alter bestimmenden Dampfmaschinen, und sein von unzähligen Tassen Kaffee angetriebenes Herz hämmert wie der vom Überdruck des Kessels gejagte Kolben.

Verherrlichte der Sklave seiner Arbeit die Gesellschaft, die er vor wenigen Stunden verlassen hatte, schmeichelte er den schönen, den diamantengeschmückten Damen, den Adligen, den Reichen, den Stützen des Thrones und der Börse, den lüsternen Dianen, der Meute, der Jagd nach Geld und Liebe? Er hielt ihnen den Spiegel des wahren Gesichts vor. Er erschreckte. Er zeigte Menschen. Balzac war kein kämpfender Dichter im Sinne des Engagements an eine Partei, an eine Revolution, an den Umsturz, den Fortschritt. In politischen Bekenntnissen sprach er gern Dummheiten aus, gab sich als erzreaktionär, verachtete die besitzlose, zu kommandierende Masse, huldigte dem Herrenrecht des starken Einzelnen und verabscheute doch den Individualismus als allgemeine Lebensregel, und noch der Code Napoleon war ihm viel zu bürgerfreundlich und herrschaftsfeindlich. Mag dies Balzacs Ansicht oder seine Maske gewesen sein, sein

Werk wirkte revolutionär über alle Tagespolitik hinaus. Es deckte Schwächen auf, Verhängnis, Untergründe, Verbrechen, es nahm Partei für den Getretenen, der sich wehrte, für den Unterdrückten, der sich befreien wollte, für den Armen gegen den Reichen, für den Menschen gegen die Maschinerie der Justiz. Balzac war unbestechlich, aber er war nicht ohne Mitleid. Er kannte nicht nur die oberen Stockwerke, die Prachträume der sozialen Pyramide, er war auch in den dunklen Kammern und Verliesen zu Hause. Er war ein Menschenjäger von nie zu stillender Neugier. Er erforschte die Geheimnisse der Fürstin von Cadignan und die Geschäftsbücher des Bankiers von Nuncingen, aber er folgte ebenso leidenschaftlich interessiert auch dem Trunkenbold, dem Bettler, dem erschöpften Arbeiter durch schmutzige Gassen und in Elendshäuser, er fraß sich in sie ein, ob hoch oder niedrig, ahmte ihren Gang nach, identifizierte sich mit ihnen, um schließlich alles als Beute heimzutragen, den Glanz und das Elend, die beide nur Rohstoffe für seine Fabrik der Menschenschicksale waren. Es geschah immer häufiger, daß er die Wirklichkeit des Lebens und die Wirklichkeit seines Werkes durcheinanderbrachte, daß sich ihm die Beobachtungen und die Geschichten verwirrten, daß er einem Freund sagte, „kehren wir zur Wirklichkeit zurück, sprechen wir nicht mehr von Rothschild, unterhalten wir uns über Gobseck".

Die er liebte, waren die ehrgeizigen Jünglinge, die nach Paris kamen, die Welt zu erobern, war der gefährliche Vautrin, der entflohene gebrandmarkte Galeerensträfling, der diese Jünglinge bewundernd umkreiste und ihnen die Hilfe der Unterwelt zum Aufstieg bot, aber vor allem liebte Balzac die seltsam Reinen, die kein Lebensdreck beschmutzen konnte, die auf jede blendende Karriere verzichteten, die Idealisten, die Mystiker, die nach den Engeln rufen, die Philosophen ohne Einfluß, die hungerleidenden Verfasser von Büchern, die der großen Menge immer unverständlich bleiben mußten. Balzac war religiös erzogen worden, das wirkte nach, er war kein Feind der Kirche, aber er glaubte nicht an die Unfehlbarkeit des Dogmas und an die Gottesreinheit ihrer Hierarchie. Balzac stand lange unter dem Einfluß der Lehren Saint-Martins, eines Franzosen, den das dunkle Licht des armen schlesischen Schusters Jacob Böhme ergriffen hatte, und dann schwärmte er, wie viele in seiner

Zeit, für Swedenborgs Himmel und Hölle. Die Erlösung lag auch für Balzac hinter dem Leid, hinter seiner Armut und seinen armen Freuden. Balzac war wenig von der Antike berührt, und als Christ glaubte er fest an die Sünde.

Schon 1832, Balzac ist dreiunddreißig Jahre alt und auf der Höhe seiner Schaffenskraft, die ‚Tolldreisten Geschichten‘, der ‚Oberst Chabert‘ werden geschrieben, beginnt das spöttische Schicksal an dem Witz zu arbeiten, Balzac, den Meister, zu einer Romanfigur zu machen. Es schickt ihm den Brief einer Unbekannten, die sich ‚Die Fremde‘ nennt. Eine raffinierte Verführung! Der Brief, dem andere, schönverfaßte folgen, enthält alles, um den Dichter zu verlocken: Schmeichelei, Bewunderung, geheimnisvolle Lebensumstände, Andeutungen von Unglücklichsein und Erfahrung, Sehnsucht nach einer Seelenfreundschaft, Bereitschaft zur Rolle der Muse und viele verschleierte Verheißungen. Balzac, der Mann, der in einer Phantasiewelt lebt und sich seine Wahrheit selber schafft, fühlt sich angesprochen. Er verliebt sich, er brennt.

Die Schwierigkeiten, die sich allmählich enthüllen, die Dame ist Gräfin, ist Polin, ist verheiratet, verstärken nur des Dichters Entzücken, seinen Trotz, alle Hindernisse zu überwinden und ein Held und ein Liebhaber nicht nur am Schreibtisch zu sein. Er verschenkt seine Kraft, seinen Geist, seine Zeit, er schreibt beschwörende Worte, endlos lange Briefe, er reist, er trifft die Gräfin Hanska hier und dort in Europa, er wirbt, er wird hingehalten, er verzweifelt, er tobt, und das große, umfassende, das noch immer nicht bewältigte Werk, ‚Die menschliche Komödie‘, wird eifersüchtig wie eine betrogene Gattin und zwingt ihn zu verstärkter, zu noch gigantischerer Nachtarbeit. Zum Schluß ist es ein Amoklauf. Beinahe zufällig erfährt Balzac, daß Graf Hanski schon vor Monaten gestorben ist, und der Liebhaber Balzac setzt sich in Kutsche und Schlitten, eilt nach Rußland und Polen und Dresden, fährt zweimal über damals noch gewaltige Entfernungen, holt die Geliebte, ihre erwachsene Tochter und seinen Schwiegersohn nach Paris in ein auf Kredit prächtig möbliertes Haus. Die Last wird schwer. Das ausschweifende, großbürgerliche, fürstliche, ja magnatisch-patriarchalische Leben und die zu ständiger Arbeit gezwungene Phantasie sind gleichermaßen anspruchsvoll. Balzac schreibt und heiratet und schreibt und fällt in eine

Hirnhautentzündung und schreibt und ahnt den Tod und vollendet seine Unsterblichkeit, die ‚Menschliche Komödie', die kein Ende hat, und beendet 1850 sein irdisches Leben.

In seinem Grab auf dem Père Lachaise, inmitten von Paris und seiner Träume, liegt er zusammen mit einigen polnischen Adligen. Ob sie sich vertragen? Oder kämpft der Dichter eine katalaunische Eheschlacht? Victor Hugo hielt ihm die Grabrede: „Ach, dieser gewaltige, nimmermüde Arbeiter, dieser Philosoph, dieser Denker, dieser Dichter, dieses Genie hat unter uns jenes Leben voll von Stürmen und Kämpfen gelebt, das allen großen Männern beschieden ist. An einem und demselben Tag geht er ein in das Grab und in den Ruhm."

In Paris, am Boulevard du Montparnasse, gegenüber der von Künstlern und Literaten bevölkerten Terrasse des Café du Dôme steht das mächtige Balzac-Denkmal von Rodin. Rainer Maria Rilke hat uns die Inspiration beschrieben, die Rodin zu seiner großen Figur anregte, und sie ist die schönste und ergreifendste Huldigung für Balzac: „Endlich sah er ihn. Er sah eine breite, ausschreitende Gestalt, die an des Mantels Fall alle ihre Schwere verlor. Auf den starken Nacken stemmte sich das Haar, und in das Haar zurückgelehnt, lag ein Gesicht, schauend, im Rausche des Schauens, schäumend vom Schaffen: das Gesicht eines Elements. Das war Balzac in der Fruchtbarkeit seines Überflusses, der Gründer von Generationen, der Verschwender von Schicksalen. Das war der Mann, dessen Augen keiner Dinge bedurften; wäre die Welt leer gewesen: seine Blicke hätten sie eingerichtet."

Wolfgang Koeppen